NEXUS Edu

어휘를 정복하는

시리즈

WORD

FOCUS

✎ 중/고등학교 필수 영단어 수록

✎ 우리말 표제어로 더욱 쉽고 빠르게 암기

✎ 예문 없이 오직 어휘에 집중하여 읽는 순간 바로 암기

✎ 어휘 복습을 위한 추가 테스트지 제공

✎ 모바일로 쉽고 빠르게 이용하는 모바일 보카 테스트 제공(QR코드)

✎ MP3 무료 다운로드 제공(QR코드 & www.nexusEDU.kr)

추가 제공 자료 www.nexusEDU.kr

MP3 듣기
VOCA TEST

원어민 발음
MP3

모바일
VOCA TEST

어휘
테스트지

워드 포커스 시리즈

● **중등 종합 영단어 5000** | 반요한 지음 | 272페이지 | 13,000원

● **고등 필수 명사 5000** | 반요한 지음 | 312페이지 | 14,000원

● **고등 종합 영단어 9500** | 반요한 지음 | 464페이지 | 15,000원

NEXUS Edu
LEVEL CHART

분야	교재	초1	초2	초3	초4	초5	초6	중1	중2	중3	고1	고2	고3
VOCA	초등필수 영단어 1-2·3-4·5-6학년용	■	■	■	■	■	■						
VOCA	The VOCA + (플러스) 1~7					■	■	■	■	■	■	■	
VOCA	THIS IS VOCABULARY 입문·초급·중급			■	■	■	■	■	■	■			
VOCA	WORD FOCUS 중등 종합·고등 명사·고등 종합							■	■	■	■	■	■
VOCA	THIS IS VOCABULARY 고급·어원·수능 완성·뉴텝스								■	■	■	■	■
Grammar	초등필수 영문법 + 쓰기 1~2			■	■	■	■						
Grammar	OK Grammar 1~4			■	■	■	■						
Grammar	This Is Grammar Starter 1~3			■	■	■							
Grammar	This Is Grammar 초급~고급 (각 2권: 총 6권)					■	■	■	■	■	■	■	■
Grammar	Grammar 공감 1~3						■	■	■	■			
Grammar	Grammar 101 1~3						■	■	■	■			
Grammar	Grammar Bridge 1~3 (개정판)						■	■	■	■			
Grammar	중학영문법 뽀개기 1~3						■	■	■	■			
Grammar	The Grammar Starter, 1~3						■	■	■	■	■		
Grammar	구사일생 (구문독해 Basic) 1~2									■	■	■	■
Grammar	구문독해 204 1~2									■	■	■	■
Grammar	그래머 캡처 1~2								■	■	■	■	
Grammar	[특급 단기 특강] 어법어휘 모의고사									■	■	■	■

분야	교재	초1	초2	초3	초4	초5	초6	중1	중2	중3	고1	고2	고3
Writing	도전만점 중등내신 서술형 1~4						📖	📖	📖	📖			
	영어일기 영작패턴 1-A, B · 2-A, B				📖	📖	📖	📖	📖				
	Smart Writing 1~2				📖	📖	📖	📖	📖	📖			
Reading	Reading 101 1~3						📖	📖	📖	📖			
	Reading 공감 1~3						📖	📖	📖	📖			
	This Is Reading Starter 1~3						📖	📖	📖	📖			
	This Is Reading 전면 개정판 1~4							📖	📖	📖	📖		
	This Is Reading 1-1 ~ 3-2 (각 2권; 총 6권)							📖	📖	📖	📖		
	원서 술술 읽는 Smart Reading Basic 1~2						📖	📖	📖	📖			
	원서 술술 읽는 Smart Reading 1~2									📖	📖	📖	
	[특급 단기 특강] 구문독해 · 독해유형									📖	📖	📖	📖
Listening	Listening 공감 1~3						📖	📖	📖	📖			
	The Listening 1~4					📖	📖	📖	📖	📖			
	After School Listening 1~3						📖	📖	📖	📖			
	도전! 만점 중학 영어듣기 모의고사 1~3						📖	📖	📖	📖			
	만점 적중 수능 듣기 모의고사 20회·35회									📖	📖	📖	📖
TEPS	NEW TEPS 입문편 실전 250⁺ 청해·문법·독해						📖	📖	📖	📖			
	NEW TEPS 기본편 실전 300⁺ 청해·문법·독해						📖	📖	📖	📖	📖		
	NEW TEPS 실력편 실전 400⁺ 청해·문법·독해							📖	📖	📖	📖	📖	
	NEW TEPS 마스터편 실전 500⁺ 청해·문법·독해								📖	📖	📖	📖	📖

WORD FOCUS 중등 종합 영단어 5000

지은이 반요한
펴낸이 임상진
펴낸곳 (주)넥서스

출판신고 1992년 4월 3일 제311-2002-2호 ①
10880 경기도 파주시 지목로 5
Tel (02)330-5500 Fax (02)330-5555

ISBN 979-11-6165-730-1 54740
       979-11-6165-729-5 (SET)

저자와 출판사의 허락없이 내용의 일부를 인용하거나
발췌하는 것을 금합니다.

가격은 뒤표지에 있습니다.
잘못 만들어진 책은 구입처에서 바꾸어 드립니다.

www.nexusbook.com
www.nexusEDU.kr

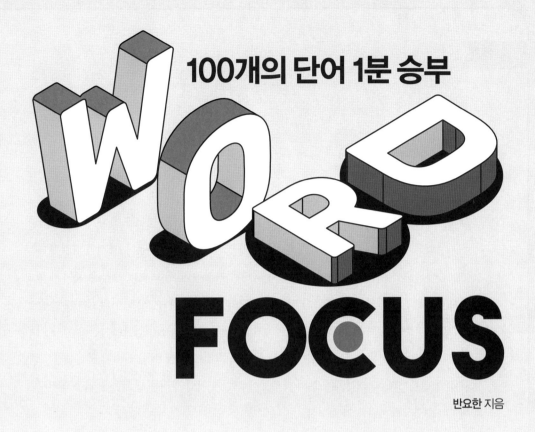

100개의 단어 1분 승부

WORD FOCUS

반요한 지음

중등 종합 영단어

5000

NEXUS Edu

요즘에는 학생들이 초등학교 과정에서부터 자연스럽게 영어를 접하기 때문에 영어 자체는 생소하게 느끼지 않지만, 초등과정에서의 영어 학습은 대부분 문자적인 공부보다는 소리를 중심으로 진행되기 때문에 중학생이 되면서 가장 어렵게 느끼는 부분은 문자의 형태로 된 어려워진 단어들입니다. 게다가 기존의 영단어 책들은 대부분 각 단어의 품사나 수준을 체계적으로 나누어 놓지 않고 마구 뒤섞어 놓았기 때문에 학생들의 입장에서는 암기가 너무도 어렵고, 또 어렵사리 그 단어들을 암기해 놓아도 그걸 어디에 어떻게 써야 좋은지를 도무지 알 수가 없습니다. 그래서 대부분의 학생들이 그렇게 어렵게 외운 단어들을 겨우 영어문장을 해석하는 용도에서만 사용합니다.

이 책의 저자인 저도 그러한 과정을 거쳐서 어렵게 영어를 공부하고 영어 전문가가 되었기에 후배 학생들만은 이러한 고생을 하는 불합리한 상황을 어떻게든 벗어나게 해줘야겠다는 일념으로 이 책을 집필하였습니다. 이 책에 실린 단어들은, 중학교의 교과서 수준만이 아니라 우리가 생활 속에서 실제로 영어를 사용함에 있어서 상식적으로 꼭 알아둬야만 하는 기본적이고 필수적인 내용이지만 학교에서는 대부분 배울 수 없는 것들을 모두 모아서 대단히 체계적으로 세밀하게 정리해 놓았습니다. 따라서 외고나 특목고 등에서 실시하는 수준 높은 어휘를 요구하는 시험 지문이나 외국에 유학을 가는 학생들이 외국의 현지 학교에서 실제로 쓸 수밖에 없는 모든 실용적인 단어들까지도 이 책에서 만날 수 있습니다. 그러므로 시험용의 고급 어휘가 아닌 생활 속에서 실용적인 면에서 쓰는 어휘라면 사실 이 정도만 알아도 평생 별 부족함이 없을 것입니다.

이 책을 통해서 영단어 박사가 되려면 일단 '한⇨영, 영⇨한'의 뜻이 단 1초 만에 바로 머리에 떠오를 때까지 수없이 반복 학습을 하는 것입니다. 암기 방법은 손으로 쓰는 것보다는 입으로 여러 번 소리 내어 암송하는 것을 추천합니다. 이 책을 다 암기한 후에는 이 책의 다음 단계인 〈워드 포커스 고등 필수 명사 5000〉과 〈워드 포커스 고등 종합 영단어 9500〉을 가지고 어휘 공부를 계속하실 것을 추천합니다. 다음 단계의 책들도 이 책과 똑같은 편집 형태로 만들어져 있으므로 이 책으로 단어 공부를 잘 끝낸 학생은 조금도 어려움 없이 즐겁고 빠르게 고등 영단어들을 모두 정복할 수 있습니다. 여러분이 이 두 권의 어휘 책까지 정복하고 나면 수능은 물론 그 어떤 종류의 영어 시험도 절대 겁나지 않을 것입니다. 이 땅의 모든 중학생 여러분이 이 책을 통하여 단어 암기에 데 꼭 성공해서 영어 학습의 큰 기틀을 마련하기를 기원하며 여러분의 건투를 빕니다!

종종 한 권의 책이 한 사람의 인생의 지침을 완전히 바꾸어 놓는 경우가 있습니다.

이 부족한 책이 부디 여러분께 그런 귀한 책이 되기를 진심으로 소망합니다!

저자 **반요한**

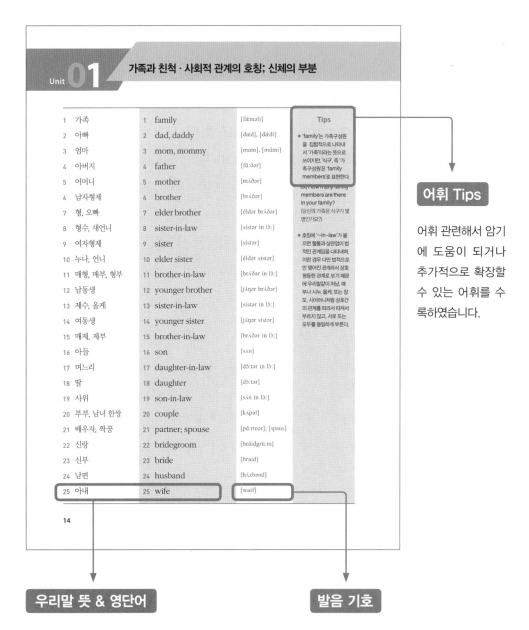

Unit 01 가족과 친척 · 사회적 관계의 호칭; 신체의 부분

1	가족	1 family	[fǽməli]
2	아빠	2 dad, daddy	[dæd], [dǽdi]
3	엄마	3 mom, mommy	[mɑm], [mɑ́mi]
4	아버지	4 father	[fɑ́:ðər]
5	어머니	5 mother	[mʌ́ðər]
6	남자형제	6 brother	[brʌ́ðər]
7	형, 오빠	7 elder brother	[éldər brʌ́ðər]
8	형수, 새언니	8 sister-in-law	[sístər in lɔ́:]
9	여자형제	9 sister	[sístər]
10	누나, 언니	10 elder sister	[éldər sístər]
11	매형, 매부, 형부	11 brother-in-law	[brʌ́ðər in lɔ́:]
12	남동생	12 younger brother	[jʌ́ŋər brʌ́ðər]
13	제수, 올케	13 sister-in-law	[sístər in lɔ́:]
14	여동생	14 younger sister	[jʌ́ŋər sístər]
15	매제, 제부	15 brother-in-law	[brʌ́ðər in lɔ́:]
16	아들	16 son	[sʌn]
17	며느리	17 daughter-in-law	[dɔ́:tər in lɔ́:]
18	딸	18 daughter	[dɔ́:tər]
19	사위	19 son-in-law	[sʌ́n in lɔ́:]
20	부부, 남녀 한쌍	20 couple	[kʌ́pəl]
21	배우자, 짝꿍	21 partner; spouse	[pɑ́:rtnər]; [spaus]
22	신랑	22 bridegroom	[bráidgrù:m]
23	신부	23 bride	[braid]
24	남편	24 husband	[hʌ́zbənd]
25	아내	25 wife	[waif]

Tips

● 'family'는 가족구성원을 집합적으로 나타내서 '가족'이라는 뜻으로 쓰이지만, '식구', 즉 '가족구성원'은 'family members'로 표현한다.
ex) How many family members are there in your family?
(당신의 가족은 식구가 몇 명인가요?)

● 호칭에 '~in-law'가 붙으면 혈통과 상관없이 법적인 관계임을 나타내며, 이런 경우 다만 법적으로만 맺어진 관계라서 상호 평등한 관계로 보기 때문에 우리말같이 처남, 매부나 시누, 올케, 또는 장모, 시어머니처럼 상호간의 관계를 따라서 따져서 부르지 않고, 서로 또는 모두를 동일하게 부른다.

14

어휘 Tips

어휘 관련해서 암기에 도움이 되거나 추가적으로 확장할 수 있는 어휘를 수록하였습니다.

우리말 뜻 & 영단어

영단어 대신 우리말 뜻을 먼저 배치하여 우리말로 먼저 영단어를 떠올리는 연습을 통해 더욱 빨리, 오랫동안 어휘가 기억에 남을 수 있도록 구성하였습니다.

발음 기호

모든 영단어의 발음 기호를 수록하였으며 이는 MP3를 통해서도 들을 수 있습니다.

● 다음 주어진 우리말 단어 뜻을 보고 영단어를 말해 보세요.

1	가족	26	아기	51	부모	76	목
2	아빠	27	걸음마 배우는 유아	52	맏이	77	목구멍
3	엄마	28	어린아이(6세)	53	장남	78	어깨
4	아버지	29	소년	54	장녀	79	등
5	어머니	30	소녀	55	차남	80	젖가슴
6	남자형제	31	십대	56	차녀	81	가슴
7	형, 오빠	32	성인	57	막내	82	허리
8	형수, 새언니	33	어른 남자	58	외동인 아이	83	배
9	여자형제	34	어른 여자	59	외동아들	84	팔
10	누나, 언니	35	어르신, 노인	60	외동딸	85	팔꿈치
11	매형, 매부, 형부	36	부모	61	친구, 동료	86	손
12	남동생	37	할아버지	62	사람	87	손가락
13	제수, 올케	38	할머니	63	몸, 신체	88	손톱
14	여동생	39	손자	64	머리	89	엄지
15	매제, 제부	40	손녀	65	머리카락	90	다리
16	아들	41	친척	66	얼굴	91	무릎
17	며느리	42	삼촌, 외삼촌	67	눈	92	발목
18	딸	43	숙모, 외숙모	68	빰	93	발
19	사위	44	이모, 고모	69	코	94	발가락
20	부부, 남녀 한쌍	45	이모부, 고모부	70	입	95	피, 혈액
21	배우자, 짝꿍	46	사촌	71	입술	96	뼈
22	신랑	47	남자조카	72	혀	97	위
23	신부	48	여자조카	73	이, 치아	98	간
24	남편	49	남자친구	74	턱	99	폐
25	아내	50	여자친구	75	귀	100	심장

● 다음 주어진 영단어를 보고 우리말 뜻을 말해 보세요.

1	family	26	baby	51	parents	76	neck
2	dad, daddy	27	toddler	52	the eldest child	77	throat
3	mom, mommy	28	child, infant(6세)	53	the first born son	78	shoulder[s]
4	father	29	boy	54	the first born daughter	79	back
5	mother	30	girl	55	the second son	80	breast
6	brother	31	teenager	56	the second daughter	81	chest
7	elder brother	32	adult	57	the youngest	82	waist
8	sister-in-law	33	man	58	only child	83	belly
9	sister	34	woman	59	only son	84	arm[s]
10	elder sister	35	senior citizen	60	only daughter	85	elbow
11	brother-in-law	36	grandparents	61	friend, fellow	86	hand[s]
12	younger brother	37	grandfather	62	man, person	87	finger[s]
13	sister-in-law	38	grandmother	63	body	88	fingernail
14	younger sister	39	grandson	64	head	89	thumb
15	brother-in-law	40	granddaughter	65	hair	90	leg[s]
16	son	41	relative	66	face	91	knee
17	daughter-in-law	42	uncle	67	eye[s]	92	ankle
18	daughter	43	aunt	68	cheek[s]	93	foot/feet
19	son-in-law	44	aunt	69	nose	94	toe[s]
20	couple	45	uncle	70	mouth	95	blood
21	partner; spouse	46	cousin	71	lip[s]	96	bone
22	bridegroom	47	nephew	72	tongue	97	stomach
23	bride	48	niece	73	tooth/teeth	98	liver
24	husband	49	boyfriend	74	jaw	99	lung[s]
25	wife	50	girlfriend	75	ear[s]	100	heart

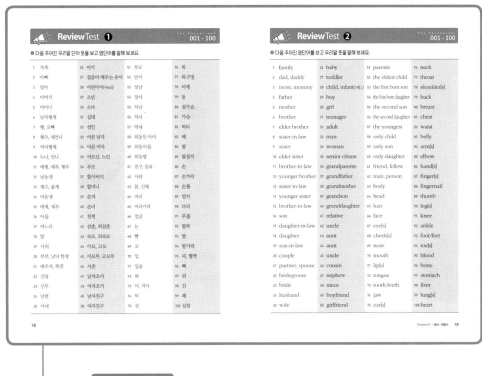

리뷰 테스트

왼쪽에는 한글 뜻을 오른쪽에는 영단어를 배치하였습니다. 먼저 오른쪽 페이지를 가리고 우리말 뜻만 보고 테스트를 실시한 후, 왼쪽 페이지를 가리고 영단어만 보고도 테스트를 실시할 수 있습니다.

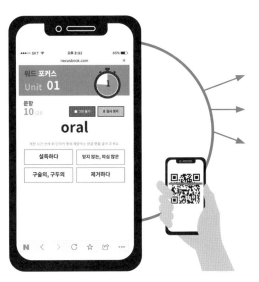

MP3 듣기

모바일 보카 테스트

어휘 테스트지

QR코드를 스캔하면 영단어와 뜻을 수록한 MP3, 게임처럼 복습을 할 수 있는 모바일 보카 테스트를 바로 이용할 수 있습니다. MP3와 어휘를 테스트할 수 있는 시험지는 넥서스에듀 홈페이지(www.nexusEDU.kr)에서 다운로드할 수 있습니다.

　　이 책은 기본적이고 필수적인 내용의 모든 영단어를 누구나 쉽게 공부하고 암기해서 실제로 영어 학습에 즉각 활용할 수 있도록 각 장을 같거나 비슷한 성질을 가진 단어들로만 100개씩 묶어서 일목요연하게 정리하되, 각 단어의 품사와 테마와 특징별로 세심하게 나누어서 정리해놓은 영어 어휘 책입니다.

　　이 책으로 영단어를 제대로 정복하려면 일단 MP3 음성을 들으면서 책을 소리 내서 여러 번 반복적으로 읽어보고 그 내용이나 의미가 머리에 확실히 인식될 때까지 세심하고 꼼꼼하게 책의 내용을 살펴보며 진지하게 학습을 해야만 합니다. 특별히 의미가 여럿인 단어나 뉘앙스의 차이에 대한 자세한 설명이 나와 있는 유의어 파트는 대충 글자만 읽어보면서 암기하려 하면 암기가 불가능하고, 혹 기계적으로 암기하더라도 실제로 사용하기가 어렵습니다. 누구나 단어 암기를 어렵다고 하지만 단어 암기는 제대로 하려면 원래 시간과 노력이 많이 드는 작업입니다. 그러나 중학교 3년 동안 단어장은 이 책 한 권만 가지고 공부해도 그 내용은 특목고, 자사고, 외고, 과학고 등등 특수한 고교의 시험은 물론이고, 외국에 유학을 가더라도 이 책 한 권만 끝내고 나면 중학생 수준에서라면 천하에 두려울 것이 없습니다.

　　그러므로 중학교 과정 3년 동안 이 책 한 권만 옆에 두고 계속 눈팅을 하면서 암기하면 되므로 너무 조급해하지 말고 마음의 여유를 가지고 내용을 찬찬히 살피면서 일단 자신이 보기에 쉽고 만만한 부분부터 정복해 나가고, 나중에 점점 더 어려운 부분을 공략하면 됩니다. 이 책만 끝내고 나면 고등학교에 진학해서도 기본적으로는 어휘의 부족 때문에 어려움을 겪는 일은 결코 없을 겁니다. 다만 고등학생이 되면 고교 내신과 수능 시험을 준비해야 하기 때문에 제가 머리말에서 언급했듯이 이 책과 똑같은 방법으로 편집된 고등학교 수준의 책인 〈워드 포커스 고등 종합 영단어 9500〉, 〈워드 포커스 고등 필수 명사 5000〉를 별도로 구입해서 단어 공부를 계속하면 누구나 영어 어휘의 달인이 될 수 있습니다. 게다가 이 고교용 단어장은 그 내용이 TOEIC, TOEFL이나 공무원 시험 등에 필요한 대부분의 어휘와 중복되므로 잘 공부해 두면 모두 나중에 이러한 시험을 준비할 때 필요한 어휘까지 미리 정복하는 일석이조의 효과를 얻을 수 있습니다.

이 책으로 영단어를 쉽게 공부하는 구체적인 방법은 일단 각 장의 100개씩 구성된 단어들 중에서 앞의 명사 부분처럼 그 뜻이 단순히 1:1로 구성된 것이라면 그냥 쭉 읽어가면서 그 뜻이 한⇨영, 영⇨한이 모두 1초 안에 즉각 떠오를 때까지 학습하면 됩니다. 처음에는 MP3를 들으면서 한국어든 영어든 소리를 내서 암기합니다. 이렇게 암기를 하고 나면 일단 듣기 실력이 비약적으로 향상됩니다. 이렇게 해서 일단 1초 안에 그 뜻이 떠오르면 나중에는 그냥 단어들을 눈으로만 보면서 손가락으로 단어들을 짚어서 쭉 훑어내려가면서 머리에 그 뜻이 1초 안에 떠오르는지 아닌지의 여부만 점검하면 됩니다. 혹시 중간에 1초 만에 잘 떠오르지 않아서 머뭇거려지는 것이 있다면 그 단어는 아직 암기가 덜된 것이니 그런 것들만 따로 표시해 두었다가 그 부분을 1초 안에 떠오를 때까지 집중해서 공부하고, 다시 처음부터 끝까지 매끄럽게 1초 안에 그 뜻이 떠오르는지를 점검해 봅니다. 그렇게 해서 완벽해진 것 같으면 각 장의 맨 뒤에 한글로만, 또는 영어로만 구성된 리뷰 테스트를 보고 마지막 점검을 해서 통과가 되면 일단 그 장은 다 암기한 것으로 보시면 됩니다. 물론 이렇게 다 완벽하게 암기를 해도 며칠이 지나면 또 가물가물한 것들이 생겨납니다. 따라서 주기적으로 다시 한 번씩 앞에서 암기했던 부분을 1초 안에 떠오를 때까지 복습해야만 합니다.

유의어나, 다의어 등 암기할 내용이 많고 복잡한 단어들은 일단 공부를 할 때 정독을 해서 그 미묘한 차이를 잘 인식하고 난 후에 그 의미의 차이가 1초 안에 정확히 인식될 때까지 여러 번 반복해서 다독을 해야만 합니다. 만약 여러분이 이렇게 해서 최소 1년 이상, 길게는 3년을 공부한다면 이 책의 어휘들을 대부분 정복할 수 있을 것이고, 이 책은 영어의 모든 어휘들 중 기본적인 영어 학습에 반드시 필요한 핵심들을 세심하게 추려서 과학적으로 분류하고 잘 정돈해서 농축시켜 놓은 것이기 때문에 아무리 평범한 학생이라도 그 이후에는 틀림없이 영어 어휘의 달인이 되어 있을 겁니다. 모쪼록 이 책으로 공부하는 모든 학생들이 영어 암기에 성공함으로써 영어 어휘의 지옥에서 벗어나서 멋진 영어 어휘의 달인이 되시기를 진심으로 기원합니다!

Chapter 01

절대 필수
명사·대명사
2300

1	가족	1	family	[fæməli]
2	아빠	2	dad, daddy	[dæd], [dǽdi]
3	엄마	3	mom, mommy	[mɑm], [mɑ́mi]
4	아버지	4	father	[fɑ́:ðər]
5	어머니	5	mother	[mʌ́ðər]
6	남자형제	6	brother	[brʌ́ðər]
7	형, 오빠	7	elder brother	[éldər brʌ́ðər]
8	형수, 새언니	8	sister-in-law	[sístər in lɔ́:]
9	여자형제	9	sister	[sístər]
10	누나, 언니	10	elder sister	[éldər sístər]
11	매형, 매부, 형부	11	brother-in-law	[brʌ́ðər in lɔ́:]
12	남동생	12	younger brother	[jʌ́ŋər brʌ́ðər]
13	제수, 올케	13	sister-in-law	[sístər in lɔ́:]
14	여동생	14	younger sister	[jʌ́ŋər sístər]
15	매제, 제부	15	brother-in-law	[brʌ́ðər in lɔ́:]
16	아들	16	son	[sʌn]
17	며느리	17	daughter-in-law	[dɔ́:tər in lɔ́:]
18	딸	18	daughter	[dɔ́:tər]
19	사위	19	son-in-law	[sʌ́n in lɔ́:]
20	부부, 남녀 한쌍	20	couple	[kʌ́pəl]
21	배우자, 짝꿍	21	partner; spouse	[pɑ́:rtnər]; [spaus]
22	신랑	22	bridegroom	[bráidgrù:m]
23	신부	23	bride	[braid]
24	남편	24	husband	[hʌ́zbənd]
25	아내	25	wife	[waif]

Tips

● 'family'는 가족구성원을 집합적으로 나타내서 '가족'이라는 뜻으로 쓰이지만, '식구', 즉 '가족구성원'은 'family members'로 표현한다.

ex) How many family members are there in your family?
(당신의 가족은 식구가 몇 명인가요?)

● 호칭에 '~in-law'가 붙으면 혈통과 상관없이 법적인 관계임을 나타내며, 이런 경우 다만 법적으로만 맺어진 관계라서 상호 평등한 관계로 보기 때문에 우리말같이 처남, 매부나 시누, 올케, 또는 장모, 시어머니처럼 상호간의 관계를 따져서 부르지 않고, 서로 또는 모두를 동일하게 부른다.

26 아기	26 baby	[béibi]	**Tips**
27 걸음마 배우는 유아	27 toddler	[tá:dlər]	● 'grand'는 '1촌의 차이가 있는'이라는 뜻의 결합사이다. 따라서 나를 기준으로 grandfather는 father보다 1촌을 건너뛰는 사람이라서 할아버지가 되고, 할아버지나 할머니를 기준으로 grandson은 아들인 son보다 1촌을 건너뛰는 사람이므로 손자가 되는 것이다.
28 어린아이(=kid)	28 child, infant(7세↓)	[tʃaild], [ínfənt]	
29 소년	29 boy	[bɔi]	
30 소녀	30 girl	[gəːrl]	
31 십대	31 teenager	[tíːnèidʒər]	
32 성인	32 adult	[ədʌ́lt]	
33 어른 남자	33 man	[mæn]	
34 어른 여자	34 woman	[wúmən]	
35 어르신, 노인	35 senior citizen	[síːnjər sítəzən]	● 노인은 구어체로는 old man 또는 old person이라고도 한다.
36 조부모	36 grandparents	[grǽndpɛ̀ərənts]	
37 할아버지	37 grandfather	[grǽndfɑ̀ːðər]	
38 할머니	38 grandmother	[grǽndmʌ̀ðər]	
39 손자	39 grandson	[grǽndsʌ̀n]	
40 손녀	40 granddaughter	[grǽndɔ̀ːtər]	
41 친척	41 relative	[rélətiv]	
42 삼촌, 외삼촌	42 uncle	[ʌ́ŋkəl]	
43 숙모, 외숙모	43 aunt	[ænt]	
44 이모, 고모	44 aunt	[ænt]	
45 이모부, 고모부	45 uncle	[ʌ́ŋkəl]	
46 사촌	46 cousin	[kʌ́zn]	
47 남자조카	47 nephew	[néfjuː]	
48 여자조카	48 niece	[niːs]	
49 남자친구	49 boyfriend	[bɔ́ifrènd]	
50 여자친구	50 girlfriend	[gɔ́ːrlfrènd]	

			Tips
51 부모	51 parents	[péərənts]	● (52~57): 최상급의 형용사 앞에는 보통 '정관사 the'가 붙는다.
52 맏이	52 the eldest child	[ði éldist tʃàild]	
53 장남	53 the first born son	[ðə fɔ́:rst bɔ̀:rn sʌ́n]	
54 장녀	54 the first born daughter	[ðə fɔ́:rst bɔ̀:rn dɔ̀:tər]	● 친부모 biological parents [bàiəládʒikəl pèərənts] ⇨ '생물학적인 부모'의 뜻 real(blood) parents [rí:əl(blʌ́d) pèərənts]
55 차남	55 the second son	[ðə sékənd sʌ̀n]	
56 차녀	56 the second daughter	[ðə sékənd dɔ̀:tər]	
57 막내	57 the youngest	[ðə jʌ́ŋgist]	
58 외동인 아이	58 only child	[óunli tʃàild]	● 친어머니 real(blood) mother [rí:əl(blʌ́d) mʌ̀ðər]
59 외동아들	59 only son	[óunli sʌ̀n]	
60 외동딸	60 only daughter	[óunli dɔ̀:tər]	● 친아버지 real(blood) father [rí:əl(blʌ́d) fù:ðər]
61 친구, 동료	61 friend, fellow	[frend], [félou]	
62 사람	62 man, person	[mæn], [pɔ́:rsən]	
63 몸, 신체	63 body	[bádi]	
64 머리	64 head	[hed]	
65 머리카락	65 hair	[hɛər]	● 이마 brow[brau]라고도 한다.
66 얼굴	66 face	[feis]	
67 눈	67 eye[s]	[ai-z]	● 코의 종류 −납작코 flat nose[flǽt nòuz] −매부리코 Roman nose [róumən nòuz] −들창코 turned−up nose [tɔ́:rndʌ̀p nòuz] −높은 코 high nose [hái nòuz]
68 뺨	68 cheek[s]	[tʃi:k-s]	
69 코	69 nose	[nouz]	
70 입	70 mouth	[mauθ]	
71 입술	71 lip[s]	[lip-s]	
72 혀	72 tongue	[tʌŋ]	
73 이, 치아	73 tooth/teeth	[tu:θ] / [ti:θ]	
74 턱	74 jaw	[dʒɔ:]	
75 귀	75 ear[s]	[iər-z]	

76	목	76	neck	[nek]
77	목구멍	77	throat	[θrout]
78	어깨	78	shoulder[s]	[ʃóuldər-z]
79	등	79	back	[bæk]
80	젖가슴	80	breast	[brest]
81	가슴	81	chest	[tʃest]
82	허리	82	waist	[weist]
83	배	83	belly	[béli]
84	팔	84	arm[s]	[ɑ:rm-z]
85	팔꿈치	85	elbow	[élbou]
86	손	86	hand[s]	[hænd-z]
87	손가락	87	finger[s]	[fíŋgər-z]
88	손톱	88	fingernail	[fíŋgərnèil]
89	엄지	89	thumb	[θʌm]
90	다리	90	leg[s]	[leg-z]
91	무릎	91	knee	[ni:]
92	발목	92	ankle	[æŋkl]
93	발	93	foot/feet	[fut]/[fi:t]
94	발가락	94	toe[s]	[tou-z]
95	피, 혈액	95	blood	[blʌd]
96	뼈	96	bone	[boun]
97	위	97	stomach	[stʌ́mək]
98	간	98	liver	[lívər]
99	폐	99	lung[s]	[lʌŋ-z]
100	심장	100	heart	[hɑ:rt]

Tips

● 입천장
palate[pǽlit]

● 틀니, 의치
artificial tooth
[ɑ̀:rtəfíʃəl tù:θ]
false tooth
[fɔ́:ls tù:θ]
아래 위 전체의치
denture[déntʃər]

● 귀의 부분
ㅡ귓바퀴
auricle, pinna
[ɔ́:rikl], [pínə]
ㅡ귀청, 고막
eardrum[íərdrʌ̀m]

● '가슴'의 뜻이 '품'일 때에
는 'bosom[búzəm]'을
쓴다.

● 손가락을 세는 순서
엄지는 그냥 thumb
일 뿐 손가락으로 치
지 않고 검지부터 first
finger로 센다. 따라
서 중지는 second
finger, 약지는 third
finger, 소지는 fourth
finger가 된다.

● 다음 주어진 우리말 단어 뜻을 보고 영단어를 말해 보세요.

1 가족	26 아기	51 부모	76 목
2 아빠	27 걸음마 배우는 유아	52 맏이	77 목구멍
3 엄마	28 어린아이(=kid)	53 장남	78 어깨
4 아버지	29 소년	54 장녀	79 등
5 어머니	30 소녀	55 차남	80 젖가슴
6 남자형제	31 십대	56 차녀	81 가슴
7 형, 오빠	32 성인	57 막내	82 허리
8 형수, 새언니	33 어른 남자	58 외동인 아이	83 배
9 여자형제	34 어른 여자	59 외동아들	84 팔
10 누나, 언니	35 어르신, 노인	60 외동딸	85 팔꿈치
11 매형, 매부, 형부	36 조부모	61 친구, 동료	86 손
12 남동생	37 할아버지	62 사람	87 손가락
13 제수, 올케	38 할머니	63 몸, 신체	88 손톱
14 여동생	39 손자	64 머리	89 엄지
15 매제, 제부	40 손녀	65 머리카락	90 다리
16 아들	41 친척	66 얼굴	91 무릎
17 며느리	42 삼촌, 외삼촌	67 눈	92 발목
18 딸	43 숙모, 외숙모	68 뺨	93 발
19 사위	44 이모, 고모	69 코	94 발가락
20 부부, 남녀 한쌍	45 이모부, 고모부	70 입	95 피, 혈액
21 배우자, 짝꿍	46 사촌	71 입술	96 뼈
22 신랑	47 남자조카	72 혀	97 위
23 신부	48 여자조카	73 이, 치아	98 간
24 남편	49 남자친구	74 턱	99 폐
25 아내	50 여자친구	75 귀	100 심장

● 다음 주어진 영단어를 보고 우리말 뜻을 말해 보세요.

1 family	26 baby	51 parents	76 neck
2 dad, daddy	27 toddler	52 the eldest child	77 throat
3 mom, mommy	28 child, infant(7세↓)	53 the first born son	78 shoulder[s]
4 father	29 boy	54 the first born daughter	79 back
5 mother	30 girl	55 the second son	80 breast
6 brother	31 teenager	56 the second daughter	81 chest
7 elder brother	32 adult	57 the youngest	82 waist
8 sister-in-law	33 man	58 only child	83 belly
9 sister	34 woman	59 only son	84 arm[s]
10 elder sister	35 senior citizen	60 only daughter	85 elbow
11 brother-in-law	36 grandparents	61 friend, fellow	86 hand[s]
12 younger brother	37 grandfather	62 man, person	87 finger[s]
13 sister-in-law	38 grandmother	63 body	88 fingernail
14 younger sister	39 grandson	64 head	89 thumb
15 brother-in-law	40 granddaughter	65 hair	90 leg[s]
16 son	41 relative	66 face	91 knee
17 daughter-in-law	42 uncle	67 eye[s]	92 ankle
18 daughter	43 aunt	68 cheek[s]	93 foot/feet
19 son-in-law	44 aunt	69 nose	94 toe[s]
20 couple	45 uncle	70 mouth	95 blood
21 partner; spouse	46 cousin	71 lip[s]	96 bone
22 bridegroom	47 nephew	72 tongue	97 stomach
23 bride	48 niece	73 tooth/teeth	98 liver
24 husband	49 boyfriend	74 jaw	99 lung[s]
25 wife	50 girlfriend	75 ear[s]	100 heart

1	질병	1	disease	[dizíːz]
2	통증	2	pain	[pein]
3	두통	3	headache	[hédèik]
4	치통	4	toothache	[túːθèik]
5	귀의 통증	5	earache	[íərèik]
6	인후통	6	sore throat	[sɔ́ːr θròut]
7	복통	7	stomachache	[stʌ́məkèik]
8	요통	8	backache	[bǽkèik]
9	생리통	9	menstrual pain	[ménstruəl pèin]
10	감기 / 독감	10	cold / flu	[kould] / [fluː]
11	기침	11	cough	[kɔːf]
12	열	12	fever	[fíːvər]
13	오한	13	chills	[tʃilz]
14	콧물	14	nasal discharge	[néizəl distʃàːrdʒ]
15	코 막힘	15	nasal congestion	[néizəl kəndʒèstʃən]
16	코피	16	nosebleed	[nóuzblìːd]
17	재채기	17	sneeze	[sniːz]
18	구토	18	vomiting	[vάmitiŋ]
19	멍, 타박상	19	bruise	[bruːz]
20	멍든 눈	20	black eye	[blǽk ái]
21	다래끼	21	sty	[stai]
22	찔린 상처, 자창	22	stab wound	[stǽb wùːnd]
23	베인 상처	23	cut	[kʌt]
24	긁힌 상처	24	scratch	[skrætʃ]
25	찰과상, 쓸린 상처	25	scrape	[skreip]

Tips

● 편두통
megrim[míːgrim]

● '생리통'을 나타내는 다른 말들
–period pain
[píəriəd pèin]
–cramps[kræmps]
–'cramps'는 '생리통'이라는 뜻 외에도 '쥐, 근육경련'이라는 뜻으로도 쓰인다.

● '요통'의 다른 표현
–lumbago
[lʌmbéigou]

● flu
influenza[ìnfluénzə]를 줄인 말.

● '구토하다'라는 뜻의 동사는 우리가 흔히 쓰는 'overeat'가 아니고 다음과 같다. 이 'overeat'는 '과식하다'의 뜻.
–vomit [vάmit]
–throw up[θrou ʌ̀p]

				Tips
26	상처의 딱지	26	scab	[skæb]
27	흉터	27	scar	[skɑ:r]
28	발진, 뾰루지	28	rash	[ræʃ]
29	접질림, 삠	29	sprain	[sprein]
30	불에 덴 화상	30	burn	[bə:rn]
31	물·증기에 덴 화상	31	scald	[skɔ:ld]
32	햇볕화상	32	sunburn	[sʌ́nbə̀:rn]
33	감염	33	infection	[infékʃən]
34	가려움증	34	itch	[itʃ]
35	부어오름	35	swell	[swel]
36	혹, 응어리	36	lump	[lʌmp]
37	메스꺼움	37	nausea	[nɔ́:ziə]
38	저림, 곱음	38	numbness	[nʌ́mnis]
39	근육경련, 쥐	39	cramps	[kræmps]
40	약국	40	pharmacy	[fɑ́:rməsi]
41	약방	41	drugstore	[drʌ́gstɔ̀:r]
42	약사	42	pharmacist	[fɑ́:rməsist]
43	처방전	43	prescription	[priskrípʃən]
44	약품(=medicine)	44	medication	[mèdikéiʃən]
45	약품, 마약	45	drug	[drʌg]
46	처방약	46	prescription medication	[priskrípʃən mèdikéiʃən]
47	회분 복용량	47	dosage, dose	[dóusidʒ], [dous]
48	동그란 알약	48	pill	[pil]
49	납작한 정제	49	tablet	[tǽblit]
50	캡슐	50	capsule	[kǽpsəl]

51	연고	51	ointment	[ɔ́intmənt]
52	아스피린	52	aspirin	[ǽspərin]
53	기침용 시럽	53	cough syrup	[kɔ́:f sìrəp]
54	안약	54	eye drops	[ái dràps]
55	소화제	55	digestive medicine	[didʒéstiv mèdəsən]
56	진통제(=painkiller)	56	pain reliever	[péin rilì:vər]
57	해열제	57	fever reducer	[fí:vər ridjù:sər]
58	붕대	58	bandage	[bǽndidʒ]
59	반창고	59	adhesive bandage	[ædhí:siv bǽndidʒ]
60	밴드	60	bandaid	[bǽndèid]
61	병원	61	hospital	[háspitl]
62	진료소	62	clinic	[klínik]
63	의원	63	doctor's office	[dáktərz ɔ̀:fis]
64	의사(=doctor)	64	physician	[fizíʃən]
65	간호사	65	nurse	[nə:rs]
66	환자	66	patient	[péiʃənt]
67	간병인(=carer)	67	care worker	[kéər wə̀:rkər]
68	혈압계	68	blood pressure gauge	[blʌ́d prèʃər géidʒ]
69	응급치료	69	first aid	[fɔ́:rst èid]
70	구급상자	70	first aid kit	[fɔ́:rst èid kít]
71	응급조치 매뉴얼	71	first aid manual	[fɔ́:rst èid mǽnjuəl]
72	과산화수소	72	hydrogen peroxide	[háidrədʒən pəráksaid]
73	거즈	73	gauze	[gɔ:z]
74	부목	74	splint	[splint]
75	구조호흡	75	rescue breathing	[réskju: brí:ðiŋ]

Tips

● 'pharmacy(약국)'
약사가 상주하여 처방약을 팔 수 있는 곳

● 'drugstore(약방)'
포장된 완제품약과 음료, 잡화 등을 함께 파는 곳

● drug / drugs의 뜻
–'drug': 약, 약품
–'drugs': 마약류, 치약 같은 위생약품

● 마약을 나타내는 다른 말
–dope[doup]
마약, 마약중독자
⇨ 스포츠 선수들의 '도핑테스트'는 여기에서 나온 말이다.

76	물집	76	blister	[blístər]
77	땀	77	sweat	[swet]
78	오줌	78	urine	[júərin]
79	침(=spit)	79	saliva	[səláivə]
80	귀지	80	earwax	[íərwæks]
81	코딱지	81	nose wax	[nóuz wæks]
82	트림	82	burp	[bə:rp]
83	딸꾹질	83	hiccup	[híkʌp]
84	하품	84	yawn	[jɔ:n]
85	재채기	85	sneeze	[sni:z]
86	소화	86	digestion	[didʒéstʃən]
87	소화불량	87	indigestion	[ìndidʒéstʃən]
88	위궤양	88	stomach ulcer	[stʌ́mək ʌ̀lsər]
89	위암	89	stomach cancer	[stʌ́mək kæ̀nsər]
90	불면증	90	insomnia	[insʌ́mniə]
91	골절	91	fracture	[fræktʃər]
92	식중독	92	food poisoning	[fú:d pɔ̀izəniŋ]
93	우울증	93	depression	[dipréʃən]
94	천식	94	asthma	[ǽzmə]
95	암	95	cancer	[kǽnsər]
96	심장마비	96	heart attack	[há:rt ətæ̀k]
97	당뇨병	97	diabetes	[dàiəbí:tis]
98	고혈압	98	high blood pressure	[hái blʌ́d prèʃər]
99	저혈압	99	low blood pressure	[lóu blʌ́d prèʃər]
100	비만	100	obesity	[oubí:səti]

Tips

● 진통제
  –painkiller
  [péinkìlər]
  (구어체 표현)

● 다음 주어진 우리말 단어 뜻을 보고 영단어를 말해 보세요.

1 질병	26 상처의 딱지	51 연고	76 물집
2 통증	27 흉터	52 아스피린	77 땀
3 두통	28 발진, 뽀루지	53 기침용 시럽	78 오줌
4 치통	29 접질림, 삠	54 안약	79 침(=spit)
5 귀의 통증	30 불에 덴 화상	55 소화제	80 귀지
6 인후통	31 물·증기에 덴 화상	56 진통제(=painkiller)	81 코딱지
7 복통	32 햇볕화상	57 해열제	82 트림
8 요통	33 감염	58 붕대	83 딸꾹질
9 생리통	34 가려움증	59 반창고	84 하품
10 감기 / 독감	35 부어오름	60 밴드	85 재채기
11 기침	36 혹, 응어리	61 병원	86 소화
12 열	37 메스꺼움	62 진료소	87 소화불량
13 오한	38 저림, 곱음	63 의원	88 위궤양
14 콧물	39 근육경련, 쥐	64 의사(=doctor)	89 위암
15 코 막힘	40 약국	65 간호사	90 불면증
16 코피	41 약방	66 환자	91 골절
17 재채기	42 약사	67 간병인(=carer)	92 식중독
18 구토	43 처방전	68 혈압계	93 우울증
19 멍, 타박상	44 약품(=medicine)	69 응급치료	94 천식
20 멍든 눈	45 약품, 마약	70 구급상자	95 암
21 다래끼	46 처방약	71 응급조치 매뉴얼	96 심장마비
22 찔린 상처, 자창	47 회분 복용량	72 과산화수소	97 당뇨병
23 베인 상처	48 동그란 알약	73 거즈	98 고혈압
24 긁힌 상처	49 납작한 정제	74 부목	99 저혈압
25 찰과상, 쓸린 상처	50 캡슐	75 구조호흡	100 비만

● 다음 주어진 영단어를 보고 우리말 뜻을 말해 보세요.

1 disease	26 scab	51 ointment	76 blister
2 pain	27 scar	52 aspirin	77 sweat
3 headache	28 rash	53 cough syrup	78 urine
4 toothache	29 sprain	54 eye drops	79 saliva
5 earache	30 burn	55 digestive medicine	80 earwax
6 sore throat	31 scald	56 pain reliever	81 nose wax
7 stomachache	32 sunburn	57 fever reducer	82 burp
8 backache	33 infection	58 bandage	83 hiccup
9 menstrual pain	34 itch	59 adhesive bandage	84 yawn
10 cold / flu	35 swell	60 bandaid	85 sneeze
11 cough	36 lump	61 hospital	86 digestion
12 fever	37 nausea	62 clinic	87 indigestion
13 chills	38 numbness	63 doctor's office	88 stomach ulcer
14 nasal discharge	39 cramps	64 physician	89 stomach cancer
15 nasal congestion	40 pharmacy	65 nurse	90 insomnia
16 nosebleed	41 drugstore	66 patient	91 fracture
17 sneeze	42 pharmacist	67 care worker	92 food poisoning
18 vomiting	43 prescription	68 blood pressure gauge	93 depression
19 bruise	44 medication	69 first aid	94 asthma
20 black eye	45 drug	70 first aid kit	95 cancer
21 sty	46 prescription medication	71 first aid manual	96 heart attack
22 stab wound	47 dosage, dose	72 hydrogen peroxide	97 diabetes
23 cut	48 pill	73 gauze	98 high blood pressure
24 scratch	49 tablet	74 splint	99 low blood pressure
25 scrape	50 capsule	75 rescue breathing	100 obesity

1	집	1	house	[haus]	
2	이층집	2	duplex	[djú:pleks]	
3	대문(=gate)	3	the main entrance	[ðə méin èntrəns]	
4	대문노커(고리쇠)	4	knocker	[nɑkər]	
5	문패	5	nameplate	[néimplèit]	
6	현관 벨	6	doorbell	[dɔ́:rbèl]	
7	인터폰(=~phone)	7	intercom	[íntərkàm]	
8	현관, 현관입구	8	front door	[frʌ́nt dɔ́:r]	
9	우편함	9	mailbox	[méilbàks]	
10	외부계단(전체)	10	stairs, steps	[steərz], [steps]	
11	계단의 한 단	11	stair, step	[steər], [step]	
12	실내용 계단(전체)	12	staircase	[stéərkèis]	
13	계단용 난간	13	banister, handrail	[bǽnəstər], [hǽndrèil]	
14	바닥, 마루	14	floor	[flɔ:r]	
15	거실	15	livingroom	[líviŋrù:m]	
16	침실	16	bedroom	[bédrù:m]	
17	욕실(집화장실)	17	bathroom	[bǽθrù:m]	
18	옷방	18	dressing room	[drésiŋ rù:m]	
19	찬방, 식품저장실	19	pantry	[pǽntri]	
20	식당	20	diningroom	[dáiniŋrù:m]	
21	찬장(=cabinet)	21	cupboard	[kʌ́bərd]	
22	싱크대	22	sink	[siŋk]	
23	수도꼭지	23	faucet	[fɔ́:sit]	
24	벽장	24	closet	[klɑ́zit]	
25	테라스, 베란다	25	terrace	[térəs]	

Tips

● 도어체인
door chain

● 내다보는 문구멍
peeping hole

● 이중자물쇠, 빗장
dead–bolt
=deadlock

● 찬장
cabinet[kǽbənit]

26	복도(=hallway)	26	corridor	[kɔ́:ridɔ̀:r]
27	문	27	door	[dɔ:r]
28	문손잡이	28	doorknob	[dɔ́:rnàb]
29	천장	29	ceiling	[síːliŋ]
30	천장 선풍기	30	ceiling fan	[síːliŋ fæ̀n]
31	위층, [1층에서 본] 2층	31	upstairs	[ʌ́pstéərz]
32	[위층에서 본] 아래층	32	downstairs	[dáunstéərz]
33	1층	33	the first floor	[ðə fɔ́:rst flɔ̀:r]
34	2층	34	the second floor	[ðə sékənd flɔ̀:r]
35	지붕	35	roof	[ru:f]
36	기와	36	roofing tile	[rú:fiŋ tàil]
37	다락방	37	attic, garret	[ǽtik], [gǽrət]
38	옥상	38	rooftop	[rú:ftàp]
39	옥상정원	39	rooftop garden	[rú:ftɑp gà:rdn]
40	옥탑방	40	rooftop house	[rú:ftɑp hàus]
41	가로 빗물받이	41	gutter	[gʌ́tər]
42	세로 배수관	42	drainpipe	[dréinpàip]
43	발코니 난간(=railing)	43	balustrade	[bǽləstrèid]
44	굴뚝	44	chimney	[tʃímni]
45	TV 안테나	45	TV antenna	[tí:ví: ænténə]
46	위성안테나	46	satellite dish	[sǽtəlàit díʃ]
47	보도(현관↔찻길)	47	walkway	[wɔ́:kwèi]
48	차도(차고↔찻길)	48	driveway	[dráivwèi]
49	앞마당	49	front yard	[frʌ́nt jà:rd]
50	골목	50	alley	[ǽli]

Tips

● 복도
hallway[hɔ́:lwèi]

51 벽	51 wall	[wɔ:l]	**Tips**
52 담장, 울타리	52 fence	[fens]	● 성냥
53 가구	53 furniture	[fə́:rnitʃər]	match[mætʃ]
54 장롱	54 wardrobe	[wɔ́:rdròub]	
55 침대	55 bed	[bed]	
56 커피탁자, 다탁	56 coffee table	[ká:fi tèibəl]	
57 의자	57 chair	[tʃɛər]	
58 책상	58 desk	[desk]	
59 책장	59 bookcase	[búkkèis]	
60 붙박이장	60 wall unit	[wɔ́:l jùnit]	
61 소파	61 sofa, couch	[sóufə], [kautʃ]	
62 쿠션	62 cushion	[kúʃən]	
63 온도계	63 thermometer	[θərmámitər]	
64 시계	64 clock	[klɑk]	
65 거울	65 mirror	[mírər]	
66 상자	66 box	[bɑks]	
67 꽃병	67 vase	[veis]	
68 그림액자	68 [picture] frame	[píktʃər frèim]	
69 그림	69 painting	[péintiŋ]	
70 큰 양탄자, 융단	70 carpet	[ká:rpit]	
71 소형 융단	71 rug	[rʌg]	
72 담배(궐련)	72 cigaret[te]	[sígərèt]	
73 라이터	73 [cigaret] lighter	[sígəret làitər]	
74 재떨이	74 ashtray	[ǽʃtrèi]	
75 파리채	75 flyswatter	[fláiswàtər]	

			Tips
76 전등(샹들리에)	76 pendant	[péndənt]	
77 전구	77 light bulb	[láit bʌlb]	
78 형광등	78 fluorescent light	[flùərésnt làit]	
79 전기스탠드	79 lamp	[læmp]	
80 전등갓	80 lampshade	[læmpʃèid]	
81 환풍기	81 ventilator	[véntəlèitər]	
82 가스배관	82 gas pipeline	[gǽs pàiplain]	
83 창문	83 window	[wíndou]	
84 창문틀	84 window frame	[wíndou frèim]	
85 덧문	85 outer door	[áutər dɔ̀:r]	
86 덧창문	86 outer window	[áutər wìndou]	
87 방충망	87 screen	[skri:n]	
88 셔터	88 shutter	[ʃʌ́tər]	
89 블라인드	89 blind	[blaind]	
90 발	90 bamboo blind	[bæmbú: blàind]	
91 커튼	91 curtain	[kə́:rtən]	
92 주름잡아 드리운 커튼	92 drapes	[dreips]	
93 안락의자	93 armchair	[á:rmtʃɛ̀ər]	
94 신발장	94 shoe shelf	[ʃú: ʃèlf]	
95 우산	95 umbrella	[ʌmbrélə]	
96 고무장화	96 rubber boots	[rʌ́bər bù:ts]	
97 전원 안전 차단기	97 circuit braker	[sə́:rkit brèikər]	
98 차고	98 garage	[gərá:ʒ]	
99 광, 헛간	99 barn	[bɑ:rn]	
100 지하실(=cellar)	100 basement	[béismənt]	

● 다음 주어진 우리말 단어 뜻을 보고 영단어를 말해 보세요.

1	집	26	복도(=hallway)	51	벽	76	전등(샹들리에)
2	이층집	27	문	52	담장, 울타리	77	전구
3	대문(=gate)	28	문손잡이	53	가구	78	형광등
4	대문노커(고리쇠)	29	천장	54	장롱	79	전기스탠드
5	문패	30	천장 선풍기	55	침대	80	전등갓
6	현관 벨	31	위층, [1층에서 본] 2층	56	커피탁자, 다탁	81	환풍기
7	인터폰(=~phone)	32	[위층에서 본] 아래층	57	의자	82	가스배관
8	현관, 현관입구	33	1층	58	책상	83	창문
9	우편함	34	2층	59	책장	84	창문틀
10	외부계단(전체)	35	지붕	60	붙박이장	85	덧문
11	계단의 한 단	36	기와	61	소파	86	덧창문
12	실내용 계단(전체)	37	다락방	62	쿠션	87	방충망
13	계단용 난간	38	옥상	63	온도계	88	셔터
14	바닥, 마루	39	옥상정원	64	시계	89	블라인드
15	거실	40	옥탑방	65	거울	90	발
16	침실	41	가로 빗물받이	66	상자	91	커튼
17	욕실(집화장실)	42	세로 배수관	67	꽃병	92	주름잡아 드리운 커튼
18	옷방	43	발코니 난간(=railing)	68	그림액자	93	안락의자
19	찬방, 식품저장실	44	굴뚝	69	그림	94	신발장
20	식당	45	TV 안테나	70	큰 양탄자, 융단	95	우산
21	찬장(=cabinet)	46	위성안테나	71	소형 융단	96	고무장화
22	싱크대	47	보도(현관↔찻길)	72	담배(궐련)	97	전원 안전 차단기
23	수도꼭지	48	차도(차고↔찻길)	73	라이터	98	차고
24	벽장	49	앞마당	74	재떨이	99	광, 헛간
25	테라스, 베란다	50	골목	75	파리채	100	지하실(=cellar)

● 다음 주어진 영단어를 보고 우리말 뜻을 말해 보세요.

1 house	26 corridor	51 wall	76 pendant
2 duplex	27 door	52 fence	77 light bulb
3 the main entrance	28 doorknob	53 furniture	78 fluorescent light
4 knocker	29 ceiling	54 wardrobe	79 lamp
5 nameplate	30 ceiling fan	55 bed	80 lampshade
6 doorbell	31 upstairs	56 coffee table	81 ventilator
7 intercom	32 downstairs	57 chair	82 gas pipeline
8 front door	33 the first floor	58 desk	83 window
9 mailbox	34 the second floor	59 bookcase	84 window frame
10 stairs, steps	35 roof	60 wall unit	85 outer door
11 stair, step	36 roofing tile	61 sofa, couch	86 outer window
12 staircase	37 garret	62 cushion	87 screen
13 banister, handrail	38 rooftop	63 thermometer	88 shutter
14 floor	39 rooftop garden	64 clock	89 blind
15 livingroom	40 rooftop house	65 mirror	90 bamboo blind
16 bedroom	41 gutter	66 box	91 curtain
17 bathroom	42 drainpipe	67 vase	92 drapes
18 dressing room	43 balustrade	68 [picture] frame	93 armchair
19 pantry	44 chimney	69 painting	94 shoe shelf
20 diningroom	45 TV antenna	70 carpet	95 umbrella
21 cupboard	46 satellite dish	71 rug	96 rubber boots
22 sink	47 walkway	72 cigaret[te]	97 circuit braker
23 faucet	48 driveway	73 [cigaret] lighter	98 garage
24 closet	49 front yard	74 ashtray	99 barn
25 terrace	50 alley	75 flyswatter	100 basement

1	집안일	1	housework	[háuswɔ̀:rk]
2	집안 허드렛일	2	house chores	[háus tʃɔ̀:rz]
3	청소	3	cleaning	[klí:niŋ]
4	빗자루	4	broom	[bru:m]
5	먼지, 티끌	5	dust	[dʌst]
6	쓰레받기	6	dustpan	[dʌ́stpæn]
7	걸레	7	rag, dustcloth	[ræg], [dʌ́stklɔ̀:θ]
8	봉걸레	8	mop	[mɑp]
9	먼지떨이	9	duster	[dʌ́stər]
10	쓰레기통	10	trash can	[træʃ kæn]
11	재활용쓰레기통	11	recycling bin	[ri:sáikəliŋ bìn]
12	세척제	12	cleanser	[klénzər]
13	유리창 세정제	13	window cleaner	[wíndou klì:nər]
14	세탁	14	washing	[wáʃiŋ]
15	세탁물, 빨랫감	15	laundry	[lɔ́:ndri]
16	세제	16	laundry detergent	[lɔ́:ndri ditɔ̀:rdʒənt]
17	빨랫비누	17	laundry soap	[lɔ́:ndri sòup]
18	섬유유연제	18	fabric softener	[fǽbrik sɔ̀:fnər]
19	표백제	19	bleach	[bli:tʃ]
20	빨래바구니	20	laundry basket	[lɔ́:ndri bǽskit]
21	양동이	21	bucket	[bʌ́kit]
22	대야	22	washbasin	[wáʃbèisən]
23	빨래판	23	washboard	[wáʃbɔ̀:rd]
24	세탁 솔	24	scrub brush	[skrʌ́b brʌ̀ʃ]
25	빨래 건조대	25	clothes rack	[klóuz ræk]

Tips

● 'cloth'와 'clothe'의 차이점
 – cloth[klɔ:θ]
 '천, 옷감, 직물'의 뜻.
 – clothes[klouz]
 '옷, 의복'의 뜻. 반드시 '복수형'으로만 쓴다.

26 빨랫줄	26 clothesline	[klóuzlàin]	**Tips**
27 빨래집게	27 clothespin	[klóuzpìn]	● hook
28 옷걸이	28 hanger	[hǽŋər]	물건을 거는 데 쓰는 낚
29 다림질	29 ironing	[áiərniŋ]	시바늘 모양의 모든 '고
30 다리미	30 iron	[áiərn]	리'나 '고리모양의 물건'
31 다림질 판	31 ironing board	[áiərniŋ bɔ̀:rd]	은 'hook'이라고 부른
32 주름	32 wrinkle	[ríŋkəl]	다.
33 물분사기	33 spray	[sprei]	
34 분무식 다림질 풀	34 spray starch	[spréi stɑ̀:rtʃ]	
35 욕실(집화장실)	35 bathroom	[bǽθrù:m]	
36 샤워기 꼭지	36 shower head	[ʃáuər hèd]	
37 샤워커튼	37 shower curtain	[ʃáuər kɜ̀:rtən]	
38 커튼 봉	38 curtain rod	[kɔ́:rtən rὰd]	
39 욕조	39 bathtub, tub	[bǽθtʌ̀b], [tʌb]	
40 [욕조의] 배수구	40 drain	[drein]	
41 배수구 마개	41 stopper, plug	[stápər], [plʌg]	
42 세면대	42 sink	[siŋk]	
43 때수건	43 flannel	[flǽnl]	
44 세수수건	44 hand towel	[hǽn tàuəl]	
45 목욕수건	45 bath towel	[bǽθ tàuəl]	
46 [수건 거는] 고리	46 hook	[huk]	
47 세탁물 바구니	47 hamper	[hǽmpər]	
48 변기	48 toilet, stool	[tɔ́ilit], [stu:l]	
49 두루마리 화장지	49 toilet paper	[tɔ́ilit pèipər]	
50 변기용 솔	50 toilet brush	[tɔ́ilit brʌ̀ʃ]	

51 변기 압축기	51 plunger	[plʌ́ndʒər]	**Tips**
52 욕실 수납장	52 bathroom cabinet	[bǽθruːm kǽbənit]	
53 칫솔	53 toothbrush	[túːθbrʌʃ]	
54 칫솔걸이	54 toothbrush holder	[túːθbrʌʃ hòuldər]	
55 치약	55 toothpaste	[túːθpèist]	
56 면도기	56 razor	[réizər]	
57 면도크림	57 shaving cream	[ʃéiviŋ krìːm]	
58 면도솔	58 shaving brush	[ʃéiviŋ brʌʃ]	
59 비누	59 soap	[soup]	
60 비누받침	60 soap dish	[sóup dìʃ]	
61 타일	61 tile	[tail]	
62 체중계	62 scale	[skeil]	
63 욕실용 매트	63 bath mat	[bǽθ mæt]	
64 침실	64 bedroom	[bédrùːm]	
651 인용 침대	65 single bed	[síŋgəl bèd]	
662 인용 침대	66 double bed	[dʌ́bəl bèd]	
67 침대커버	67 bedspread	[bédsprèd]	
68 베개	68 pillow	[pílou]	
69 베갯잇	69 pillowcase	[píloukèis]	
70 침대의 머리판	70 headboard	[hédbɔ̀ːrd]	
71 침대의 발판	71 footboard	[fútbɔ̀ːrd]	
72 한 쌍의 싱글베드 중 하나	72 twin bed	[twín bèd]	
73 푹신한 이불	73 comforter	[kʌ́mfərtər]	
74 홑이불	74 flat sheet	[flǽt ʃìːt]	
75 매트리스	75 mattress	[mǽtris]	

76	담요	76 blanket	[blǽŋkit]
77	방향제	77 air freshener	[ɛ́ər frɛ̀ʃənər]
78	서랍장	78 bureau	[bjúərou]
79	티슈	79 tissues	[tíʃuːz]
80	눈가리개	80 blindfold	[bláindfòuld]
81	자명종 시계	81 alarm clock	[əláːrm klàk]
82	아기 방	82 the baby's room	[ðə béibiz rùːm]
83	딸랑이	83 rattle	[rǽtl]
84	인형	84 doll	[dɑːl]
85	젖병	85 [baby] bottle	[béibi bàtl]
86	[젖병용] 젖꼭지	86 nipple	[nípəl]
87	빈 고무젖꼭지	87 pacifier	[pǽsəfàiər]
88	면봉	88 cotton swab	[kátn swàb]
89	베이비로션	89 baby lotion	[béibi lòuʃən]
90	베이비파우더	90 baby powder	[béibi pàudər]
91	아기용 물티슈	91 baby wipes	[béibi wàips]
92	턱받이	92 bib	[bib]
93	유아용 울타리 침대	93 crib	[krib]
94	요람	94 cradle	[kréidl]
95	장난감 상자	95 toy chest	[tɔ́i tʃèst]
96	소아용 변기	96 potty	[páti]
97	기저귀	97 diaper	[dáiəpər]
98	아기 옷	98 baby clothes	[béibi klòuz]
99	보행기	99 walker	[wɔ́ːkər]
100	유모차	100 stroller	[stróulər]

Tips

● 다음 주어진 우리말 단어 뜻을 보고 영단어를 말해 보세요.

1 집안일	26 빨랫줄	51 변기 압축기	76 담요
2 집안 허드렛일	27 빨래집게	52 욕실 수납장	77 방향제
3 청소	28 옷걸이	53 칫솔	78 서랍장
4 빗자루	29 다림질	54 칫솔걸이	79 티슈
5 먼지, 티끌	30 다리미	55 치약	80 눈가리개
6 쓰레받기	31 다림질 판	56 면도기	81 자명종 시계
7 걸레	32 주름	57 면도크림	82 아기 방
8 봉걸레	33 물분사기	58 면도솔	83 딸랑이
9 먼지떨이	34 분무식 다림질 풀	59 비누	84 인형
10 쓰레기통	35 욕실(집화장실)	60 비누받침	85 젖병
11 재활용쓰레기통	36 샤워기 꼭지	61 타일	86 [젖병용] 젖꼭지
12 세척제	37 샤워커튼	62 체중계	87 빈 고무젖꼭지
13 유리창 세정제	38 커튼 봉	63 욕실용 매트	88 면봉
14 세탁	39 욕조	64 침실	89 베이비로션
15 세탁물, 빨랫감	40 [욕조의] 배수구	651 인용 침대	90 베이비파우더
16 세제	41 배수구 마개	662 인용 침대	91 아기용 물티슈
17 빨랫비누	42 세면대	67 침대커버	92 턱받이
18 섬유유연제	43 때수건	68 베개	93 유아용 울타리 침대
19 표백제	44 세수수건	69 베갯잇	94 요람
20 빨래바구니	45 목욕수건	70 침대의 머리판	95 장난감 상자
21 양동이	46 [수건 거는] 고리	71 침대의 발판	96 소아용 변기
22 대야	47 세탁물 바구니	72 한쌍의 싱글베드 중 하나	97 기저귀
23 빨래판	48 변기	73 푹신한 이불	98 아기 옷
24 세탁 솔	49 두루마리 화장지	74 홑이불	99 보행기
25 빨래 건조대	50 변기용 솔	75 매트리스	100 유모차

● 다음 주어진 영단어를 보고 우리말 뜻을 말해 보세요.

1 housework	26 clothesline	51 plunger	76 blanket
2 house chores	27 clothespin	52 bathroom cabinet	77 air freshener
3 cleaning	28 hanger	53 toothbrush	78 bureau
4 broom	29 ironing	54 toothbrush holder	79 tissues
5 dust	30 iron	55 toothpaste	80 blindfold
6 dustpan	31 ironing board	56 razor	81 alarm clock
7 rag, dustcloth	32 wrinkle	57 shaving cream	82 the baby's room
8 mop	33 spray	58 shaving brush	83 rattle
9 duster	34 spray starch	59 soap	84 doll
10 trash can	35 bathroom	60 soap dish	85 [baby] bottle
11 recycling bin	36 shower head	61 tile	86 nipple
12 cleanser	37 shower curtain	62 scale	87 pacifier
13 window cleaner	38 curtain rod	63 bath mat	88 cotton swab
14 washing	39 bathtub, tub	64 bedroom	89 baby lotion
15 laundry	40 drain	65 single bed	90 baby powder
16 laundry detergent	41 stopper, plug	66 double bed	91 baby wipes
17 laundry soap	42 sink	67 bedspread	92 bib
18 fabric softener	43 flannel	68 pillow	93 crib
19 bleach	44 hand towel	69 pillowcase	94 cradle
20 laundry basket	45 bath towel	70 headboard	95 toy chest
21 bucket	46 hook	71 footboard	96 potty
22 washbasin	47 hamper	72 twin bed	97 diaper
23 washboard	48 toilet, stool	73 comforter	98 baby clothes
24 scrub brush	49 toilet paper	74 flat sheet	99 walker
25 clothes rack	50 toilet brush	75 mattress	100 stroller

						Tips
1	식탁용 식기류	1	tableware	[téibəlwèər]		
2	주방용품	2	kitchen utensils	[kítʃən ju:ténsəlz]		
3	가스레인지	3	gas range, burner	[gǽs rèindʒ], [bɔ́:rnər]		
4	압력밥솥	4	pressure cooker	[préʃər kùkər]		
5	서랍	5	drawer	[drɔ:r]		
6	주전자	6	kettle	[kétl]		
7	냄비	7	pan	[pæn]		
8	프라이팬	8	frying-pan	[fráiŋpæ̀n]		
9	부엌칼	9	kitchen knife	[kítʃən nàif]		
10	도마 (=cutting~)	10	chopping board	[tʃápiŋ bɔ̀:rd]		
11	은식기류	11	silver-ware	[sílvərwὲər]		
12	수건걸이	12	towel rack	[táuəl ræ̀k]		
13	행주	13	dishtowel	[díʃtàuəl]		
14	컵	14	cup	[kʌp]		
15	유리잔	15	glass	[glæs]		
16	맥주잔	16	beer glass	[bíər glæs]		
17	와인잔	17	wine glass	[wáin glæs]		
18	접시	18	plate	[pleit]		
19	받침접시	19	saucer	[sɔ́:sər]		
20	숟가락	20	spoon	[spu:n]		
21	젓가락	21	chopsticks	[tʃápstìks]		
22	나무젓가락	22	wooden chopsticks	[wúdn tʃʌ̀pstiks]		
23	포크	23	fork	[fɔ:rk]		
24	나이프	24	knife	[naif]		
25	빨대	25	straw	[strɔ:]		

26	이쑤시개	26	toothpick	[tú:θpìk]
27	솥, 가마솥	27	caldron	[kɔ́:ldrən]
28	[솥, 냄비의] 뚜껑	28	lid	[lid]
29	쟁반	29	tray	[trei]
30	보온병	30	thermos bottle	[θɔ́:rməs bàtl]
31	대바구니	31	bamboo basket	[bæmbú: bæskit]
32	큰사발, 믹싱볼	32	[mixing] bowl	[míksiŋ bòul]
33	항아리/깊은 냄비	33	jar/pot	[dʒɑ:r]/[pɑt]
34	그릇, 용기	34	container	[kəntéinər]
35	병	35	bottle	[bátl]
36	오븐, 화덕	36	oven	[ʌ́vən]
37	오븐장갑	37	pot holder	[pát hòuldər]
38	양철 양념통	38	canister	[kǽnistər]
39	피처(물주전자)	39	pitcher	[pítʃər]
40	반죽 밀대	40	rolling pin	[róuliŋ pìn]
41	접시건조대	41	dish drainer	[díʃ drèinər]
42	요리책	42	cookbook	[kúkbùk]
43	저장용 병	43	storage jar	[stɔ́:ridʒ dʒɑ̀:r]
44	[냉장고용] 제빙그릇	44	ice tray	[áis trèi]
45	후추병	45	pepper shaker	[pépər ʃèikər]
46	소금병	46	salt shaker	[sɔ́:lt ʃèikər]
47	설탕그릇	47	sugar bowl	[ʃúgər bòul]
48	샐러드용 접시	48	salad bowl	[sǽləd bòul]
49	찻주전자	49	teapot	[tí:pàt]
50	찻잔	50	teacup	[tí:kʌ̀p]

Tips

● lid
'뚜껑이나 덮개' 중에서 '꽉 끼워서 막거나 나사식으로 돌려 잠가서 막는 것'이 아니라 항아리 뚜껑처럼 '그냥 얹어서 덮는 형식의 것들'을 통칭하는 말이다.

● container
'모든 종류의 그릇', 즉 '담을 것'을 통칭하는 말이다. 'container box'도 결국 '물건을 담는 큰 상자'라는 뜻인 셈이다.

51	과도	51	fruit knife	[frú:t nàif]
52	찜통	52	steamer	[stí:mər]
53	뚝배기	53	earthen pot	[ɔ́:rθən pàt]
54	주걱	54	rice scoop	[ráis skù:p]
55	국자	55	ladle	[léidl]
56	거품기	56	balloon whisk	[bəlú:n wìsk]
57	달걀거품기	57	eggbeater	[égbì:tər]
58	뒤집개	58	fish slice	[fíʃ slàis]
59	석쇠	59	grill	[gril]
60	병따개	60	bottle opener	[bátl òupənər]
61	깡통따개	61	can opener	[kǽn òupənər]
62	알루미늄 호일	62	aluminum foil	[əlú:mənəm fɔ̀il]
63	랩	63	plastic wrap	[plǽstik rǽp]
64	지퍼 백	64	zipper bag	[zípər bæg]
65	앞치마	65	apron	[éiprən]
66	주방세제	66	washing-up liquid	[wáʃiŋʌ̀p líkwid]
67	수세미	67	scouring pad	[skáuəriŋ pæd]
68	고무장갑	68	rubber gloves	[rʌ́bər glʌ̀vz]
69	계량컵	69	measuring cup	[méʒəriŋ kʌ̀p]
70	계량스푼	70	measuring spoon	[méʒəriŋ spù:n]
71	저울	71	scale	[skeil]
72	밥 수저	72	tablespoon	[téibəlspù:n]
73	티스푼	73	teaspoon	[tí:spù:n]
74	거름망, 체(=sifter)	74	mesh strainer	[méʃ strèinər]
75	밀폐용기	75	airtight container	[ɛ́ərtàit kəntéinər]

Tips

● earthen
이처럼 물질명사 뒤에 '-en'이 붙으면 '그 물질로 만든'이라는 뜻이 된다. 따라서 'earthen pot'은 '흙으로 만든 냄비', 즉 '토기'라는 뜻이 되므로 '뚝배기'가 되는 것이다.

● sifter[síftər]
작은 체. 밀가루를 치는 데 주로 쓴다.

				Tips
76	웍(중국식 요리냄비)	76	wok	[wɑk]
77	빵·과자 굽는 철판	77	cookie sheet	[kúki ʃìːt]
78	쿠키 모형 절단기	78	cookie cutter	[kúki kʌ̀tər]
79	구이용 팬	79	roasting pan	[róustiŋ pæ̀n]
80	[오븐의]생선구이기	80	broiler	[brɔ́ilər]
81	자루달린 스튜냄비	81	sauce pan	[sɔ́ːs pæ̀n]
82	마늘분쇄기	82	garlic press	[gɑ́ːrlik près]
83	감자껍질 벗기는 칼	83	peeler	[píːlər]
84	강판	84	grater	[gréitər]
85	깔때기	85	funnel	[fʌ́nl]
86	체소쿠리	86	colander	[kʌ́ləndər]
87	도자기	87	china	[tʃáinə]
88	칠기(일본제 그릇)	88	japan	[dʒəpǽn]
89	양초	89	candle	[kǽndl]
90	촛대	90	candlestick	[kǽndlstìk]
91	샹들리에	91	chandelier	[ʃæ̀ndəlíər]
92	식탁	92	table	[téibəl]
93	식탁보	93	tablecloth	[téibəlklɔ̀ːθ]
94	의자	94	chair	[tʃɛ́ər]
95	종이냅킨	95	paper napkin	[péipər nǽpkin]
96	키친타월	96	paper towel	[péipər táuəl]
97	커피머신	97	coffee maker	[kɑ́ːfi mèikər]
98	커피여과지	98	coffee filter	[kɑ́ːfi fìltər]
99	커피크림 그릇	99	creamer	[kríːmər]
100	음식물쓰레기통	100	garbage can	[gɑ́ːrbidʒ kæ̀n]

● 다음 주어진 우리말 단어 뜻을 보고 영단어를 말해 보세요.

1 식탁용 식기류	26 이쑤시개	51 과도	76 웍(중국식 요리냄비)
2 주방용품	27 솥, 가마솥	52 찜통	77 빵·과자 굽는 철판
3 가스레인지(=burner)	28 [솥, 냄비의] 뚜껑	53 뚝배기	78 쿠키 모형 절단기
4 압력밥솥	29 쟁반	54 주걱	79 구이용 팬
5 서랍	30 보온병	55 국자	80 [오븐의]생선구이기
6 주전자	31 대바구니	56 거품기	81 자루달린 스튜냄비
7 냄비	32 큰사발, 믹싱볼	57 달걀거품기	82 마늘분쇄기
8 프라이팬	33 항아리/깊은 냄비	58 뒤집개	83 감자껍질 벗기는 칼
9 부엌칼	34 그릇, 용기	59 석쇠	84 강판
10 도마(=cutting~)	35 병	60 병따개	85 깔때기
11 은식기류	36 오븐, 화덕	61 깡통따개	86 체소쿠리
12 수건걸이	37 오븐장갑	62 알루미늄 호일	87 도자기
13 행주	38 양철 양념통	63 랩	88 칠기(일본제 그릇)
14 컵	39 피처(물주전자)	64 지퍼 백	89 양초
15 유리잔	40 반죽 밀대	65 앞치마	90 촛대
16 맥주잔	41 접시건조대	66 주방세제	91 샹들리에
17 와인잔	42 요리책	67 수세미	92 식탁
18 접시	43 저장용 병	68 고무장갑	93 식탁보
19 받침접시	44 [냉장고용] 제빙그릇	69 계량컵	94 의자
20 숟가락	45 후추병	70 계량스푼	95 종이냅킨
21 젓가락	46 소금병	71 저울	96 키친타월
22 나무젓가락	47 설탕그릇	72 밥 수저	97 커피머신
23 포크	48 샐러드용 접시	73 티스푼	98 커피여과지
24 나이프	49 찻주전자	74 거름망, 체(=sifter)	99 커피크림 그릇
25 빨대	50 찻잔	75 밀폐용기	100 음식물쓰레기통

● 다음 주어진 영단어를 보고 우리말 뜻을 말해 보세요.

1	tableware	26	toothpick	51	fruit knife	76	wok
2	kitchen utensils	27	caldron	52	steamer	77	cookie sheet
3	gas range	28	lid	53	earthen pot	78	cookie cutter
4	pressure cooker	29	tray	54	rice scoop	79	roasting pan
5	drawer	30	thermos bottle	55	ladle	80	broiler
6	kettle	31	bamboo basket	56	balloon whisk	81	sauce pan
7	pan	32	[mixing] bowl	57	eggbeater	82	garlic press
8	frying-pan	33	jar/pot	58	fish slice	83	peeler
9	kitchen knife	34	container	59	grill	84	grater
10	chopping board	35	bottle	60	bottle opener	85	funnel
11	silver-ware	36	oven	61	can opener	86	colander
12	towel rack	37	pot holder	62	aluminum foil	87	china
13	dishtowel	38	canister	63	plastic wrap	88	japan
14	cup	39	pitcher	64	zipper bag	89	candle
15	glass	40	rolling pin	65	apron	90	candlestick
16	beer glass	41	dish drainer	66	washing-up liquid	91	chandelier
17	wine glass	42	cookbook	67	scouring pad	92	table
18	plate	43	storage jar	68	rubber gloves	93	tablecloth
19	saucer	44	ice tray	69	measuring cup	94	chair
20	spoon	45	pepper shaker	70	measuring spoon	95	paper napkin
21	chopsticks	46	salt shaker	71	scale	96	paper towel
22	wooden chopsticks	47	sugar bowl	72	tablespoon	97	coffee maker
23	fork	48	salad bowl	73	teaspoon	98	coffee filter
24	knife	49	teapot	74	mesh strainer	99	creamer
25	straw	50	teacup	75	airtight container	100	garbage can

가전제품; 공구; 자전거 · 오토바이

1	가전제품	1	home appliances	[hóum əpláiənsiz]	**Tips**
2	텔레비전(=TV)	2	television	[téləvìʒən]	
3	냉장고 냉장실	3	refrigerator	[rifrídʒərèitər]	
4	냉장고 냉동실	4	freezer	[frí:zər]	
5	식기세척기	5	dishwasher	[díʃwà:ʃər]	
6	세탁기	6	washing machine	[wá:ʃiŋ məʃì:n]	
7	진공청소기	7	vacuum cleaner	[vǽkjuəm klì:nər]	
8	전화기	8	telephone	[téləfòun]	
9	무선전화기	9	cordless phone	[kɔ́:rdles fòun]	
10	휴대전화기	10	cell-phone	[sélfòun]	
11	팩시밀리	11	facsimile, fax	[fæksíməli], [fæks]	
12	에어컨	12	air conditioner	[ɛ́ər kəndìʃənər]	
13	선풍기	13	[electric] fan	[iléktrik fǽn]	
14	전자레인지	14	microwave [oven]	[máikrouwèiv ʌ́vən]	
15	전기압력솥	15	electric pressure cooker	[iléktrik prèʃər kúkər]	
16	전기오븐	16	electric oven	[iléktrik ʌ̀vən]	
17	토스터	17	toaster	[tóustər]	
18	가습기	18	humidifier	[hju:mídəfàiər]	
19	제습기	19	dehumidifier	[dì:hju:mídifàiər]	
20	전기난로	20	electric heater	[iléktrik hì:tər]	
21	전기장판	21	electric pad	[iléktrik pǽd]	
22	전기다리미	22	electric iron	[iléktrik àiərn]	
23	공기청정기	23	air cleaner	[ɛ́ər klì:nər]	
24	커피포트	24	coffee pot	[ká:fi pàt]	
25	믹서(=blender)	25	electric mixer	[iléktrik mìksər]	

			Tips
26	온수기	26 water heater	[wá:tər hì:tər]
27	정수기	27 water purifier	[wá:tər pjùrəfaiər]
28	전기면도기	28 electric shaver	[iléktrik ʃèivər]
29	전기스탠드	29 desk lamp	[désk læmp]
30	디지털 카메라	30 digital camera	[dídʒitl kǽmərə]
31	비디오 캠코더	31 video camcorder	[vídiòu kǽmkɔ̀:rdər]
32	라디오	32 radio	[réidiòu]
33	스테레오 장치	33 stereo system	[stériou sìstəm]
34	스피커	34 speaker	[spí:kər]
35	마이크(=mike)	35 microphone	[máikrəfòun]
36	MP3 플레이어	36 MP3 player	[émpí:θrí: plèiər]
37	이어폰	37 earphone	[íərfòun]
38	헤드폰	38 headphone	[hédfòun]
39	리모컨	39 remote control	[rimóut kəntróul]
40	배터리 충전기	40 battery charger	[bǽtəri tʃɑ̀:rdʒər]
41	플래시	41 flashlight	[flǽʃlàit]
42	전원스위치	42 power switch	[páuər swìtʃ]
43	컴퓨터	43 [desktop] computer	[désktàp kəmpjú:tər]
44	노트북 컴퓨터	44 laptop computer	[lǽptàp kəmpjú:tər]
45	노트패드	45 notepad	[nóutpæd]
46	프린터	46 printer	[príntər]
47	스캐너	47 scanner	[skǽnər]
48	키보드	48 keyboard	[kí:bɔ̀:rd]
49	마우스	49 mouse	[maus]
50	모니터	50 monitor	[mánitər]

51	수리	51	fixing	[fíksiŋ]
52	공구, 도구	52	tool	[tu:l]
53	공구함	53	tool box	[tú:l bàks]
54	망치	54	hammer	[hǽmər]
55	못	55	nail	[neil]
56	드라이버	56	screwdriver	[skrú:dràivər]
57	+(-) 드라이버	57	plus(minus) driver	[plʌ́s(máinəs) dràivər]
58	나사	58	screw	[skru:]
59	볼트(수나사)	59	bolt	[boult]
60	너트(암나사)	60	nut	[nʌt]
61	니퍼	61	nippers	[nípərz]
62	롱노즈 플라이어	62	long nose pliers	[lɔ́:ŋ nòuz pláiərz]
63	펜치	63	pinchers	[píntʃərz]
64	스패너	64	spanner(=wrench)	[spǽnər]
65	멍키스패너	65	monkey wrench	[mʌ́ŋki rèntʃ]
66	전기드릴	66	electric power drill	[iléktrik pàuər dríl]
67	드릴 촉(날)	67	drill bit	[dríl bìt]
68	본드(=glue)	68	adhesive	[ædhí:siv]
69	강력본드	69	super glue	[sú:pər glù:]
70	철사	70	wire	[waiər]
71	전선	71	electric wire	[iléktrik wàiər]
72	전기절연테이프	72	electrical tape	[iléktrikəl tèip]
73	전기납땜인두	73	soldering iron	[sɔ́ldəriŋ àiən]
74	땜납	74	solder	[sɔ́ldər]
75	케이블 타이	75	cable tie	[kéibəl tài]

Tips

● 본드, 접착제
영어로 '접착제'의 뜻
으로는 'bond'라는
말을 잘 쓰지 않고,
주로 'adhesive'나
'glue[glu:]'라는 말을
쓴다.

● 와셔
washer[wɑʃər]

● 스테이플 'ㄷ'형 꺽쇠
–staple[stéipəl]

			Tips
76	[전기] 테스터	76	tester	[téstər]	
77	박스용 커터 칼	77	box cutter	[báks kʌ̀tər]	
78	작은 톱	78	handsaw	[hǽndsɔ̀ː]	
79	쇠톱	79	hacksaw	[hǽksɔ̀ː]	
80	대패	80	plane	[plein]	
81	끌	81	chisel	[tʃízəl]	
82	송곳	82	awl	[ɔːl]	
83	사포	83	sandpaper	[sǽndpèipər]	
84	거친 눈 줄	84	rasp	[ræsp]	
85	고운 눈 줄	85	file	[fail]	
86	와이어 스트리퍼	86	wire stripper	[wáiər strìpər]	
87	줄자	87	tape measure	[téip mèʒər]	
88	바이스	88	vise	[vais]	
89	자전거(=bike)	89	bicycle	[báisikəl]	
90	세발자전거	90	tricycle	[tráisikəl]	
91	보조바퀴	91	training wheels	[tréiniŋ wìːlz]	
92	산악자전거	92	mountain bike	[máuntən bàik]	
93	자전거 차체	93	frame	[freim]	
94	남성용 차체(─형)	94	boy's frame	[bɔ́iz frèim]	
95	여성용 차체(∪형)	95	girl's frame	[gɔ́ːrlz frèim]	
96	안장	96	saddle, seat	[sǽdl], [siːt]	
97	일반형 핸들	97	touring handle bars	[túəriŋ hæ̀ndl báːrz]	
98	경기용 핸들(⊐)	98	racing handle bars	[réisiŋ hæ̀ndl báːrz]	
99	손 브레이크	99	hand brake	[hǽnd brèik]	
100	브레이크 케이블	100	[brake] cable	[bréik kèibəl]	

● 다음 주어진 우리말 단어 뜻을 보고 영단어를 말해 보세요.

1	가전제품	26	온수기	51	수리	76	[전기] 테스터
2	텔레비전(=TV)	27	정수기	52	공구, 도구	77	박스용 커터 칼
3	냉장고 냉장실	28	전기면도기	53	공구함	78	작은 톱
4	냉장고 냉동실	29	전기스탠드	54	망치	79	쇠톱
5	식기세척기	30	디지털 카메라	55	못	80	대패
6	세탁기	31	비디오캠코더	56	드라이버	81	끌
7	진공청소기	32	라디오	57	+(−) 드라이버	82	송곳
8	전화기	33	스테레오 장치	58	나사	83	사포
9	무선전화기	34	스피커	59	볼트(수나사)	84	거친 눈 줄
10	휴대전화기	35	마이크(=mike)	60	너트(암나사)	85	고운 눈 줄
11	팩시밀리	36	MP3 플레이어	61	니퍼	86	와이어 스트리퍼
12	에어컨	37	이어폰	62	롱노즈 플라이어	87	줄자
13	선풍기	38	헤드폰	63	펜치	88	바이스
14	전자레인지	39	리모컨	64	스패너	89	자전거(=bike)
15	전기압력솥	40	배터리 충전기	65	멍키스패너	90	세발자전거
16	전기오븐	41	플래시	66	전기드릴	91	보조바퀴
17	토스터	42	전원스위치	67	드릴 촉(날)	92	산악자전거
18	가습기	43	컴퓨터	68	본드(=glue)	93	자전거 차체
19	제습기	44	노트북 컴퓨터	69	강력본드	94	남성용 차체(—형)
20	전기난로	45	노트패드	70	철사	95	여성용 차체(∪형)
21	전기장판	46	프린터	71	전선	96	안장
22	전기다리미	47	스캐너	72	전기절연테이프	97	일반형 핸들
23	공기청정기	48	키보드	73	전기납땜인두	98	경기용 핸들(ㄱ)
24	커피포트	49	마우스	74	땜납	99	손 브레이크
25	믹서(=blender)	50	모니터	75	케이블 타이	100	브레이크 케이블

● 다음 주어진 영단어를 보고 우리말 뜻을 말해 보세요.

1 home appliances	26 water heater	51 fixing	76 tester
2 television	27 water purifier	52 tool	77 box cutter
3 refrigerator	28 electric shaver	53 tool box	78 handsaw
4 freezer	29 desk lamp	54 hammer	79 hacksaw
5 dishwasher	30 digital camera	55 nail	80 plane
6 washing machine	31 video camcorder	56 screwdriver	81 chisel
7 vacuum cleaner	32 radio	57 plus(minus) driver	82 awl
8 telephone	33 stereo system	58 screw	83 sandpaper
9 cordless phone	34 speaker	59 bolt	84 rasp
10 cell-phone	35 microphone	60 nut	85 file
11 facsimile, fax	36 MP3 player	61 nippers	86 wire stripper
12 air conditioner	37 earphone	62 long nose pliers	87 tape measure
13 [electric] fan	38 headphone	63 pinchers	88 vise
14 microwave [oven]	39 remote control	64 spanner(=wrench)	89 bicycle
15 electric pressure cooker	40 battery charger	65 monkey wrench	90 tricycle
16 electric oven	41 flashlight	66 electric power drill	91 training wheels
17 toaster	42 power switch	67 drill bit	92 mountain bike
18 humidifier	43 [desktop] computer	68 adhesive	93 frame
19 dehumidifier	44 laptop computer	69 super glue	94 boy's frame
20 electric heater	45 notepad	70 wire	95 girl's frame
21 electric pad	46 printer	71 electric wire	96 saddle, seat
22 electric iron	47 scanner	72 electrical tape	97 touring handle bars
23 air cleaner	48 keyboard	73 soldering iron	98 racing handle bars
24 coffee pot	49 mouse	74 solder	99 hand brake
25 electric mixer	50 monitor	75 cable tie	100 [brake] cable

						Tips
1	식재료, 구성성분	1	ingredients	[ingrí:diənts]		
2	향신료, 양념류	2	spices	[spáisiz]		
3	조미료	3	seasoning	[sí:zəniŋ]		
4	고춧가루	4	red pepper powder	[réd pèpər páudər]		
5	후춧가루	5	ground pepper	[gráund pèpər]		
6	식용유	6	cooking oil	[kúkiŋ ɔ̀il]		
7	참기름	7	sesame oil	[sésəmi ɔ̀il]		
8	콩기름	8	soybean oil	[sɔ́ibì:n ɔ̀il]		
9	새우젓	9	pickled shrimps	[píkəld ʃrìmps]		
10	겨자	10	mustard	[mʌ́stərd]		
11	겨자 소스	11	mustard sauce	[mʌ́stərd sɔ̀:s]		
12	고추냉이	12	horseradish	[hɔ́:rsrædiʃ]		
13	계피	13	cinnamon	[sínəmən]		
14	드레싱(샐러드용 소스)	14	dressing	[drésiŋ]		
15	토핑, 고명	15	topping	[tápiŋ]		
16	딸기 잼	16	strawberry jam	[strɔ́:bèri dʒǽm]		
17	땅콩버터	17	peanut butter	[pí:nʌt bʌ́tər]		
18	치즈	18	cheese	[tʃi:z]		
19	버터	19	butter	[bʌ́tər]		
20	마가린	20	margarine	[mɑ́:rdʒərin]		
21	꿀	21	honey	[hʌ́ni]		
22	화학조미료(MSG)	22	flavor enhancer	[fléivər inhǽnsər]		
23	방부제	23	preservative	[prizɔ́:rvətiv]		
24	식용색소	24	food colors	[fú:d kʌ̀lərz]		
25	식품첨가물	25	food additives	[fú:d ǽdətivz]		

26	설탕	26	sugar	[ʃúgər]
27	소금	27	salt	[sɔːlt]
28	식초	28	vinegar	[vínigər]
29	통후추	29	pepper	[pépər]
30	밀가루	30	flour	[flauər]
31	튀김가루	31	frying powder	[fráiŋ pàudər]
32	마요네즈	32	mayonnaise	[mèiənéiz]
33	케첩	33	ketchup	[kétʃəp]
34	볶은 참깨	34	roasted sesame	[róustid sèsəmi]
35	간장	35	soy-sauce	[sɔ́i sɔ̀ːs]
36	된장	36	bean-paste	[bíːn pèist]
37	고추장	37	red-pepper paste	[réd pèpər péist]
38	주식	38	staple food	[stéipəl fùːd]
39	부식, 반찬	39	side dish	[sáid dìʃ]
40	전채(식욕증진용 요리)	40	appetizer	[ǽpitàizər]
41	아침식사	41	breakfast	[brékfəst]
42	점심식사	42	lunch	[lʌntʃ]
43	저녁식사	43	supper	[sʌ́pər]
44	만찬	44	dinner	[dínər]
45	연회	45	party, banquet	[páːrti], [bǽŋkwit]
46	외식	46	dining(eating) out	[dáiniŋ(íːtiŋ) áut]
47	간식	47	nosh	[nɑːʃ]
48	후식	48	dessert	[dizɔ́ːrt]
49	분식	49	flour based food	[fláuər bèist fúːd]
50	야식	50	late night meal	[léit nàit míːl]

Tips

● 간식
'nosh'이외에 'snack'
이라는 표현도 자주 쓰인
다. 모두 '가벼운 식사'라
는 뜻이다.
간식시간: snack time

51	음료	51	beverage	[bévəridʒ]	**Tips**
52	콜라/코카콜라	52	cola/coke	[kóulə]/[kouk]	
53	오렌지주스	53	orange juice	[ɔ́:rindʒ dʒù:s]	
54	포도주스	54	grape juice	[gréip dʒù:s]	
55	홍차	55	black tea	[blǽk tì:]	
56	녹차	56	green tea	[grí:n tì:]	
57	물	57	water	[wá:tər]	
58	커피	58	coffee	[ká:fi]	
59	원두커피	59	brewed coffee	[brú:d kà:fi]	
60	인스턴트커피	60	instant coffee	[ínstənt kà:fi]	
61	커피크림	61	coffee creamer	[ká:fi krì:mər]	
62	우유	62	milk	[milk]	
63	알코올성 음료	63	alcoholic beverage	[æ̀lkəhɔ́:lik bèvəridʒ]	
64	소주	64	soju, liquor	[sódʒu], [líkər]	
65	맥주	65	beer	[biər]	
66	생맥주	66	draft beer	[drǽft bìər]	
67	탁주, 막걸리	67	raw rice wine	[rɔ́: ràis wáin]	
68	[적·백]포도주	68	[red · white] wine	[réd·wáit wàin]	
69	위스키	69	whiskey	[wíski]	
70	샴페인	70	champagne	[ʃæmpéin]	
71	브랜디	71	brandy	[brǽndi]	
72	코냑	72	cognac	[kóunjæk]	
73	진	73	gin	[dʒin]	
74	보드카	74	vodka	[vádkə]	
75	칵테일	75	cocktail	[káktèil]	

76	마트(대형 할인점)	76 mart	[mɑːrt]	**Tips**
77	슈퍼마켓	77 supermarket	[súːpərmàːrkit]	
78	식료품점	78 grocery store	[gróusəri stɔ̀ːr]	
79	편의점	79 convenience store	[kənvíːnjəns stɔ̀ːr]	
80	구멍가게	80 small store	[smɔ́ːl stɔ̀ːr]	
81	냉동식품	81 frozen foods	[fróuzən fùːdz]	
82	낙농식품	82 dairy products	[déəri prɑ̀dəkts]	
83	통조림식품	83 canned goods	[kǽnd gùdz]	
84	빵·과자류	84 baked goods	[béikt gùdz]	
85	간식류	85 snacks	[snæks]	
86	식료품	86 groceries	[gróusəriz]	
87	가정용품	87 household items	[háushòuld áitəmz]	
88	장바구니	88 shopping basket	[ʃɑ́piŋ bǽskit]	
89	쇼핑카트	89 shopping cart	[ʃɑ́piŋ kɑ̀ːrt]	
90	통로	90 aisle	[ail]	
91	매대, 진열대	91 shelf	[ʃelf]	
92	계산대	92 checkout counter	[tʃékàut káuntər]	
93	컨베이어 벨트	93 conveyor belt	[kənvéiər bèlt]	
94	손님, 고객	94 customer	[kʌ́stəmər]	
95	계산원	95 cashier	[kæʃíər]	
96	금전등록기	96 cash register	[kǽʃ rèdʒəstər]	
97	영수증	97 receipt	[risíːt]	
98	쇼핑봉투	98 bag	[bæg]	
99	상품권	99 gift certificate	[gíft sərtìfəkit]	
100	쿠폰	100 coupon	[kjúːpɑn]	

● 다음 주어진 우리말 단어 뜻을 보고 영단어를 말해 보세요.

1 식재료, 구성성분	26 설탕	51 음료	76 마트(대형 할인점)
2 향신료, 양념류	27 소금	52 콜라, 코카콜라	77 슈퍼마켓
3 조미료	28 식초	53 오렌지주스	78 식료품점
4 고춧가루	29 통후추	54 포도주스	79 편의점
5 후춧가루	30 밀가루	55 홍차	80 구멍가게
6 식용유	31 튀김가루	56 녹차	81 냉동식품
7 참기름	32 마요네즈	57 물	82 낙농식품
8 콩기름	33 케첩	58 커피	83 통조림식품
9 새우젓	34 볶은 참깨	59 원두커피	84 빵·과자류
10 겨자	35 간장	60 인스턴트커피	85 간식류
11 겨자 소스	36 된장	61 커피크림	86 식료품
12 고추냉이	37 고추장	62 우유	87 가정용품
13 계피	38 주식	63 알코올성 음료	88 장바구니
14 드레싱(샐러드용 소스)	39 부식, 반찬	64 소주	89 쇼핑카트
15 토핑, 고명	40 전채(식욕증진용 요리)	65 맥주	90 통로
16 딸기 잼	41 아침식사	66 생맥주	91 매대, 진열대
17 땅콩버터	42 점심식사	67 탁주, 막걸리	92 계산대
18 치즈	43 저녁식사	68 [적·백]포도주	93 컨베이어 벨트
19 버터	44 만찬	69 위스키	94 손님, 고객
20 마가린	45 연회	70 샴페인	95 계산원
21 꿀	46 외식	71 브랜디	96 금전등록기
22 화학조미료(MSG)	47 간식	72 코냑	97 영수증
23 방부제	48 후식	73 진	98 쇼핑봉투
24 식용색소	49 분식	74 보드카	99 상품권
25 식품첨가물	50 야식	75 칵테일	100 쿠폰

● 다음 주어진 영단어를 보고 우리말 뜻을 말해 보세요.

1	ingredients	26	sugar	51	beverage	76	mart
2	spices	27	salt	52	cola, coke	77	supermarket
3	seasoning	28	vinegar	53	orange juice	78	grocery store
4	red pepper powder	29	pepper	54	grape juice	79	convenience store
5	ground pepper	30	flour	55	black tea	80	small store
6	cooking oil	31	frying powder	56	green tea	81	frozen foods
7	sesame oil	32	mayonnaise	57	water	82	dairy products
8	soybean oil	33	ketchup	58	coffee	83	canned goods
9	pickled shrimps	34	roasted sesame	59	brewed coffee	84	baked goods
10	mustard	35	soy-sauce	60	instant coffee	85	snacks
11	mustard sauce	36	bean-paste	61	coffee creamer	86	groceries
12	horseradish	37	red-pepper paste	62	milk	87	household items
13	cinnamon	38	staple food	63	alcoholic beverage	88	shopping basket
14	dressing	39	side dish	64	soju, liquor	89	shopping cart
15	topping	40	appetizer	65	beer	90	aisle
16	strawberry jam	41	breakfast	66	draft beer	91	shelf
17	peanut butter	42	lunch	67	raw rice wine	92	checkout counter
18	cheese	43	supper	68	[red·white] wine	93	conveyor belt
19	butter	44	dinner	69	whiskey	94	customer
20	margarine	45	party, banquet	70	champagne	95	cashier
21	honey	46	dining(eating) out	71	brandy	96	cash register
22	flavor enhancer	47	nosh	72	cognac	97	receipt
23	preservative	48	dessert	73	gin	98	bag
24	food colors	49	flour based food	74	vodka	99	gift certificate
25	food additives	50	late night meal	75	cocktail	100	coupon

과일 · 채소 · 견과류 · 곡물 · 간식

						Tips
1	과일[류]	1	fruit[s]	[fru:t-s]		
2	사과	2	apple	[ǽpl]	● 머루
3	배	3	pear	[pɛər]	wild grape
4	포도	4	grape	[greip]	[wáild grèip]
5	복숭아	5	peach	[pi:tʃ]	
6	감	6	persimmon	[pə:rsímən]	
7	바나나	7	banana	[bənǽnə]	
8	레몬	8	lemon	[lémən]	
9	오렌지	9	orange	[ɔ́:rindʒ]	
10	귤	10	tangerine	[tǽndʒərí:n]	
11	자몽	11	grapefruit	[gréipfrù:t]	
12	멜론, 참외	12	melon	[mélən]	
13	수박	13	watermelon	[wá:tərmèlən]	
14	토마토	14	tomato	[təméitou]	
15	딸기	15	strawberry	[strɔ́:bèri]	
16	블루베리	16	blueberry	[blú:bèri]	
17	체리, 버찌	17	cherry	[tʃéri]	
18	자두	18	plum	[plʌm]	
19	살구	19	apricot	[éiprəkàt]	
20	매실	20	Japanese apricot	[dʒæpəní:z èiprəkàt]	
21	파인애플	21	pineapple	[páinæpl]	
22	망고	22	mango	[mǽŋgou]	
23	야자열매	23	coconut	[kóukənàt]	
24	석류	24	pomegranate	[páməgrænit]	
25	무화과	25	fig	[fig]	

26	채소[류]	26	vegetable[s]	[védʒətəbəl-z]
27	양배추	27	cabbage	[kǽbidʒ]
28	배추	28	Chinese cabbage	[tʃainí:z kǽbidʒ]
29	무	29	radish	[rǽdiʃ]
30	상추	30	lettuce	[létis]
31	당근	31	carrot	[kǽrət]
32	양파	32	onion	[ʌ́njən]
33	대파(=leek)	33	green onion	[grí:n ʌ̀njən]
34	풋고추	34	green pepper	[grí:n pèpər]
35	붉은 고추	35	red pepper	[réd pèpər]
36	피망	36	bell pepper	[bél pèpər]
37	마늘	37	garlic	[gá:rlik]
38	생강	38	ginger	[dʒíndʒər]
39	감자	39	potato	[pətéitou]
40	고구마	40	sweet potato	[swí:t pətèitou]
41	시금치	41	spinach	[spínitʃ]
42	오이	42	cucumber	[kjú:kəmbər]
43	늙은 호박	43	pumpkin	[pʌ́mpkin]
44	긴 애호박	44	zucchini	[zu:kí:ni]
45	아스파라거스	45	asparagus	[əspǽrəgəs]
46	버섯	46	mushroom	[mʌ́ʃru:m]
47	가지	47	eggplant	[égplæ̀nt]
48	셀러리	48	celery	[séləri]
49	브로콜리	49	brocoli	[brákəli]
50	미나리	50	dropwort	[drápwə̀:rt]

Tips

- 콩나물
  bean sprouts
  [bí:n spràuts]

- 숙주나물
  green-bean sprouts
  [grí:n bì:n spràuts]

- 두부
  bean curd
  [bí:n kə̀:rd]

- '대파'의 다른 이름
  leek[li:k]

- 쪽파, 골파
  chives[tʃaivz]

51	밤, 견과[류]	51	nut[s]	[nʌt-s]
52	호두	52	walnut	[wɔ́:lnʌt]
53	개암, 헤이즐넛	53	hazel nut	[héizəl nʌt]
54	은행 열매	54	ginko nut	[gínkou nʌt]
55	땅콩	55	peanut	[pí:nʌt]
56	잣 열매	56	pine nut	[páin nʌt]
57	아몬드	57	almond	[á:mənd]
58	피스타치오	58	pistachio	[pistǽ:ʃiòu]
59	캐슈넛	59	cashew nut	[kǽʃu: nʌt]
60	건포도	60	raisin	[réizən]
61	마카다미아 열매	61	macadamia nut	[mæ̀kədéimiə nʌt]
62	해바라기 씨	62	sunflower seeds	[sʌ́nflàuər sí:dz]
63	호박씨	63	pumpkin seeds	[pʌ́mpkin sì:dz]
64	곡물	64	grain, cereal	[grein], [síəriəl]
65	쌀	65	rice	[rais]
66	현미	66	brown rice	[bráun ràis]
67	보리	67	barley	[bá:rli]
68	밀	68	wheat	[wi:t]
69	옥수수	69	corn	[kɔ:rn]
70	흰콩, 대두	70	soybean	[sɔ́ibì:n]
71	완두콩	71	pea	[pi:]
72	팥	72	red bean	[réd bì:n]
73	녹두	73	mung bean	[mʌ́ŋ bì:n]
74	수수	74	sorghum	[sɔ́:rgəm]
75	기장	75	millet	[mílit]

Tips

- bean [bi:n]
  '강낭콩'을 의미한다.

- jack bean[dʒǽk bì:n]
  작두콩

- coffee beans
  커피원두

76	조(좁쌀)	76	German millet	[dʒɔ́:rmən mìlit]
77	참깨 씨	77	sesame seeds	[sésəmi sì:dz]
78	들깨 씨	78	perilla seeds	[pərílə sì:dz]
79	귀리	79	oat	[out]
80	메밀	80	buckwheat	[bʌ́kwì:t]
81	간식[류]	81	snack	[snæk]
82	피자	82	pizza	[pí:tsə]
83	후라이드 치킨	83	fried chicken	[fráid tʃìkin]
84	케이크	84	cake	[keik]
85	빵	85	bread	[bred]
86	팬케이크	86	pancake	[pǽnkèik]
87	아이스크림	87	ice cream	[áis krì:m]
88	과자(미)	88	cookie, cracker	[kúki], [krǽkər]
89	과자(영)	89	biscuit	[bískit]
90	쓰레기 음식	90	junk food	[dʒʌ́ŋk fù:d]
91	즉석음식	91	fast food	[fǽst fù:d]
92	즉석음식	92	instant food	[ínstənt fù:d]
93	햄버거	93	hamburger	[hǽmbə̀:rgər]
94	핫도그	94	hotdog	[hátdɔ̀g]
95	감자튀김	95	French fries	[fréntʃ fràiz]
96	도넛	96	doughnut	[dóunʌ̀t]
97	샌드위치	97	sandwich	[sǽndwitʃ]
98	토스트	98	toast	[toust]
99	사과 파이	99	apple pie	[ǽpl pái]
100	팝콘	100	popcorn	[pápkɔ̀:rn]

Tips

- 호밀
  rye[rai]

- 사탕수수
  sugar cane
  [ʃúgər kèin]

- apple pie
  가장 미국적인 음식.
  'as American as
  apple pie'는 '가장 미
  국적인'이라는 뜻.

- 밀가루 반죽
  dough[dou]

● 다음 주어진 우리말 단어 뜻을 보고 영단어를 말해 보세요.

1	과일[류]	26	채소[류]	51	밤, 견과[류]	76	조(좁쌀)
2	사과	27	양배추	52	호두	77	참깨 씨
3	배	28	배추	53	개암, 헤이즐넛	78	들깨 씨
4	포도	29	무	54	은행 열매	79	귀리
5	복숭아	30	상추	55	땅콩	80	메밀
6	감	31	당근	56	잣 열매	81	간식[류]
7	바나나	32	양파	57	아몬드	82	피자
8	레몬	33	대파(=leek)	58	피스타치오	83	후라이드 치킨
9	오렌지	34	풋고추	59	캐슈넛	84	케이크
10	귤	35	붉은 고추	60	건포도	85	빵
11	자몽	36	피망	61	마카다미아 열매	86	팬케이크
12	멜론, 참외	37	마늘	62	해바라기 씨	87	아이스크림
13	수박	38	생강	63	호박씨	88	과자(미)
14	토마토	39	감자	64	곡물	89	과자(영)
15	딸기	40	고구마	65	쌀	90	쓰레기 음식
16	블루베리	41	시금치	66	현미	91	즉석음식
17	체리, 버찌	42	오이	67	보리	92	즉석음식
18	자두	43	늙은 호박	68	밀	93	햄버거
19	살구	44	긴 애호박	69	옥수수	94	핫도그
20	매실	45	아스파라거스	70	콩	95	감자튀김
21	파인애플	46	버섯	71	완두콩	96	도넛
22	망고	47	가지	72	팥	97	샌드위치
23	야자열매	48	셀러리	73	녹두	98	토스트
24	석류	49	브로콜리	74	수수	99	사과 파이
25	무화과	50	미나리	75	기장	100	팝콘

● 다음 주어진 영단어를 보고 우리말 뜻을 말해 보세요.

1 fruit[s]	26 vegetable[s]	51 nut[s]	76 German millet
2 apple	27 cabbage	52 walnut	77 sesame seeds
3 pear	28 Chinese cabbage	53 hazel nut	78 perilla seeds
4 grape	29 radish	54 ginko nut	79 oat
5 peach	30 lettuce	55 peanut	80 buckwheat
6 persimmon	31 carrot	56 pine nut	81 snack
7 banana	32 onion	57 almond	82 pizza
8 lemon	33 green onion	58 pistachio	83 fried chicken
9 orange	34 green pepper	59 cashew nut	84 cake
10 tangerine	35 red pepper	60 raisin	85 bread
11 grapefruit	36 bell pepper	61 macadamia nut	86 pancake
12 melon	37 garlic	62 sunflower seeds	87 ice cream
13 watermelon	38 ginger	63 pumpkin seeds	88 cookie, cracker
14 tomato	39 potato	64 grain, cereal	89 biscuit
15 strawberry	40 sweet potato	65 rice	90 junk food
16 blueberry	41 spinach	66 brown rice	91 fast food
17 cherry	42 cucumber	67 barley	92 instant food
18 plum	43 pumpkin	68 wheat	93 hamburger
19 apricot	44 zucchini	69 corn	94 hotdog
20 Japanese apricot	45 asparagus	70 bean	95 French fries
21 pineapple	46 mushroom	71 pea	96 doughnut
22 mango	47 eggplant	72 red bean	97 sandwich
23 coconut	48 celery	73 mung bean	98 toast
24 pomegranate	49 brocoli	74 sorghum	99 apple pie
25 fig	50 dropwort	75 millet	100 popcorn

						Tips
1	[식용동물의] 고기	1	meat	[miːt]	
2	소고기	2	beef	[biːf]	
3	소 목덜미살	3	chuck	[tʃʌk]	
4	소 갈비살	4	ribs	[ribz]	
5	필레(최고급 늑골살)	5	fillet	[filéi]	
6	소 위쪽 허리살	6	sirloin	[sə́ːrlɔin]	
7	두툼하게 자른 살	7	steak	[steik]	
8	소꼬리	8	oxtail	[ákstèil]	
9	송아지 고기	9	veal	[viːl]	
10	돼지고기	10	pork	[pɔːrk]	
11	돼지 넓적다리살	11	ham	[hæm]	
12	돼지 등·옆구리살	12	bacon	[béikən]	
13	폭찹(돼지갈비)	13	pork chops	[pɔ́ːrk tʃàps]	
14	소시지	14	sausage	[sɔ́ːsidʒ]	
15	양고기	15	mutton	[mʌ́tn]	
16	어린 양고기	16	lamb	[læm]	
17	양갈비	17	lamb chops	[læm tʃàps]	
18	양다리	18	leg of lamb	[lég əv læm]	
19	생닭고기	19	chicken	[tʃíkin]	
20	통닭	20	whole chicken	[hóul tʃíkin]	
21	튀긴 닭	21	fried chicken	[fráid tʃíkin]	
22	닭백숙	22	chicken stew	[tʃíkin stjùː]	
23	닭다리	23	leg	[leg]	
24	닭 가슴살	24	breast	[brest]	
25	닭 날개	25	wing	[wiŋ]	

26	오리고기	26	duck	[dʌk]
27	칠면조고기	27	turkey	[tə́ːrki]
28	사슴고기	28	venison	[vénəzən]
29	살코기	29	lean meat	[líːn mìːt]
30	지방, 비계	30	fat	[fæt]
31	생선, 물고기	31	fish	[fiʃ]
32	해물, 수산식품	32	seafood	[síːfùːd]
33	바닷물고기	33	saltwater fish	[sɔ́ltwàːtər fíʃ]
34	고등어	34	mackerel	[mǽkərəl]
35	꽁치	35	mackerel pike	[mǽkərəl pàik]
36	삼치(=cero)	36	Japanese Spanish mackerel	[dʒæ̀pəníːz spǽniʃ~]
37	갈치	37	hair tail	[héər tèil]
38	명태	38	pollack	[pálək]
39	대구	39	codfish, cod	[kádfiʃ], [kad]
40	도미	40	[sea] bream	[síː bríːm]
41	조기	41	yellow corbina	[jélou kɔːrbìnə]
42	광어(넙치)	42	flatfish	[flǽtfiʃ]
43	가자미	43	halibut	[hǽləbət]
44	오징어	44	squid	[skwid]
45	갑오징어	45	cuttlefish	[kʌ́tlfiʃ]
46	문어	46	octopus	[áktəpəs]
47	낙지	47	small octopus	[smɔ́ːl àktəpəs]
48	멸치	48	anchovy	[ǽntʃouvi]
49	송어	49	trout	[traut]
50	연어	50	salmon	[sǽmən]

Tips
- 복어, 복 swellfish[swélfiʃ]
- 삼치 cero[síərou]라고도 함.
- 도미 앞에 'see'를 붙이지 않고 'bream[briːm]'이라고도 한다.

51	참치	51	tuna	[tjú:nə]
52	정어리	52	sardine	[sɑːrdíːn]
53	농어	53	sea bass	[síː bæs]
54	민어	54	croaker	[króukər]
55	가다랭이	55	[oceanic] bonito	[òuʃiǽnik bəníːtou]
56	뱅어	56	whitebait	[wáitbèit]
57	바다거북	57	turtle	[təːrtl]
58	민물거북, 남생이	58	tortoise	[tɔ́ːrtəs]
59	해삼	59	sea cucumber	[síː kjúːkəmbər]
60	멍게	60	sea squirt	[síː skwə̀ːrt]
61	해파리	61	jellyfish	[dʒélifiʃ]
62	불가사리	62	starfish	[stáːrfiʃ]
63	조개[류]/조개껍질	63	shellfish/shell	[ʃélfiʃ]/[ʃel]
64	조개(대합)	64	clam	[klæm]
65	굴	65	oyster	[ɔ́istər]
66	전복(=sea-ear)	66	abalone	[æ̀bəlóuni]
67	소라	67	conch	[kɑːntʃ]
68	게	68	crab	[kræb]
69	꽃게	69	blue crab	[blúː kræ̀b]
70	새우	70	shrimp	[ʃrimp]
71	대하	71	jumbo shrimp	[dʒΛmbou ʃrìmp]
72	바다가재	72	lobster	[lábstər]
73	가재(가재의 통칭)	73	crayfish	[kréifiʃ]
74	홍합	74	mussel	[mΛsəl]
75	꼬막	75	cockle	[kάkəl]

Tips

● 방어
yellowtail[jéloutèil]

● 대하
'prawn[prɔːn]'이라고
도 한다.

● 가재
가재류는 'crayfish'
로 통칭하기 때문에 바
다가재인 'lobster'를
'crayfish'로도 부른다.

● 맛(조개의 일종)
razor clam
[réizər klæm]

● 소라게
hermit crab
[hə́ːrmit kræb]

● 게·가재·새우의 집게발
claw[klɔː]

● 갑각류
crustacean
[krΛstéiʃən]

76	가리비	76 scallop	[skáləp]
77	성게	77 sea urchin	[síː ə́ːrtʃin]
78	해초, 해조류	78 seaweed	[síːwìːd]
79	미역	79 sea mustard	[síː mʌ̀stərd]
80	김	80 laver	[léivər]
81	파래	81 green laver	[gríːn lèivər]
82	다시마	82 kelp	[kelp]
83	담수어, 민물고기	83 freshwater fish	[fréʃwàːtər fíʃ]
84	잉어	84 carp	[kɑːrp]
85	붕어	85 crucian [carp]	[krúːʃən kàːrp]
86	메기	86 catfish	[kǽtfiʃ]
87	피라미	87 minnow	[mínou]
88	황어	88 dace	[deis]
89	쏘가리	89 mandarin fish	[mǽndərin fíʃ]
90	뱀장어	90 eel	[iːl]
91	미꾸라지	91 loach, mudfish	[loutʃ], [mʌ́dfiʃ]
92	은어	92 sweetfish	[swíːtfiʃ]
93	빙어	93 pond smelt	[pánd smèlt]
94	산천어	94 cherry salmon	[tʃéri sæ̀mən]
95	곤들매기	95 char[r]	[tʃɑːr]
96	자라	96 soft-shelled turtle	[sɔ́ft ʃèld tɔ́ːrtl]
97	재첩	97 Asian clam	[éiʒən klæ̀m]
98	바지락	98 Manila clam	[mənílə klæ̀m]
99	우렁이	99 mud snail	[mʌ́d snèil]
100	식용달팽이(F)	100 escargot	[èskɑːrgóu]

Tips

● 송사리
killifish[kílifiʃ]

● 금붕어
goldfish[góuldfiʃ]

● 붕어(crucian carp)
'carp'라는 말을 떼고 그냥 'crucian'이라고도 부른다.

● 다음 주어진 우리말 단어 뜻을 보고 영단어를 말해 보세요.

1 [식용동물의] 고기	26 오리고기	51 참치	76 가리비
2 소고기	27 칠면조고기	52 정어리	77 성게
3 소 목덜미살	28 사슴고기	53 농어	78 해초, 해조류
4 소 갈비살	29 살코기	54 민어	79 미역
5 필레(최고급 늑골살)	30 지방, 비계	55 가다랭이	80 김
6 소 위쪽 허리살	31 생선, 물고기	56 뱅어	81 파래
7 두툼하게 자른 살	32 해물, 수산식품	57 바다거북	82 다시마
8 소꼬리	33 바닷물고기	58 민물거북, 남생이	83 담수어, 민물고기
9 송아지 고기	34 고등어	59 해삼	84 잉어
10 돼지고기	35 꽁치	60 멍게	85 붕어
11 돼지 넓적다리살	36 삼치(=cero)	61 해파리	86 메기
12 돼지 등·옆구리살	37 갈치	62 불가사리	87 피라미
13 폭찹(돼지갈비)	38 명태	63 조개[류]/조개껍질	88 황어
14 소시지	39 대구	64 조개(대합)	89 쏘가리
15 양고기	40 도미	65 굴	90 뱀장어
16 어린 양고기	41 조기	66 전복(=sea-ear)	91 미꾸라지
17 양갈비	42 광어(넙치)	67 소라	92 은어
18 양다리	43 가자미	68 게	93 빙어
19 생닭고기	44 오징어	69 꽃게	94 산천어
20 통닭	45 갑오징어	70 새우	95 곤들매기
21 튀긴 닭	46 문어	71 대하	96 자라
22 닭백숙	47 낙지	72 바다가재	97 재첩
23 닭다리	48 멸치	73 가재(가재의 통칭)	98 바지락
24 닭 가슴살	49 송어	74 홍합	99 우렁이
25 닭 날개	50 연어	75 꼬막	100 식용달팽이(F)

● 다음 주어진 영단어를 보고 우리말 뜻을 말해 보세요.

1	meat	26	duck	51	tuna	76	scallop
2	beef	27	turkey	52	sardine	77	sea urchin
3	chuck	28	venison	53	sea bass	78	seaweed
4	ribs	29	lean meat	54	croaker	79	sea mustard
5	fillet	30	fat	55	[oceanic] bonito	80	laver
6	sirloin	31	fish	56	whitebait	81	green laver
7	steak	32	seafood	57	turtle	82	kelp
8	oxtail	33	saltwater fish	58	tortoise	83	freshwater fish
9	veal	34	mackerel	59	sea cucumber	84	carp
10	pork	35	mackerel pike	60	sea squirt	85	crucian carp
11	ham	36	Japanese Spanish mackerel	61	jellyfish	86	catfish
12	bacon	37	hair tail	62	starfish	87	minnow
13	pork chops	38	pollack	63	shellfish/shell	88	dace
14	sausage	39	codfish, cod	64	clam	89	mandarin fish
15	mutton	40	[sea] bream	65	oyster	90	eel
16	lamb	41	yellow corbina	66	abalone	91	loach, mudfish
17	lamb chops	42	flatfish	67	conch	92	sweetfish
18	leg of lamb	43	halibut	68	crab	93	pond smelt
19	chicken	44	squid	69	blue crab	94	cherry salmon
20	whole chicken	45	cuttlefish	70	shrimp	95	char[r]
21	fried chicken	46	octopus	71	jumbo shrimp	96	soft-shelled turtle
22	chicken stew	47	small octopus	72	lobster	97	Asian clam
23	leg	48	anchovy	73	crayfish	98	Manila clam
24	breast	49	trout	74	mussel	99	mud snail
25	wing	50	salmon	75	cockle	100	escargot

식당 · 각종 요리의 종류

1	식당	1	restaurant	[réstərà:nt]
2	예약	2	reservation	[rèzərvéiʃən]
3	메뉴	3	menu	[ménju:]
4	주문	4	order	[ɔ́:rdər]
5	냅킨	5	napkin	[nǽpkin]
6	물수건	6	wet towel	[wét tàuəl]
7	식당종업원(남/여)	7	waiter/waitress	[wéitər]/[wéitris]
8	식당보조(허드렛일)	8	busboy/busgirl	[bʌ́sbɔ̀i]/[bʌ́sgə̀:rl]
9	봉사, 서비스	9	service	[sɔ́:rvis]
10	팁, 봉사사례금	10	tip	[tip]
11	주방장	11	chef	[ʃef]
12	요리사	12	cook	[kuk]
13	특히 잘하는 음식	13	specialty	[spéʃəlti]
14	맛	14	taste	[teist]
15	풍미, 독특한 맛	15	flavor	[fléivər]
16	음식 운반용 카트	16	serving cart	[sɔ́:riŋ kà:rt]
17	뷔페	17	buffet	[bəféi]
18	식판(뷔페접시)	18	tray	[trei]
19	남긴 음식	19	leftovers	[léftòuvərz]
20	코르크 마개	20	cork stopper	[kɔ́:rk stàpər]
21	코르크 병따개	21	corkscrew	[kɔ́:rkskrù:]
22	칸막이가 된 공간	22	booth	[bu:θ]
23	결제, 지불	23	payment	[péimənt]
24	영수증	24	receipt	[risí:t]
25	업소의 화장실	25	restroom	[réstrù:m]

Tips

● stopper[stápər]
병이나 통 등에 내용물
이 새지 않도록 끼워 넣
어 막는 마개나 뚜껑을
일컫는 말이다.

26	술, 알코올	26	alcohol	[ǽlkəhɔ̀ːl]
27	반찬, 안주	27	side dish	[sáid dìʃ]
28	사이다, 청량음료	28	soda pop	[sóudəpàp]
29	음식물	29	food and drink	[fúd ən dríŋk]
30	주요 요리	30	main course	[méin kɔ̀ːrs]
31	달걀, 계란	31	egg	[eg]
32	삶은 달걀	32	boiled egg	[bɔ́ild èg]
33	튀긴 달걀	33	fried egg	[fráid èg]
34	으깬 달걀	34	scrambled egg	[skrǽmbəld èg]
35	두툼하게 자른 고기	35	stake	[steik]
36	쇠고기구이	36	roast beef	[róust bìːf]
37	비후가스	37	beef cutlet	[bíːf kʌ̀tlit]
38	돈가스	38	pork cutlet	[pɔ́ːrk kʌ̀tlit]
39	쌀밥	39	rice	[rais]
40	수프, 국물	40	soup	[suːp]
41	고깃국(탕)	41	broth	[brɔːθ]
42	소고기 스튜	42	beef stew	[bíːf stjùː]
43	스파게티	43	spaghetti	[spəgéti]
44	파스타	44	pasta	[páːstə]
45	소스, 양념장	45	sauce	[sɔːs]
46	카레라이스	46	curried rice	[kɔ́ːrid ràis]
47	하이라이스	47	hashed rice	[hǽʃt ràis]
48	오믈렛	48	omelet	[áməlit]
49	샐러드	49	salad	[sǽləd]
50	통감자 구이	50	baked potato	[béikt pətéitou]

Tips

● stake(스테이크) 식용동물의 고기이든 어류의 고기이든 '두툼하게 자른 고기'를 일컫는 말이다.

● 비후가스, 돈가스 '비프커틀릿', '포크커틀릿'이라는 이름을 발음이 잘 안 되는 일본식으로 부르던 말이 우리말처럼 굳어진 것이다. 돈가스의 '돈(豚)'은 '돼지고기(pork)'를 나타내는 한자어이다.

● soup, broth, stew 'soup'는 '국, 국물'을 'broth'는 '맑은 탕'을 'stew'는 '찌개나 전골'처럼 '걸쭉한 국물'을 각각 의미한다.

	한국어		영어	발음	Tips
51	으깬 감자	51	mashed potato	[mǽʃt pətéitou]	
52	라자니아	52	lasagna	[ləzáːnjə]	
53	생선전	53	fish fillet	[fíʃ filèi]	
54	생선 스테이크	54	fish steak	[fíʃ stèik]	
55	후식, 디저트	55	dessert	[dizɔ́ːrt]	
56	아이스 티	56	iced tea	[áist tìː]	
57	푸딩	57	pudding	[púdiŋ]	
58	생크림	58	whipped cream	[wípt krìːm]	
59	아이스크림	59	ice cream	[áis krìːm]	
60	아이스크림선디	60	sundae	[sʌ́ndi]	
61	도넛	61	doughnut	[dóunʌt]	
62	치즈케이크	62	cheesecake	[tʃíːzkèik]	
63	초콜릿 케이크	63	chocolate cake	[tʃáːklət kèik]	
64	머핀	64	muffin	[mʌ́fin]	
65	입가심 사탕	65	after-dinner mints	[ǽftərdìnər mínts]	
66	한국요리	66	Korean dishes	[kəríːən dìʃz]	
67	한정식	67	Korean Table d'hote	[kəríːən tábl dóut]	
68	공기밥(밥 한 공기)	68	a bowl of rice	[ə bóul əv ráis]	
69	비빔밥	69	bibimbap	[bibímbàp]	
70	돌솥비빔밥	70	hot stone pot bibimbap	[hát stoun pàt~]	
71	김치볶음밥	71	kimchi fried rice	[kímtʃi: fràid ráis]	
72	김밥	72	gimbap	[gímbàp]	
73	쌈밥	73	rice wrapped in greens	[ráis ræ̀pt in gríːnz]	
74	파전	74	Welsh-onion pancake	[wélʃ ʌ̀njən pǽnkèik]	
75	소고기덮밥	75	rice topped with beef	[ráis tʌ̀pt wið bíːf]	

			Tips
76 된죽	76 porridge	[pɔ́:ridʒ]	
77 묽은 미음	77 gruel	[grù:əl]	
78 찰밥	78 cooked glutinous rice	[kúkt glú:tənəs ràis]	
79 보리밥	79 boiled barley	[bɔ́ild bà:rli]	
80 볶음밥	80 fried rice	[fráid ràis]	
81 누룽지	81 parched rice	[pá:rtʃt ràis]	
82 김치	82 kimchi	[kímchì]	
83 된장찌개	83 soybean paste stew	[sɔ́ibi:n pèist stjú:]	
84 불고기(=bulgogi)	84 barbecued beef	[bá:rbikjù:d bí:f]	
85 갈비찜	85 braised short ribs	[bréizd ʃɔ̀:rt ríbz]	
86 갈비구이	86 roasted ribs	[róustid rìbz]	
87 양념갈비	87 seasoned ribs	[síːzənd rìbz]	
88 삼겹살(=bacon)	88 pork belly	[pɔ́:rk bèli]	
89 닭갈비(=dakgalbi)	89 spicy stir-fried chicken	[spáisi stɔ́r fràid tʃíkin]	
90 생선조림	90 braised fish	[bréizd fiʃ]	
91 생선구이	91 broiled fish	[brɔ́ild fiʃ]	
92 장어구이	92 grilled eel	[gríld ì:l]	
93 활어	93 live fish	[láiv fiʃ]	
94 라면	94 ramen	[rá:mən]	
95 국수	95 noodles	[nú:dlz]	
96 냉면	96 Korean cold noodles	[kərí:ən kòuld nú:dlz]	
97 비빔냉면	97 spicy buckwheat noodles	[spáisi bʌ́kwì:t nú:dlz]	
98 막국수, 메밀국수	98 buckwheat noodles	[bʌ́kwì:t nú:dlz]	
99 칼국수	99 chopped noodles	[tʃápt nù:dlz]	
100 수제비(sujebi)	100 wheat flakes noodles	[wí:t flèiks nú:dlz]	

● 다음 주어진 우리말 단어 뜻을 보고 영단어를 말해 보세요.

1	식당	26	술, 알코올	51	으깬 감자	76	된죽
2	예약	27	반찬/안주	52	라자니아	77	묽은 미음
3	메뉴	28	사이다, 청량음료	53	생선전	78	찰밥
4	주문	29	음식물	54	생선 스테이크	79	보리밥
5	냅킨	30	주요 요리	55	후식, 디저트	80	볶음밥
6	물수건	31	달걀, 계란	56	아이스 티	81	누룽지
7	식당종업원(남/여)	32	삶은 달걀	57	푸딩	82	김치
8	식당보조(허드렛일)	33	튀긴 달걀	58	생크림	83	된장찌개
9	봉사, 서비스	34	으깬 달걀	59	아이스크림	84	불고기(=bulgogi)
10	팁, 봉사사례금	35	두툼하게 자른 고기	60	아이스크림선디	85	갈비찜
11	주방장	36	쇠고기구이	61	도넛	86	갈비구이
12	요리사	37	비후가스	62	치즈케이크	87	양념갈비
13	특히 잘하는 음식	38	돈가스	63	초콜릿 케이크	88	삼겹살(=bacon)
14	맛	39	쌀밥	64	머핀	89	닭갈비(=dakgalbi)
15	풍미, 독특한 맛	40	수프, 국물	65	입가심 사탕	90	생선조림
16	음식 운반용 카트	41	고깃국(탕)	66	한국요리	91	생선구이
17	뷔페	42	소고기스튜	67	한정식	92	장어구이
18	식판(뷔페접시)	43	스파게티	68	공기밥(밥 한 공기)	93	활어
19	남긴 음식	44	파스타	69	비빔밥	94	라면
20	코르크 마개	45	소스, 양념장	70	돌솥비빔밥	95	국수
21	코르크 병따개	46	카레라이스	71	김치볶음밥	96	냉면
22	칸막이가 된 공간	47	하이라이스	72	김밥	97	비빔냉면
23	결제	48	오믈렛	73	쌈밥	98	막국수, 메밀국수
24	영수증	49	샐러드	74	파전	99	칼국수
25	업소의 화장실	50	통감자구이	75	소고기덮밥	100	수제비(sujebi)

● 다음 주어진 영단어를 보고 우리말 뜻을 말해 보세요.

1 restaurant	26 alcohol	51 mashed potato	76 porridge
2 reservation	27 side dish	52 lasagna	77 gruel
3 menu	28 soda pop	53 fish fillet	78 cooked glutinous rice
4 order	29 food and drink	54 fish steak	79 boiled barley
5 napkin	30 main course	55 dessert	80 fried rice
6 wet towel	31 egg	56 iced tea	81 parched rice
7 waiter/waitress	32 boiled egg	57 pudding	82 kimchi
8 busboy/busgirl	33 fried egg	58 whipped cream	83 soybean paste stew
9 service	34 scrambled egg	59 ice cream	84 barbecued beef
10 tip	35 stake	60 sundae	85 braised short ribs
11 chef	36 roast beef	61 doughnut	86 roasted ribs
12 cook	37 beef cutlet	62 cheesecake	87 seasoned ribs
13 specialty	38 pork cutlet	63 chocolate cake	88 pork belly
14 taste	39 rice	64 muffin	89 spicy stir-fried chicken
15 flavor	40 soup	65 after-dinner mints	90 braised fish
16 serving cart	41 broth	66 Korean dishes	91 broiled fish
17 buffet	42 beef stew	67 Korean Table d'hote	92 grilled eel
18 tray	43 spaghetti	68 a bowl of rice	93 live fish
19 leftovers	44 pasta	69 bibimbap	94 ramen
20 cork stopper	45 sauce	70 hot stone pot bibimbap	95 noodles
21 corkscrew	46 curried rice	71 kimchi fried rice	96 Korean cold noodles
22 booth	47 hashed rice	72 gimbap	97 spicy buckwheat noodles
23 payment	48 omelet	73 rice wrapped in greens	98 buckwheat noodles
24 receipt	49 salad	74 Welsh-onion pancake	99 chopped noodles
25 restroom	50 baked potato	75 rice topped with beef	100 wheat flakes noodles

1	교육제도	1	educational system	[èdʒukéiʃənəl sìstəm]	**Tips**
2	유아원(nursery~)	2	pre-school	[prí:skù:l]	
3	유치원	3	kindergarten	[kíndərgà:rtn]	
4	초등학교	4	elementary school	[èləméntəri skù:l]	
5	중학교(junior high~)	5	middle school	[mídl skù:l]	
6	고등학교	6	high school	[hái skù:l]	
7	전문대학	7	community college	[kəmjú:nəti kálidʒ]	
8	단과대학	8	college	[kálidʒ]	
9	종합대학	9	university	[jù:nəvə́:rsəti]	
10	대학원	10	graduate school	[grǽdʒuət skù:l]	
11	공업학교(vocational~)	11	technical school	[téknikəl skù:l]	
12	상업학교	12	commercial school	[kəmə́:rʃəl skù:l]	
13	의무교육	13	compulsory education	[kəmpʌ́lsəri èdʒukéiʃən]	
14	고등교육(대학 이상)	14	higher education	[háiər èdʒukéiʃən]	
15	중등교육(중·고과정)	15	secondary education	[sékəndèri èdʒukéiʃən]	
16	초등교육(초등과정)	16	elementary education	[èləméntəri èdʒukéiʃən]	
17	선생님	17	teacher	[tí:tʃər]	
18	중·고교 교장	18	principal	[prínsəpəl]	
19	초등학교 교장	19	headmaster	[hédmæstər]	
20	교감	20	assistant principal	[əsístənt prìnsəpəl]	
21	양호교사	21	school nurse	[skú:l nə̀:rs]	
22	지도교사	22	guidance counselor	[gáidns kàunsələr]	
23	운동부 코치	23	coach	[koutʃ]	
24	교내식당 아줌마	24	cafeteria worker	[kæ̀fitíəriə wə̀:rkər]	
25	관리인	25	custodian	[kʌstóudiən]	

26	학교시설	26	school facility	[skúːl fəsìləti]
27	교사(학교건물)	27	school building	[skúːl bìldiŋ]
28	강당	28	auditorium	[ɔ̀ːditɔ́ːriəm]
29	체육관	29	gymnasium	[dʒimnéiziəm]
30	도서관	30	library	[láibrèri]
31	교무실	31	school office	[skúːl àːfis]
32	회의실	32	assembly room	[əsémbli rùːm]
33	교장실	33	principal's office	[prínsəpəlz àːfis]
34	상담실	34	guidance office	[gáidns àːfis]
35	양호실	35	nurse's office	[nɔ́ːrsiz àːfis]
36	어학실습실	36	language lab	[læŋgwidʒ læb]
37	컴퓨터실습실	37	computer lab	[kəmpjúːtər læb]
38	화학실험실	38	chemistry lab	[kémistri læb]
39	라커룸	39	locker room	[lákər rùːm]
40	라커, 사물함	40	locker	[lákər]
41	교내식당	41	cafeteria	[kæ̀fitíəriə]
42	교사 휴게실	42	teacher's lounge	[tíːtʃərz làundʒ]
43	화장실	43	restroom	[réstrùːm]
44	운동장	44	playground	[pléigràund]
45	트랙, 경주로	45	track	[træk]
46	야외관람석	46	bleachers, stand	[blíːtʃərz], [stænd]
47	풀장	47	swimming pool	[swímiŋ pùːl]
48	미끄럼틀	48	slide	[slaid]
49	모래놀이터	49	sandbox	[sǽndbàks]
50	그네	50	swing	[swiŋ]

Tips

● 야외관람석
 –bleachers
 –지붕이 없는 야외관람
 석이나 야구장의 외야석
 을 의미한다. 보통 복수
 형태로 쓴다.
 –stand
 경기장의 계단식 관람석
 을 의미한다.

51	시소	51	seesaw	[sí:sɔ̀:]	**Tips**
52	정글짐	52	jungle gym	[dʒʌ́ŋgl dʒím]	
53	철봉	53	horizontal bar	[hɔ̀:rəzántl bɑ̀:r]	
54	평행봉	54	parallel bars	[pǽrəlèl bɑ̀:rz]	
55	깃대	55	flag pole	[flǽg pòul]	
56	주차장	56	parking lot	[pá:rkiŋlɑ̀t]	
57	교정	57	school yard	[skú:l jɑ̀:rd]	
58	교문	58	school gate	[skú:l gèit]	
59	교실	59	classroom	[klǽsrù:m]	
60	선생님, 교사	60	teacher	[tí:tʃər]	
61	학생	61	student	[stjú:dənt]	
62	칠판(=chalkboard)	62	blackboard	[blǽkbɔ̀:rd]	
63	분필	63	chalk	[tʃɔ:k]	
64	칠판지우개	64	blackboard eraser	[blǽkbɔ:rd irèisər]	
65	흰 칠판	65	whiteboard	[wáitbɔ̀:rd]	
66	보드마커 펜	66	whiteboard marker	[wáitbɔ:rd mà:rkər]	
67	책상	67	desk	[desk]	
68	의자	68	chair	[tʃɛər]	
69	게시판	69	bulletin board	[búlətin bɔ̀:rd]	
70	포스터, 전단	70	poster	[póustər]	
71	국기	71	flag	[flæg]	
72	교과서	72	textbook	[tékstbùk]	
73	공책	73	notebook	[nóutbùk]	
74	스프링 노트	74	spiral notebook	[spáiərəl nóutbùk]	
75	삼각자	75	triangle	[tráiæ̀ŋgəl]	

76	연필깎이	76	pencil sharpener	[pénsəl ʃàːrpənər]	**Tips**
77	계산기	77	calculator	[kǽlkjəlèitər]	
78	교과과목	78	school subject[s]	[skúːl sÀbdʒikts]	
79	수학	79	math	[mæθ]	
80	대수학	80	algebra	[ǽldʒəbrə]	
81	기하학	81	geometry	[dʒiːámətri]	
82	과학	82	science	[sáiəns]	
83	사회	83	social study	[sóuʃəl stÀdi]	
84	체육(=gym, P.E.)	84	physical education	[fízikəl èdʒukéiʃən]	
85	언어학	85	languages	[lǽŋgwidʒiz]	
86	영문학	86	English literature	[íŋgliʃ lìtərətʃər]	
87	물리	87	physics	[fíziks]	
88	화학	88	chemistry	[kémistri]	
89	생물	89	biology	[baiálədʒi]	
90	지구과학	90	earth science	[ə́ːrθ sàiəns]	
91	미술	91	art	[ɑːrt]	
92	음악	92	music	[mjúːzik]	
93	사회학	93	sociology	[sòusiálədʒi]	
94	가정	94	home economics	[hóum ìːkənámiks]	
95	연극	95	drama	[dráːmə]	
96	경영학	96	business studies	[bíznis stÀdiz]	
97	윤리학	97	ethics	[éθiks]	
98	컴퓨터 공학	98	computer science	[kəmpjúːtər sàiəns]	
99	지리학	99	geography	[dʒiːágrəfi]	
100	역사	100	history	[hístəri]	

● 다음 주어진 우리말 단어 뜻을 보고 영단어를 말해 보세요.

1	교육제도	26	학교시설	51	시소	76	연필깎이
2	유아원(nursery~)	27	교사(학교건물)	52	정글짐	77	계산기
3	유치원	28	강당	53	철봉	78	교과과목
4	초등학교	29	체육관	54	평행봉	79	수학
5	중학교(junior high~)	30	도서관	55	깃대	80	대수학
6	고등학교	31	교무실	56	주차장	81	기하학
7	전문대학	32	회의실	57	교정	82	과학
8	단과대학	33	교장실	58	교문	83	사회
9	종합대학	34	상담실	59	교실	84	체육(=gym, P.E.)
10	대학원	35	양호실	60	선생님, 교사	85	언어학
11	공업학교(vocational~)	36	어학실습실	61	학생	86	영문학
12	상업학교	37	컴퓨터실습실	62	칠판(=chalkboard)	87	물리
13	의무교육	38	화학실험실	63	분필	88	화학
14	고등교육(대학 이상)	39	라커룸	64	칠판지우개	89	생물
15	중등교육(중·고과정)	40	라커, 사물함	65	흰 칠판	90	지구과학
16	초등교육(초등과정)	41	교내식당	66	보드마커 펜	91	미술
17	선생님	42	교사 휴게실	67	책상	92	음악
18	중·고교 교장	43	화장실	68	의자	93	사회학
19	초등학교 교장	44	운동장	69	게시판	94	가정
20	교감	45	트랙, 경주로	70	포스터, 전단	95	연극
21	양호교사	46	야외관람석	71	국기	96	경영학
22	지도교사	47	풀장	72	교과서	97	윤리학
23	운동부 코치	48	미끄럼틀	73	공책	98	컴퓨터 공학
24	교내식당 아줌마	49	모래놀이터	74	스프링 노트	99	지리학
25	관리인	50	그네	75	삼각자	100	역사

● 다음 주어진 영단어를 보고 우리말 뜻을 말해 보세요.

1 educational system	26 school facility	51 seesaw	76 pencil sharpener
2 pre-school	27 school building	52 jungle gym	77 calculator
3 kindergarten	28 auditorium	53 horizontal bar	78 school subject[s]
4 elementary school	29 gymnasium	54 parallel bars	79 math
5 middle school	30 library	55 flag pole	80 algebra
6 high school	31 school office	56 parking lot	81 geometry
7 community college	32 assembly room	57 school yard	82 science
8 college	33 principal's office	58 school gate	83 social study
9 university	34 guidance office	59 classroom	84 physical education
10 graduate school	35 nurse's office	60 teacher	85 languages
11 technical school	36 language lab	61 student	86 English literature
12 commercial school	37 computer lab	62 blackboard	87 physics
13 compulsory education	38 chemistry lab	63 chalk	88 chemistry
14 higher education	39 locker room	64 blackboard eraser	89 biology
15 secondary education	40 locker	65 whiteboard	90 earth science
16 elementary education	41 cafeteria	66 whiteboard marker	91 art
17 teacher	42 teacher's lounge	67 desk	92 music
18 principal	43 restroom	68 chair	93 sociology
19 headmaster	44 playground	69 bulletin board	94 home economics
20 assistant principal	45 track	70 poster	95 drama
21 school nurse	46 bleachers, stand	71 flag	96 business studies
22 guidance counselor	47 swimming pool	72 textbook	97 ethics
23 coach	48 slide	73 notebook	98 computer science
24 cafeteria worker	49 sandbox	74 spiral notebook	99 geography
25 custodian	50 swing	75 triangle	100 history

1	색, 빛깔	1	color[s]	[kʌ́lərz]	Tips
2	빨간색	2	red	[red]	
3	주황색, 오렌지색	3	orange	[ɔ́:rindʒ]	
4	노란색	4	yellow	[jélou]	
5	초록색	5	green	[gri:n]	
6	파란색	6	blue	[blu:]	
7	남색	7	indigo blue	[índigou blú:]	
8	보라색	8	violet	[váiəlit]	
9	흰색	9	white	[wait]	
10	검은색	10	black	[blæk]	
11	회색	11	gray	[grei]	
12	진회색	12	charcoal gray	[tʃá:rkoul grèi]	
13	청록색	13	turquoise	[tɔ́:rkwɔiz]	
14	분홍색	14	pink	[piŋk]	
15	주홍색, 진홍색	15	scarlet	[ská:rlit]	
16	포도주색	16	wine red	[wáin rèd]	
17	자주색	17	purple	[pɔ́:rpəl]	
17	갈색	17	brown	[braun]	
18	겨자색	18	mustard	[mʌ́stərd]	
19	호박색, 진한 주황색	19	amber	[ǽmbər]	
20	카키색, 황갈색	20	khaki	[ká:ki]	
21	상아색	21	ivory	[áivəri]	
22	베이지색	22	beige	[beiʒ]	
24	연두색	24	light green	[láit grì:n]	
25	올리브색	25	olive	[áliv]	

26	과학용어	26	scientific terms	[sàiəntífik tə́:rmz]

26	과학용어	26	scientific terms	[sàiəntífik tə́:rmz]
27	유기체	27	organism	[ɔ́:rgənìzəm]
28	세포	28	cell	[sel]
29	세포벽	29	cell wall	[sél wɔ̀:l]
30	세포막	30	cell membrane	[sél mèmbrein]
31	세포질	31	cytoplasm	[sáitouplæ̀zm]
32	핵	32	nucleus	[njú:kliəs]
33	염색체	33	chromosome	[króuməsòum]
34	광합성	34	photosynthesis	[fòutousínθəsis]
35	서식지	35	habitat	[hǽbətæ̀t]
36	척추동물	36	vertebrate	[vɔ́:rtəbrət]
37	무척추동물	37	invertebrate	[invɔ́:rtəbrət]
38	원소주기율표	38	periodic table	[pìəriádik tèibəl]
39	분자	39	molecule	[máləkjù:l]
40	원자	40	atom	[ǽtəm]
41	전자	41	electron	[iléktrən]
42	양성자	42	proton	[próutan]
43	중성자	43	neutron	[njú:trən]
44	공식	44	formula	[fɔ́:rmjələ]
45	전류	45	electric current	[iléktrik kɔ́:rənt]
46	전압	46	voltage	[vóultidʒ]
47	전력	47	electric power	[iléktrik páuər]
48	저항	48	resistance	[rizístəns]
49	전기회로	49	electric circuit	[iléktrik sɔ́:rkit]
50	옴의 법칙	50	Ohm's Law	[óumz lɔ̀:]

Tips

● 세포분열
cell division
[sél divìʒən]

● 핵분열
− nuclear division
[njú:kliər divìʒən]
− nuclear fission
[njú:kliər fìʃən]

● 유전자, 유전 인자
gene[dʒi:n]

51	실험실, 연구실	51	laboratory(=lab)	[lǽbərətɔ̀:ri], [læb]	**Tips**
52	과학실험실	52	the science lab	[ðəsáiəns læb]	
53	플라스크	53	flask	[flæsk]	
54	비커	54	beaker	[bí:kər]	
55	시험관	55	test tube	[tést tjù:b]	
56	세균배양접시	56	petri dish	[pí:tri dìʃ]	
57	피펫	57	pipette	[pipét]	
58	깔때기	58	funnel	[fʌ́nl]	
59	메스실린더	59	graduated cylinder	[grǽdʒuèitid sílindər]	
60	여과기, 필터	60	filter	[fíltər]	
61	집게, 부젓가락	61	tongs	[tɔ:ŋz]	
62	타이머	62	timer	[táimər]	
63	저울(=scale)	63	balance	[bǽləns]	
64	저울추, 분동	64	weights	[weits]	
65	보안경, 고글	65	goggles	[gágəlz]	
66	분광기, 프리즘	66	prism	[prizəm]	
67	스펙트럼	67	spectrum	[spéktrəm]	
68	확대경, 돋보기	68	magnifying glass	[mǽgnəfàiŋ glǽs]	
69	볼록렌즈	69	convex lens	[kɑnvéks lènz]	
70	오목렌즈	70	concave lens	[kɑnkéiv lènz]	
71	현미경	71	microscope	[máikrəskòup]	
72	접안렌즈	72	eyepiece	[áipì:s]	
73	대물렌즈	73	objective lens	[əbdʒéktiv lènz]	
74	망원경	74	telescope	[téləskòup]	
75	쌍안경	75	binoculars	[bənákjələrz]	

THE VOCABULARY

1111 - 1200

76	주요 원소들	76	main elements	[méin èləmənts]	**Tips**
77	구리(Cu)	77	copper	[kápər]	● 금의 원소기호 'Au' '금'이라는 뜻의 다른 단어인 'aurum[ɔ́:rəm]'의 첫 머리글자에서 따온 것이다.
78	금(Au)	78	gold	[gould]	
79	나트륨(Na)	79	sodium	[sóudiəm]	
80	납(Pb)	80	lead	[led]	● 나트륨(natrium) 옛 명칭이라서 지금은 거의 안 쓰고, 'sodium(소디엄)'이라고 한다.
81	네온(Ne)	81	neon	[níːɑn]	
82	니켈(Ni)	82	nickel	[níkəl]	
83	마그네슘(Mg)	83	magnesium	[mægníːziəm]	● 칼륨 옛 명칭이라서 지금은 거의 안 쓰고, 'potassium(포타슘)'이라고 한다.
84	산소(O)	84	oxygen	[áksidʒən]	
85	수소(H)	85	hydrogen	[háidrədʒən]	
86	수은(Hg)	86	mercury	[mɔ́ːrkjəri]	● 수소(hydrogen) 'hydro'는 '물'이라는 뜻이고, 'gen'은 '만들어지는 것'이라는 뜻이다. 따라서 'hydrogen'은 '물로부터 생성된 물질'이라는 뜻이다. 물의 분자구성이 H2O임을 통해서도 유추가 가능하다.
87	아연(Zn)	87	zinc	[ziŋk]	
88	알루미늄(Al)	88	aluminum	[əlúːmənəm]	
89	우라늄(U)	89	uranium	[juəréiniəm]	
90	유황(S)	90	sulfur	[sálfər]	
91	은(Ag)	91	silver	[sílvər]	
92	주석(Sn)	92	tin	[tin]	● 각 원소들의 발음이 우리가 흔히 쓰는 발음과 많이 다르므로 발음기호에 따라서 충분히 연습하고 바르게 쓰도록 노력해야 한다.
93	질소(N)	93	nitrogen	[náitrədʒən]	
94	철(Fe)	94	iron	[áiərn]	
95	카드뮴(Cd)	95	cadmium	[kædmiəm]	
96	칼륨(K)	96	potassium	[pətǽsiəm]	● 고체 solid[sálid]
97	칼슘(Ca)	97	calcium	[kǽlsiəm]	
98	코발트(Co)	98	cobalt	[kóubɔːlt]	● 액체 liquid[líkwid]
99	탄소(C)	99	carbon	[káːrbən]	
100	헬륨(He)	100	helium	[híːliəm]	● 기체 gas[gæs]

Chapter 01 | 절대 필수 명사·대명사　**83**

● 다음 주어진 우리말 단어 뜻을 보고 영단어를 말해 보세요.

1 색, 빛깔	26 과학용어	51 실험실, 연구실	76 주요 원소
2 빨간색	27 유기체	52 과학실험실	77 구리(Cu)
3 주황색, 오렌지색	28 세포	53 플라스크	78 금(Au)
4 노란색	29 세포벽	54 비커	79 나트륨(Na)
5 초록색	30 세포막	55 시험관	80 납(Pb)
6 파란색	31 세포질	56 세균배양접시	81 네온(Ne)
7 남색	32 핵	57 피펫	82 니켈(Ni)
8 보라색	33 염색체	58 깔때기	83 마그네슘(Mg)
9 흰색	34 광합성	59 메스실린더	84 산소(O)
10 검은색	35 서식지	60 여과기, 필터	85 수소(H)
11 회색	36 척추동물	61 집게, 부젓가락	86 수은(Hg)
12 진회색	37 무척추동물	62 타이머	87 아연(Zn)
13 청록색	38 원소주기율표	63 저울(=scale)	88 알루미늄(Al)
14 분홍색	39 분자	64 저울추, 분동	89 우라늄(U)
15 주홍색, 진홍색	40 원자	65 보안경, 고글	90 유황(S)
16 포도주색	41 전자	66 분광기, 프리즘	91 은(Ag)
17 자주색	42 양성자	67 스펙트럼	92 주석(Sn)
17 갈색	43 중성자	68 확대경, 돋보기	93 질소(N)
18 겨자색	44 공식	69 볼록렌즈	94 철(Fe)
19 호박색, 진한 주황색	45 전류	70 오목렌즈	95 카드뮴(Cd)
20 카키색, 황갈색	46 전압	71 현미경	96 칼륨(K)
21 상아색	47 전력	72 접안렌즈	97 칼슘(Ca)
22 베이지색	48 저항	73 대물렌즈	98 코발트(Co)
24 연두색	49 전기회로	74 망원경	99 탄소(C)
25 올리브색	50 옴의 법칙	75 쌍안경	100 헬륨(He)

● 다음 주어진 영단어를 보고 우리말 뜻을 말해 보세요.

1 color[s]	26 scientific terms	51 laboratory(=lab)	76 main element
2 red	27 organism	52 the science lab	77 copper
3 orange	28 cell	53 flask	78 gold
4 yellow	29 cell wall	54 beaker	79 sodium
5 green	30 cell membrane	55 test tube	80 lead
6 blue	31 cytoplasm	56 petri dish	81 neon
7 indigo blue	32 nucleus	57 pipette	82 nickel
8 violet	33 chromosome	58 funnel	83 magnesium
9 white	34 photosynthesis	59 graduated cylinder	84 oxygen
10 black	35 habitat	60 filter	85 hydrogen
11 gray	36 vertebrate	61 tongs	86 mercury
12 charcoal gray	37 invertebrate	62 timer	87 zinc
13 turquoise	38 periodic table	63 balance	88 aluminum
14 pink	39 molecule	64 weights	89 uranium
15 scarlet	40 atom	65 goggles	90 sulfur
16 wine red	41 electron	66 prism	91 silver
17 purple	42 proton	67 spectrum	92 tin
17 brown	43 neutron	68 magnifying glass	93 nitrogen
18 mustard	44 formula	69 convex lens	94 iron
19 amber	45 electric current	70 concave lens	95 cadmium
20 khaki	46 voltage	71 microscope	96 potassium
21 ivory	47 electric power	72 eyepiece	97 calcium
22 beige	48 resistance	73 objective lens	98 cobalt
24 light green	49 electric circuit	74 telescope	99 carbon
25 olive	50 Ohm's Law	75 binoculars	100 helium

1	기본 숫자(기수)	1	cardinal number[s]	[káːrdənl nʌ̀mbər-z]		**Tips**
2	하나(1)	2	one	[wʌn]		
3	둘(2)	3	two	[tuː]		
4	셋(3)	4	three	[θriː]		
5	넷(4)	5	four	[fɔːr]		
6	다섯(5)	6	five	[faiv]		
7	여섯(6)	7	six	[siks]		
8	일곱(7)	8	seven	[sévən]		
9	여덟(8)	9	eight	[eit]		
10	아홉(9)	10	nine	[nain]		
11	열(10)	11	ten	[ten]		
12	열하나(11)	12	eleven	[ilévən]		
13	열둘(12)	13	twelve	[twelv]		
14	열셋(13)	14	thirteen	[θə̀ːrtíːn]		
15	열넷(14)	15	fourteen	[fɔ́ːrtíːn]		
16	열다섯(15)	16	fifteen	[fíftíːn]		
17	열여섯(16)	17	sixteen	[síkstíːn]		
18	열일곱(17)	18	seventeen	[sévəntíːn]		
19	열여덟(18)	19	eighteen	[éitíːn]		
20	열아홉(19)	20	nineteen	[náintíːn]		
21	스물(20)	21	twenty	[twénti]		
22	스물하나(21)	22	twenty-one	[twénti wʌ̀n]		
23	스물둘(22)	23	twenty-two	[twénti tùː]		
24	스물셋(23)	24	twenty-three	[twénti θrìː]		
25	서른(30)	25	thirty	[θə́ːrti]		

				Tips
26	마흔(40)	26	forty	[fɔ́ːrti]
27	쉰(50)	27	fifty	[fífti]
28	예순(60)	28	sixty	[síksti]
29	일흔(70)	29	seventy	[sévənti]
30	여든(80)	30	eighty	[éiti]
31	아흔(90)	31	ninety	[náinti]
32	백(100)	32	one hundred	[wʌ́n hʌ́ndrəd]
33	백하나(101)	33	one hundred and one	[wʌ́n hʌ́ndrəd æn wʌ́n]
34	천(1,000)	34	one thousand	[wʌ́n θáuzənd]
35	만(10,000)	35	ten thousand	[tén θáuzənd]
36	십만(100,000)	36	one hundred thousand	[wʌ́n hʌ́ndrəd θáuzənd]
37	백만(1,000,000)	37	one million	[wʌ́n mìljən]
38	천만	38	ten million	[tén mìljən]
39	억	39	one hundred million	[wʌ́n hʌ́ndrəd míljən]
40	십억	40	one billion	[wʌ́n bìljən]
41	조	41	trillion	[tríljən]
42	무한대	42	infinity	[infínəti]
43	서수	43	ordinal number	[ɔ́ːrdənəl nʌ̀mbər]
44	첫 번째	44	first(1st)	[fɔ́ːrst]
45	두 번째	45	second(2nd)	[sékənd]
46	세 번째	46	third(3rd)	[θəːrd]
47	네 번째	47	fourth(4th)	[fɔ́ːrθ]
48	다섯 번째	48	fifth(5th)	[fifθ]
49	여섯 번째	49	sixth(6th)	[siksθ]
50	일곱 번째	50	seventh(7th)	[sévənθ]

						Tips
51	여덟 번째	51	eighth(8th)	[eitθ]		
52	아홉 번째	52	ninth(9th)	[nainθ]		
53	열 번째	53	tenth(10th)	[tenθ]		
54	열한 번째	54	eleventh(11th)	[ilévənθ]		
55	열두 번째	55	twelfth(12th)	[twelfθ]		
56	열세 번째	56	thirteenth(13th)	[θə̀rtíːnθ]		
57	열네 번째	57	fourteenth(14th)	[fɔ́ːrtíːnθ]		
58	열다섯 번째	58	fifteenth(15th)	[fíftíːnθ]		
59	열여섯 번째	59	sixteenth(16th)	[síkstíːnθ]		
60	열일곱 번째	60	seventeenth(17th)	[sévəntíːnθ]		
61	열여덟 번째	61	eighteenth(18th)	[éitíːnθ]		
62	열아홉 번째	62	nineteenth(19th)	[náintíːnθ]		
63	스무 번째	63	twentieth(20th)	[twéntiiθ]		
64	스물한 번째	64	twenty-first(21th)	[twénti fə̀ːrst]		
65	스물두 번째	65	twenty-second(22nd)	[twénti sèkənd]		
66	스물세 번째	66	twenty-third(23rd)	[twénti θə̀ːrd]		
67	서른 번째	67	thirtieth(30th)	[θə́ːrtiiθ]		
68	마흔 번째	68	fortieth(40th)	[fɔ́ːrtiiθ]		
69	쉰 번째	69	fiftieth(50th)	[fíftiiθ]		
70	예순 번째	70	sixtieth(60th)	[síkstiiθ]		
71	일흔 번째	71	seventieth(70th)	[sévəntiiθ]		
72	여든 번째	72	eightieth(80th)	[éitiiθ]		
73	아흔 번째	73	ninetieth(90th)	[náintiiθ]		
74	백 번째	74	one hundredth(100th)	[wʌ́n hʌ́ndrədθ]		
75	천 번째	75	one thousandth(1000th)	[wʌ́n θàuzəndθ]		

76 때, 시간	76 time	[taim]	Tips
77 동틀 녘	77 sunrise	[sʌ́nràiz]	
78 아침(오전)	78 morning	[mɔ́:rniŋ]	
79 정오(낮12시)	79 noon	[nu:n]	
80 오후	80 afternoon	[æ̀ftərnú:n]	
81 해질 녘	81 sunset	[sʌ́nsèt]	
82 저녁	82 evening	[í:vniŋ]	
83 밤	83 night	[nait]	
84 자정(밤12시)	84 midnight	[mídnàit]	
85 시	85 hour	[áuər]	
86 분	86 minute	[mínit]	
87 초	87 second	[sékənd]	
88 달력	88 calendar	[kǽləndər]	
89 1월	89 January	[dʒǽnjuèri]	
90 2월	90 February	[fébruèri]	
91 3월	91 March	[mɑ:rtʃ]	
92 4월	92 April	[éiprəl]	
93 5월	93 May	[mei]	
94 6월	94 June	[dʒu:n]	
95 7월	95 July	[dʒu:lái]	
96 8월	96 August	[ɔ́:gəst]	
97 9월	97 September	[septémbər]	
98 10월	98 October	[ɑktóubər]	
99 11월	99 November	[nouvémbər]	
100 12월	100 December	[disémbər]	

● 다음 주어진 우리말 단어 뜻을 보고 영단어를 말해 보세요.

1	기본 숫자(기수)	26	마흔(40)	51	여덟 번째	76	때, 시간
2	하나(1)	27	쉰(50)	52	아홉 번째	77	동틀 녘
3	둘(2)	28	예순(60)	53	열 번째	78	아침(오전)
4	셋(3)	29	일흔(70)	54	열한 번째	79	정오(낮12시)
5	넷(4)	30	여든(80)	55	열두 번째	80	오후
6	다섯(5)	31	아흔(90)	56	열세 번째	81	해질 녘
7	여섯(6)	32	백(100)	57	열네 번째	82	저녁
8	일곱(7)	33	백하나(101)	58	열다섯 번째	83	밤
9	여덟(8)	34	천(1,000)	59	열여섯 번째	84	자정(밤12시)
10	아홉(9)	35	만(10,000)	60	열일곱 번째	85	시
11	열(10)	36	십만(100,000)	61	열여덟 번째	86	분
12	열하나(11)	37	백만(1,000,000)	62	열아홉 번째	87	초
13	열둘(12)	38	천만	63	스무 번째	88	달력
14	열셋(13)	39	억	64	스물한 번째	89	1월
15	열넷(14)	40	십억	65	스물두 번째	90	2월
16	열다섯(15)	41	조	66	스물세 번째	91	3월
17	열여섯(16)	42	무한대	67	서른 번째	92	4월
18	열일곱(17)	43	서수	68	마흔 번째	93	5월
19	열여덟(18)	44	첫 번째	69	쉰 번째	94	6월
20	열아홉(19)	45	두 번째	70	예순 번째	95	7월
21	스물(20)	46	세 번째	71	일흔 번째	96	8월
22	스물하나(21)	47	네 번째	72	여든 번째	97	9월
23	스물둘(22)	48	다섯 번째	73	아흔 번째	98	10월
24	스물셋(23)	49	여섯 번째	74	백 번째	99	11월
25	서른(30)	50	일곱 번째	75	천 번째	100	12월

● 다음 주어진 영단어를 보고 우리말 뜻을 말해 보세요.

1 cardinal number[s]	26 forty	51 eighth(8th)	76 time
2 one	27 fifty	52 ninth(9th)	77 sunrise
3 two	28 sixty	53 tenth(10th)	78 morning
4 three	29 seventy	54 eleventh(11th)	79 noon
5 four	30 eighty	55 twelfth(12th)	80 afternoon
6 five	31 ninety	56 thirteenth(13th)	81 sunset
7 six	32 one hundred	57 fourteenth(14th)	82 evening
8 seven	33 one hundred and one	58 fifteenth(15th)	83 night
9 eight	34 one thousand	59 sixteenth(16th)	84 midnight
10 nine	35 ten thousand	60 seventeenth(17th)	85 hour
11 ten	36 one hundred thousand	61 eighteenth(18th)	86 minute
12 eleven	37 one million	62 nineteenth(19th)	87 second
13 twelve	38 ten million	63 twentieth(20th)	88 calendar
14 thirteen	39 one hundred million	64 twenty-first(21th)	89 January
15 fourteen	40 one billion	65 twenty-second(22nd)	90 February
16 fifteen	41 trillion	66 twenty-third(23rd)	91 March
17 sixteen	42 infinity	67 thirtieth(30th)	92 April
18 seventeen	43 ordinal number	68 fortieth(40th)	93 May
19 eighteen	44 first(1st)	69 fiftieth(50th)	94 June
20 nineteen	45 second(2nd)	70 sixtieth(60th)	95 July
21 twenty	46 third(3rd)	71 seventieth(70th)	96 August
22 twenty-one	47 fourth(4th)	72 eightieth(80th)	97 September
23 twenty-two	48 fifth(5th)	73 ninetieth(90th)	98 October
24 twenty-three	49 sixth(6th)	74 one hundredth(100th)	99 November
25 thirty	50 seventh(7th)	75 one thousandth(1000th)	100 December

1	날짜	1	date	[deit]	**Tips**
2	달(1개월)	2	month	[mʌnθ]	
3	1월	3	January	[dʒǽnjuèri]	
4	2월	4	February	[fébruèri]	
5	3월	5	March	[mɑːrtʃ]	
6	4월	6	April	[éiprəl]	
7	5월	7	May	[mei]	
8	6월	8	June	[dʒuːn]	
9	7월	9	July	[dʒuːlái]	
10	8월	10	August	[ɔːgəst]	
11	9월	11	September	[septémbər]	
12	10월	12	October	[ɑktóubər]	
13	11월	13	November	[nouvémbər]	
14	12월	14	December	[disémbər]	
15	[미국의] 국경일	15	national holiday	[nǽʃənəl hálədèi]	
16	부활절(4월)	16	Easter	[íːstər]	
17	어머니날(5월)	17	Mother's Day	[mʌ́ðərz dèi]	
18	현충일(5월)	18	Memorial Day	[məmɔ́ːriəl dèi]	
19	아버지날(6월)	19	Father's Day	[fɑ́ːðərz dèi]	
20	독립기념일(6.4)	20	Independence Day	[ìndipéndəns dèi]	
21	핼러윈데이(10.31)	21	Halloween Day	[hæləwíːn dèi]	
22	추수감사절(11월)	22	Thanksgiving Day	[θæŋksgíviŋ dèi]	
23	크리스마스(12.25)	23	Christmas Day	[krísməs dèi]	
24	새해전야(12.31)	24	New Year's Eve	[njúː jìərz íːv]	
25	밸런타인데이(2.14)	25	Valentine's Day	[vǽləntainz dèi]	

26	수학용어들	26	mathematical terms	[mæ̀θəmǽtikəl tə́:rmz]
27	선	27	line[s]	[láin-z]
28	직선	28	straight line	[stréit làin]
29	수직선	29	perpendicular lines	[pə̀:rpəndíkjələr làinz]
30	곡선	30	curved line	[kə́:rvd làin]
31	평행선	31	parallel lines	[pǽrəlel làinz]
32	기하학적 모양	32	geometrical figure[s]	[dʒì:əmétrikəl fígjərz]
33	각도, 각	33	angle	[ǽŋgl]
34	삼각형	34	triangle	[tráiæ̀ŋgəl]
35	밑변	35	base	[beis]
36	둔각	36	obtuse angle	[əbtjú:s æ̀ŋgl]
37	예각	37	acute angle	[əkjú:t æ̀ŋgl]
38	정사각형	38	square	[skwɛər]
39	한 변	39	side	[said]
40	직사각형	40	rectangle	[réktæ̀ŋgəl]
41	꼭짓점	41	apex	[éipeks]
42	대각선, 사선	42	diagonal	[daiǽgənəl]
43	직각 삼각형	43	right triangle	[ráit tràiæ̀ŋgəl]
44	직각	44	right angle	[ráit æ̀ŋgəl]
45	빗변	45	hypotenuse	[haipátənjù:s]
46	원	46	circle	[sə́:rkl]
47	지름, 직경	47	diameter	[daiǽmitər]
48	반지름	48	radius	[réidiəs]
49	호	49	arc	[ɑ:rk]
50	원의 단면	50	section	[sékʃən]

Tips

● diameter[daiǽmitər]
'렌즈의 배율'이라는 뜻
도 있다.

			Tips
51 원주, 원둘레	51 circumference	[sərkʌ́mfərəns]	
52 계란형	52 oval	[óuvəl]	
53 타원형	53 ellipse	[ilíps]	
54 반원형	54 semicircle	[sémisə̀:rkl	
55 사다리꼴	55 trapezoid	[trǽpəzɔ̀id]	
56 평행사변형	56 parallelogram	[pæ̀rəléləgræ̀m]	
57 오각형	57 pentagon	[péntəgàn]	
58 육각형	58 hexagon	[héksəgàn]	
59 팔각형	59 octagon	[áktəgàn]	
60 마름모꼴	60 lozenge	[lázindʒ]	
61 입체도형	61 solid figure[s]	[sálid fìgjərz]	
62 구	62 sphere	[sfiər]	
63 각뿔. 피라미드	63 pyramid	[pírəmìd]	
64 원기둥	64 cylinder	[sílindər]	
65 입방체	65 cube	[kju:b]	
66 원뿔체	66 cone	[koun]	
67 면	67 face	[feis]	
68 밑면	68 base	[beis]	
69 정수	69 integer	[íntidʒər]	
70 양의정수	70 positive integer	[pázətiv ìntidʒər]	
71 음의정수	71 negative integer	[négətiv ìntidʒər]	
72 홀수	72 odd number	[ád nʌ̀mbər]	
73 짝수	73 even number	[í:vən nʌ̀mbər]	
74 합	74 sum	[sʌm]	
75 차	75 difference	[dífərəns]	

76 치수, 측정	76 measurement	[méʒərmənt]	**Tips**
77 크기	77 size	[saiz]	• 거리
78 너비, 폭	78 width	[widθ]	distance[dístəns]
79 높이	79 height	[hait]	
80 깊이	80 depth	[depθ]	
81 길이	81 length	[leŋkθ]	
82 두께	82 thickness	[θíknis]	
83 용량	83 capacity	[kəpǽsəti]	
84 부피	84 bulk	[bʌlk]	
85 둘레	85 perimeter	[pərímitər]	
86 면적	86 area	[ɛ́əriə]	
87 표면적	87 surface area	[sə́:rfis ɛ̀əriə]	
88 분수	88 fraction[s]	[frǽkʃənz]	
89 분자	89 numerator	[njú:mərèitər]	
90 분모	90 denominator	[dinámənèitər]	
91 공통분모	91 common denominator	[kámən dinámənèitər]	
92 전체	92 whole	[houl]	
93 절반(1/2)	93 a half	[ə hǽf]	
94 삼분의 일(1/3)	94 a third	[ə θɔ́:rd]	
95 사분의 일(1/4)	95 a quarter	[ə kwɔ́:rtər]	
96 칠분의 이(2/7)	96 two seventh	[tú: sèvənθ]	
97 십분의 삼(3/10)	97 three tenth	[θrí: tènθ]	
98 그래프	98 graph	[græf]	
99 x축, y축	99 X-axis, Y-axis	[ǽksis], [wáiæksis]	
100 벤 다이어그램	100 Venn diagram	[vén dàiəgræm]	

● 다음 주어진 우리말 단어 뜻을 보고 영단어를 말해 보세요.

1 날짜	26 수학용어들	51 원주, 원둘레	76 치수, 측정
2 달(1개월)	27 선	52 계란형	77 크기
3 1월	28 직선	53 타원형	78 너비, 폭
4 2월	29 수직선	54 반원형	79 높이
5 3월	30 곡선	55 사다리꼴	80 깊이
6 4월	31 평행선	56 평행사변형	81 길이
7 5월	32 기하학적 모양	57 오각형	82 두께
8 6월	33 각도, 각	58 육각형	83 용량
9 7월	34 삼각형	59 팔각형	84 부피
10 8월	35 밑변	60 마름모꼴	85 둘레
11 9월	36 둔각	61 입체도형	86 면적
12 10월	37 예각	62 구	87 표면적
13 11월	38 정사각형	63 각뿔. 피라미드	88 분수
14 12월	39 한 변	64 원기둥	89 분자
15 [미국의] 국경일	40 직사각형	65 입방체	90 분모
16 부활절(4월)	41 꼭짓점	66 원뿔체	91 공통분모
17 어머니날(5월)	42 대각선, 사선	67 면	92 전체
18 현충일(5월)	43 직각 삼각형	68 밑면	93 절반(1/2)
19 아버지날(6월)	44 직각	69 정수	94 삼분의 일(1/3)
20 독립기념일(6.4)	45 빗변	70 양의정수	95 사분의 일(1/4)
21 핼러윈데이(10.31)	46 원	71 음의정수	96 칠분의 이(2/7)
22 추수감사절(11월)	47 지름, 직경	72 홀수	97 십분의 삼(3/10)
23 크리스마스(12.25)	48 반지름	73 짝수	98 그래프
24 새해전야(12.31)	49 호	74 합	99 x축, y축
25 밸런타인데이(2.14)	50 원의 단면	75 차	100 벤 다이어그램

● 다음 주어진 영단어를 보고 우리말 뜻을 말해 보세요.

1 date	26 mathematical terms	51 circumference	76 measurement
2 month	27 line[s]	52 oval	77 size
3 January	28 straight line	53 ellipse	78 width
4 February	29 perpendicular lines	54 semicircle	79 height
5 March	30 curved line	55 trapezoid	80 depth
6 April	31 parallel lines	56 parallelogram	81 length
7 May	32 geometrical figure[s]	57 pentagon	82 thickness
8 June	33 angle	58 hexagon	83 capacity
9 July	34 triangle	59 octagon	84 bulk
10 August	35 base	60 lozenge	85 perimeter
11 September	36 obtuse angle	61 solid figure[s]	86 area
12 October	37 acute angle	62 sphere	87 surface area
13 November	38 square	63 pyramid	88 fraction[s]
14 December	39 side	64 cylinder	89 numerator
15 national holiday	40 rectangle	65 cube	90 denominator
16 Easter	41 apex	66 cone	91 common denominator
17 Mother's Day	42 diagonal	67 face	92 whole
18 Memorial Day	43 right triangle	68 base	93 a half
19 Father's Day	44 right angle	69 integer	94 a third
20 Independence Day	45 hypotenuse	70 positive integer	95 a quarter
21 Halloween Day	46 circle	71 negative integer	96 two seventh
22 Thanksgiving Day	47 diameter	72 odd number	97 three tenth
23 Christmas Day	48 radius	73 even number	98 graph
24 New Year's Eve	49 arc	74 sum	99 X-axis, Y-axis
25 Valentine's Day	50 section	75 difference	100 Venn diagram

1	문구점	1	stationery store	[stéiʃənèri stɔ́:r]
2	볼펜	2	ballpoint pen	[bɔ́:lpɔint pén]
3	만년필	3	fountain pen	[fáuntin pèn]
4	잉크	4	ink	[iŋk]
5	연필	5	pencil	[pénsəl]
6	지우개	6	eraser	[iréisər]
7	샤프펜슬	7	mechanical pencil	[məkǽnikəl pènsəl]
8	샤프심	8	lead	[led]
9	사인펜	9	magic marker	[mǽdʒik mà:rkər]
10	색연필	10	colored pencil	[kʌ́lərd pènsəl]
11	수정테이프	11	correction tape	[kərékʃən tèip]
12	수정액	12	correction fluid	[kərékʃən flù:id]
13	필통	13	pencil case	[pénsəl kèis]
14	공책	14	notebook	[nóutbùk]
15	크레파스	15	crayon	[kréiən]
16	그림붓	16	paintbrush	[péintbrʌ̀ʃ]
17	수채화 물감	17	water colors	[wá:tər kʌ̀lərz]
18	팔레트	18	palette	[pǽlit]
19	스케치북	19	sketchbook	[skétʃbùk]
20	복사용지	20	copying paper	[kápiŋ pèipər]
21	색종이	21	colored paper	[kʌ́lərd pèipər]
22	풀	22	paste	[peist]
23	딱풀	23	glue stick	[glú: stìk]
24	포스트잇	24	sticky notes	[stíki nòuts]
25	일기장	25	diary	[dáiəri]

Tips

● '연필깎이'
pencil sharpener
[pénsəl ʃɑ̀:rpənər]

● '연필꽂이'
pencil holder
[pénsəl hòuldər]

● 샤프펜슬은
'automatic pencil'
[ɔ̀:təmǽtik pènsəl]이
라고도 한다.

26	자	26 ruler	[rúːlər]
27	각도기	27 protractor	[proutrǽktər]
28	클립보드	28 clipboard	[klípbɔ̀ːrd]
29	클립	29 paper clip	[péipər klìp]
30	압핀	30 thumbtack	[θʌ́mtæk]
31	푸시핀	31 push-pin	[púʃpìn]
32	스테이플러	32 stapler	[stéiplər]
33	스테이플 심	33 staples	[stéiplz]
34	스테이플 제거기	34 staple remover	[stéipl rimùːvər]
35	인주	35 red inkpad	[réd ìŋkpæd]
36	스카치테이프	36 Scotch tape	[skátʃ tèip]
37	양면테이프	37 double-sided tape	[dʌ́bəl sáidid tèip]
38	포장용 테이프	38 packing tape	[pǽkiŋ tèip]
39	파일폴더	39 file folder	[fáil fòuldər]
40	컴퍼스	40 compasses	[kʌ́mpəsiz]
41	나침반	41 compass	[kʌ́mpəs]
42	지도/지도책	42 map/atlas	[mæp]/[ǽtləs]
43	서점	43 bookstore	[búkstɔ̀ːr]
44	소설	44 novel	[návəl]
45	수필	45 essay	[ései]
46	시집	46 collection of poems	[kəlékʃən əv póuimz]
47	잡지	47 magazine	[mǽgəzíːn]
48	동화책	48 fairy tale book	[féəri tèil búk]
49	만화책	49 comic book	[kámik búk]
50	교과서	50 textbook	[tékstbùk]

Tips

● compass와 compasses
  −compass : 이처럼 단수로 쓰면 나침반을 의미한다.
  −compasses : 이처럼 복수로 쓰면 우리 흔히 원을 그릴 때 쓰는 컴퍼스라는 의미이다.

51	참고서	51	reference book	[réfərəns bùk]	Tips
52	사전	52	dictionary	[díkʃənèri]	
53	백과사전	53	encyclopedia	[ensàikloupí:diə]	
54	역사서	54	history book	[hístəri bùk]	
55	경전	55	scripture	[skríptʃər]	
56	법전	56	code of laws	[kóud əv lɔ̀:z]	
57	전기, 위인전	57	biography	[baiágrəfi]	
58	자서전	58	autobiography	[ɔ̀:təbaiágrəfi]	
59	평전	59	critical biography	[krítikəl baiágrəfi]	
60	요리책	60	cookbook	[kúkbùk]	
61	여행안내서적	61	travel guidebook	[trǽvəl gàidbùk]	
62	회화책	62	conversation book	[kànvərséiʃən bùk]	
63	도서관	63	library	[láibrèri]	
64	도서관 사서	64	librarian	[laibréəriən]	
65	대여창구	65	checkout desk	[tʃékàut désk]	
66	도서대출 카드	66	library card	[láibreri kà:rd]	
67	안내소	67	information desk	[ìnfərméiʃən dèsk]	
68	책장	68	shelf	[ʃelf]	
69	참고서 코너	69	reference section	[réfərəns sèkʃən]	
70	정기간행물 코너	70	periodical section	[pìəriádikəl sèkʃən]	
71	아동서적 코너	71	children's section	[tʃíldrənz sèkʃən]	
72	복사기	72	photocopier	[fóutoukàpiər]	
73	[책의] 제목	73	title	[táitl]	
74	저자	74	author	[ɔ́:θər]	
75	도서신청번호	75	call number	[kɔ́:l nʌ̀mbər]	

				Tips
76	우체국	76	postoffice	[póustà:fis]
77	우편물	77	mail	[meil]
78	편지	78	letter	[létər]
79	편지봉투	79	envelope	[énvəlòup]
80	항공용 봉투	80	airmail envelope	[έərmèil énvəlòup]
81	우표	81	stamp	[stæmp]
82	엽서	82	postcard	[póustkà:rd]
83	생일카드	83	birthday card	[bə́:rθdèi ká:rd]
84	소포, 택배	84	package	[pǽkidʒ]
85	빠른우편	85	express mail	[iksprés mèil]
86	발신인 주소	86	return address	[ritə́:rn ədrès]
87	수취인 주소	87	recipient address	[risípiənt ədrès]
88	우편번호	88	zip code	[zíp kòud]
89	소인(우체국 도장)	89	postmark	[póustmà:rk]
90	계산대, 카운터	90	counter	[káuntər]
91	저울	91	scale	[skeil]
92	우체국 직원	92	postal clerk	[póustəl klə̀:rk]
93	손님	93	customer	[kʌ́stəmər]
94	우편물 넣는 틈	94	mail slot	[méil slàt]
95	배달	95	delivery	[dilívəri]
96	우편배달부	96	mail carrier	[méil kæ̀riər]
97	우편물 가방	97	mailbag	[méilbæ̀g]
98	우체통	98	mailbox	[méilbàks]
99	수집	99	collection	[kəlékʃən]
100	우편물배송차량	100	mail van	[méil væ̀n]

● 다음 주어진 우리말 단어 뜻을 보고 영단어를 말해 보세요.

1	문구점	26	자	51	참고서	76	우체국
2	볼펜	27	각도기	52	사전	77	우편물
3	만년필	28	클립보드	53	백과사전	78	편지
4	잉크	29	클립	54	역사서	89	편지봉투
5	연필	30	압핀	55	경전	80	항공용 봉투
6	지우개	31	푸시핀	56	법전	81	우표
7	샤프펜슬	32	스테이플러	57	전기, 위인전	82	엽서
8	샤프심	33	스테이플 심	58	자서전	83	생일카드
9	사인펜	34	스테이플 제거기	59	평전	84	소포, 택배
10	색연필	35	인주	60	요리책	85	빠른우편
11	수정테이프	36	스카치테이프	61	여행안내서적	86	발신인 주소
12	수정액	37	양면테이프	62	회화책	87	수취인 주소
13	필통	38	포장용 테이프	63	도서관	88	우편번호
14	공책	39	파일폴더	64	도서관 사서	89	소인(우체국 도장)
15	크레파스	40	컴퍼스	65	대여창구	90	계산대, 카운터
16	그림붓	41	나침반	66	도서대출 카드	91	저울
17	수채화 물감	42	지도/지도책	67	안내소	92	우체국 직원
18	팔레트	43	서점	68	책장	93	손님
19	스케치북	44	소설	69	참고서 코너	94	우편물 넣는 틈
20	복사용지	45	수필	70	정기간행물 코너	95	배달
21	색종이	46	시집	71	아동서적 코너	96	우편배달부
22	풀	47	잡지	72	복사기	97	우편물 가방
23	딱풀	48	동화책	73	[책의] 제목	98	우체통
24	포스트잇	49	만화책	74	저자	99	수집
25	일기장	50	교과서	75	도서신청번호	100	우편물배송차량

● 다음 주어진 영단어를 보고 우리말 뜻을 말해 보세요.

1 stationery store	26 ruler	51 reference book	76 postoffice
2 ballpoint pen	27 protractor	52 dictionary	77 mail
3 fountain pen	28 clipboard	53 encyclopedia	78 letter
4 ink	29 paper clip	54 history book	79 envelope
5 pencil	30 thumbtack	55 scripture	80 airmail envelope
6 eraser	31 push-pin	56 code of laws	81 stamp
7 mechanical pencil	32 stapler	57 biography	82 postcard
8 lead	33 staples	58 autobiography	83 birthday card
9 magic marker	34 staple remover	59 critical biography	84 package
10 colored pencil	35 red inkpad	60 cookbook	85 express mail
11 correction tape	36 Scotch tape	61 travel guidebook	86 return address
12 correction fluid	37 double-sided tape	62 conversation book	87 recipient address
13 pencil case	38 packing tape	63 library	88 zip code
14 notebook	39 file folder	64 librarian	89 postmark
15 crayon	40 compasses	65 checkout desk	90 counter
16 paintbrush	41 compass	66 library card	91 scale
17 water colors	42 map/atlas	67 information desk	92 postal clerk
18 palette	43 bookstore	68 shelf	93 customer
19 sketchbook	44 novel	69 reference section	94 mail slot
20 copying paper	45 essay	70 periodical section	95 delivery
21 colored paper	46 collection of poems	71 children's section	96 mail carrier
22 paste	47 magazine	72 photocopier	97 mailbag
23 glue stick	48 fairy tale book	73 title	98 mailbox
24 sticky notes	49 comic book	74 author	99 collection
25 diary	50 textbook	75 call number	100 mail van

1	고층빌딩	1	high-rise building	[háiràiz bíldiŋ]	**Tips**
2	지하철입구	2	subway entrance	[sʌ́bwèi éntrəns]	● '키, 신장'의 다른 표현
3	상점	3	store, shop	[stɔːr], [ʃɑp]	stature[stǽtʃər]
4	노점상인	4	street vendor	[stríːt vèndər]	
5	자동판매기	5	vending machine	[véndiŋ məʃìːn]	
6	다리	6	bridge	[bridʒ]	
7	신호등	7	traffic light	[trǽfik làit]	
8	경찰서	8	police office	[pəlíːs àːfis]	
9	파출소	9	police box	[pəlíːs bàks]	
10	서점	10	bookstore	[búkstɔ̀ːr]	
11	학교	11	school	[skuːl]	
12	도서관	12	library	[láibrèri]	
13	약국	13	pharmacy	[fáːrməsi]	
14	약방	14	drugstore	[drʌ́gstɔ̀ːr]	
15	병원	15	hospital	[háspitl]	
16	은행	16	bank	[bæŋk]	
17	소방서	17	fire station	[fáiər stèiʃən]	
18	시청	18	City Hall	[síti hɔ́ːl]	
19	버스터미널	19	bus station	[bʌ́s stèiʃən]	
20	경기장	20	stadium	[stéidiəm]	
21	공장	21	factory	[fǽktəri]	
22	[연극용] 극장	22	theater	[θíːətər]	
23	영화관	23	movie theater	[múːvi θìːətər]	
24	식당	24	restaurant	[réstərənt]	
25	제과점, 빵집	25	bakery	[béikəri]	

			Tips
26 패스트푸드식당	26 fast food restaurant	[fǽst fùd réstərənt]	
27 커피숍	27 coffee shop	[ká:fi ʃʌ̀p]	
28 술집	28 bar	[bɑ:r]	
29 슈퍼마켓	29 supermarket	[sú:pərmà:rkit]	
30 식료품점	30 grocery store	[gróusəri stɔ̀:r]	
31 옷가게	31 clothing store	[klóuðiŋ stɔ̀:r]	
32 가구점	32 furniture store	[fɔ́:rnitʃər stɔ̀:r]	
33 철물점	33 hardware store	[hɑ́:rdwɛər stɔ̀:r]	
34 헬스클럽	34 health club	[hélθ klʌ̀b]	
35 체육관(=gym)	35 gymnasium	[dʒimnéiziəm]	
36 박물관	36 museum	[mju:zí:əm]	
37 교회	37 church	[tʃə:rtʃ]	
38 세탁소	38 dry cleaners	[drái klì:nərz]	
39 주차 공간	39 parking space	[pá:rkiŋ spèis]	
40 이발관	40 barbershop	[bá:rbərʃʌ̀p]	
41 미용실	41 beauty shop	[bjú:ti ʃʌ̀p]	
42 예식장	42 wedding hall	[wédiŋ hɔ̀:l]	
43 공중전화	43 pay phone	[péi fòun]	
44 공중전화박스	44 telephone booth	[téləfoun bù:θ]	
45 어린이집	45 childcare center	[tʃáildkɛər sèntər]	
46 아파트	46 apartment house	[əpá:rtmənt hàus]	
47 엘리베이터	47 elevator	[éləvèitər]	
48 쇼핑몰	48 shopping mall	[ʃápiŋ mɔ̀:l]	
49 백화점	49 department store	[dipá:rtmənt stɔ̀:r]	
50 꽃 가게, 꽃장수	50 florist	[flɔ́:rist]	

51	사진관	51 photo studio	[fóutou stjú:diòu]
52	안경점	52 optician	[ɑptíʃən]
53	보석상	53 jewelry store	[dʒú:əlri stɔ̀:r]
54	음반 가게	54 music store	[mjú:zik stɔ̀:r]
55	여행사	55 travel agency	[trǽvəl èidʒənsi]
56	음식점 코너	56 food court	[fú:d kɔ̀:rt]
57	잡화상점	57 fancy goods store	[fǽnsi gùdz stɔ́:r]
58	분실물 취급소	58 lost and found	[lɔ́:st ən fàund]
59	공공 교통수단	59 public transportation	[pʌ́blik trænspərtéiʃən]
60	버스정류장	60 bus stop	[bʌ́s stɑ̀p]
61	버스운전기사	61 bus driver	[bʌ́s dràivər]
62	승객(공통)	62 passenger	[pǽsəndʒər]
63	버스표	63 bus ticket	[bʌ́s tìkit]
64	차비, 운임	64 fare	[fɛər]
65	거스름돈	65 change	[tʃeindʒ]
66	좌석	66 seat	[si:t]
67	[육상의] 짐	67 luggage	[lʌ́gidʒ]
68	지하철(영tube)	68 subway	[sʌ́bwèi]
69	에스컬레이터	69 escalator	[éskəlèitər]
70	지하철역	70 subway station	[sʌ́bwei stèiʃən]
71	타는 곳, 플랫폼	71 platform	[plǽtfɔ̀:rm]
72	철로	72 track	[træk]
73	시간표	73 timetable	[táimtèibl]
74	기차역(=railway~)	74 train station	[tréin stèiʃən]
75	차장	75 conductor	[kəndʌ́ktər]

Tips

76	택시(=taxicab)	76	taxi, cab	[tǽksi], [kæb]
77	택시 타는 곳	77	taxi stand	[tǽksi stǽnd]
78	택시요금	78	[taxi] fair	[tǽksi fɛ̀ər]
79	교통카드	79	transportation card	[træ̀nspərtéiʃən kà:rd]
80	승차권	80	ticket	[tíkit]
81	안내방송	81	announcement	[ənáunsmənt]
82	행선지	82	destination	[dèstənéiʃən]
83	편도표	83	one-way ticket	[wʌ́n wèi tíkit]
84	왕복표	84	round-trip ticket	[ráund trìp tíkit]
85	종점	85	the last stop	[ðə lǽst stὰp]
86	환승	86	transfer	[trǽnsfər]
87	주유소	87	gas station	[gǽs stèiʃən]
88	교통사고	88	traffic accident	[trǽfik ǽksidənt]
89	운전면허증	89	driver's license	[dráivərz làisəns]
90	초보운전자	90	novice driver	[nάvis drὰivər]
91	자동차보험	91	auto insurance	[ɔ́:tou inʃùərəns]
92	음주운전	92	drunk drive	[drʌ́ŋk drὰiv]
93	속도위반	93	speeding	[spí:diŋ]
94	충돌사고	94	car crash	[kά:r krὰʃ]
95	견인차(=wrecker)	95	tow truck	[tóu trὰk]
96	구급차	96	ambulance	[ǽmbjuləns]
97	뺑소니사고	97	hit-and-run case	[hítænrʌ́n kèis]
98	보행자	98	pedestrian	[pədéstriən]
99	무단횡단	99	jaywalking	[dʒéiwɔ̀:kiŋ]
100	구조	100	rescue, help	[réskju:], [help]

Tips

● 택시
우리가 알고 있는 택시는 원래는 'taxicab'이라고 써야 한다. 그러나 실제로 미국인들은 'taxi'나 'cab' 중 한 가지를 주로 쓴다.

● wrecker[rékər]
구난차, 견인차

● 다음 주어진 우리말 단어 뜻을 보고 영단어를 말해 보세요.

1	고층빌딩	26	패스트푸드식당	51	사진관	76	택시(=taxicab)
2	지하철입구	27	커피숍	52	안경점	77	택시 타는 곳
3	상점	28	술집	53	보석상	78	택시요금
4	노점상인	29	슈퍼마켓	54	음반 가게	79	교통카드
5	자동판매기	30	식료품점	55	여행사	80	승차권
6	다리	31	옷가게	56	음식점 코너	81	안내방송
7	신호등	32	가구점	57	잡화상점	82	행선지
8	경찰서	33	철물점	58	분실물 취급소	83	편도표
9	파출소	34	헬스클럽	59	공공 교통수단	84	왕복표
10	서점	35	체육관(=gym)	60	버스정류장	85	종점
11	학교	36	박물관	61	버스운전기사	86	환승
12	도서관	37	교회	62	승객(공통)	87	주유소
13	약국	38	세탁소	63	버스표	88	교통사고
14	약방	39	주차 공간	64	차비, 운임	89	운전면허증
15	병원	40	이발관	65	거스름돈	90	초보운전자
16	은행	41	미용실	66	좌석	91	자동차보험
17	소방서	42	예식장	67	[육상의] 짐	92	음주운전
18	시청	43	공중전화	68	지하철(영tube)	93	속도위반
19	버스터미널	44	공중전화박스	69	에스컬레이터	94	충돌사고
20	경기장	45	어린이집	70	지하철역	95	견인차(=wrecker)
21	공장	46	아파트	71	타는 곳, 플랫폼	96	구급차
22	[연극용] 극장	47	엘리베이터	72	철로	97	뺑소니사고
23	영화관	48	쇼핑몰	73	시간표	98	보행자
24	식당	49	백화점	74	기차역(=railway~)	99	무단횡단
25	제과점, 빵집	50	꽃 가게, 꽃장수	75	차장	100	구조

● 다음 주어진 영단어를 보고 우리말 뜻을 말해 보세요.

1 high-rise building	26 fast food restaurant	51 photo studio	76 taxi, cab
2 subway entrance	27 coffee shop	52 optician	77 taxi stand
3 store, shop	28 bar	53 jewelry store	78 [taxi] fair
4 street vendor	29 supermarket	54 music store	79 transportation card
5 vending machine	30 grocery store	55 travel agency	80 ticket
6 bridge	31 clothing store	56 food court	81 announcement
7 traffic light	32 furniture store	57 fancy goods store	82 destination
8 police office	33 hardware store	58 lost and found	83 one-way ticket
9 police box	34 health club	59 public transportation	84 round-trip ticket
10 bookstore	35 gymnasium	60 bus stop	85 the last stop
11 school	36 museum	61 bus driver	86 transfer
12 library	37 church	62 passenger	87 gas station
13 pharmacy	38 dry cleaners	63 bus ticket	88 traffic accident
14 drugstore	39 parking space	64 fare	89 driver's license
15 hospital	40 barbershop	65 change	90 novice driver
16 bank	41 beauty shop	66 seat	91 auto insurance
17 fire station	42 wedding hall	67 luggage	92 drunk drive
18 City Hall	43 pay phone	68 subway	93 speeding
19 bus station	44 telephone booth	69 escalator	94 car crash
20 stadium	45 childcare center	70 subway station	95 tow truck
21 factory	46 apartment house	71 platform	96 ambulance
22 theater	47 elevator	72 track	97 hit-and-run case
23 movie theater	48 shopping mall	73 timetable	98 pedestrian
24 restaurant	49 department store	74 train station	99 jaywalking
25 bakery	50 florist	75 conductor	100 rescue, help

1	취미	1	hobby, interest	[hábi], [íntərist]	**Tips**
2	독서하기	2	reading	[rí:diŋ]	
3	여행하기	3	traveling	[trǽvəliŋ]	
4	낚시하기	4	fishing	[fíʃiŋ]	
5	등산하기	5	climbing	[kláimiŋ]	
6	바둑	6	go	[gou]	
7	체스	7	chess	[tʃes]	
8	노래하기	8	singing [songs]	[síŋiŋ sɔ̀:ŋz]	
9	춤추기	9	dancing	[dǽnsiŋ]	
10	사진촬영	10	taking photos	[téikiŋ fòutouz]	
11	음악감상	11	listening to music	[lísniŋ tu mjú:zik]	
12	영화감상	12	watching movies	[wátʃiŋ mù:viz]	
13	컴퓨터게임	13	computer games	[kəmpjú:tər gèimz]	
14	스포츠	14	sports	[spɔ:rts]	
15	인라인 스케이팅	15	inline skating	[ínlain skèitiŋ]	
16	스케이트보딩	16	skateboarding	[skéitbɔ̀:rdiŋ]	
17	행글라이딩	17	hang-gliding	[hǽŋglàidiŋ]	
18	요리하기	18	cooking	[kúkiŋ]	
19	피규어 수집	19	collecting figures	[kəléktiŋ fìgjərz]	
20	서예, 붓글씨	20	calligraphy	[kəlígrəfi]	
21	그림 그리기	21	drawing pictures	[drɔ́:iŋ pìktʃərz]	
22	조각	22	sculpture	[skʌ́lptʃər]	
23	꽃꽂이	23	flower arrangement	[fláuər ərèindʒmənt]	
24	시	24	poems	[póuimz]	
25	도예	25	ceramic art	[sərǽmik à:rt]	

26 음악	26 music	[mjú:zik]	**Tips**
27 악보	27 music, score	[mjú:zik], [skɔ:r]	
28 멜로디, 선율	28 melody	[mélədi]	
29 가사	29 lyrics	[líriks]	
30 화음	30 accord	[əkɔ́:rd]	
31 리듬	31 rhythm	[ríðəm]	
32 박자	32 beat	[bi:t]	
33 작사	33 lyric making	[lírik mèikiŋ]	
34 작사가	34 lyricist	[lírisist]	
35 작곡	35 composition	[kàmpəzíʃən]	
36 클래식 작곡가	36 composer	[kəmpóuzər]	
37 대중음악 작곡가	37 songwriter	[sɔ́:ŋràitər]	
38 편곡	38 arrangement	[əréindʒmənt]	
39 노래	39 song	[sɔ:ŋ]	
40 노래자랑	40 singing contest	[síŋiŋ kántest]	
41 인기 가수	41 pop singer	[páp síŋər]	
42 가장 잘 하는 노래	42 one's favorite song	[wʌnz féivərit sɔ́:ŋ]	
43 콧노래	43 humming	[hʌ́miŋ]	
44 음치	44 tone-deafness	[tóundèfnis]	
45 휘파람	45 whistle	[wísəl]	
46 공연	46 performance	[pərfɔ́:rməns]	
47 연주회, 콘서트	47 concert	[ká:nsərt]	
48 기립박수	48 standing ovation	[stǽndiŋ ouvèiʃən]	
49 앙코르, 재청	49 encore	[á:ŋkɔ:r]	
50 밴드, 악단	50 band	[bænd]	

51 미술, 예술	51 art	[ɑːrt]	**Tips**
52 화가, 예술가	52 artist	[áːrtist]	
53 화실, 아틀리에	53 studio, atelier	[stjúːdiòu], [ǽtəljèi]	
54 이젤	54 easel	[íːzəl]	
55 캔버스, 화포	55 canvas	[kǽnvəs]	
56 그림도구	56 color box	[kʌ́lər bàks]	
57 유화물감	57 oil paint	[ɔ́il pèint]	
58 그림붓	58 paint brush	[péint brʌ̀ʃ]	
59 평붓	59 flat brush	[flǽt brʌ̀ʃ]	
60 둥근붓	60 round brush	[ráund brʌ̀ʃ]	
61 물감 녹이는 기름	61 medium	[míːdiəm]	
62 붓 세척기	62 brush washer	[brʌ́ʃ wàʃər]	
63 기름통(=dipper)	63 pallet cup	[pǽlit kʌ̀p]	
64 나이프	64 knife	[naif]	
65 초상화	65 portrait	[pɔ́ːrtrit]	
66 자화상	66 self-portrait	[sélf pɔ̀ːrtrit]	
67 옆얼굴 그림	67 profile	[próufail]	
68 실루엣(그림자그림)	68 silhouette	[sìluét]	
69 정물화	69 still life	[stíl láif]	
70 풍경화	70 landscape	[lǽndskèip]	
71 목탄, 숯	71 charcoal	[tʃáːrkòul]	
72 크로키, 속사	72 rough draft	[rʌ́f dræ̀ft]	
73 파스텔	73 pastel	[pæstél]	
74 에칭	74 etching	[étʃiŋ]	
75 목판화	75 woodcut	[wúdkʌ̀t]	

	한국어		영어	발음	Tips
76	조각, 조소	76	sculpture	[skʌ́lptʃər]	
77	조각가	77	sculptor	[skʌ́lptər]	
78	석고상	78	plaster cast	[plǽstər kæ̀st]	
79	끌	79	chisel	[tʃízəl]	
80	둥근 끌	80	gouge	[gaudʒ]	
81	망치	81	hammer	[hǽmər]	
82	주걱	82	spatula	[spǽtʃulə]	
83	흉상, 상반신상	83	bust	[bʌst]	
84	[몸통뿐인] 나체흉상	84	torso	[tɔ́ːrsou]	
85	마스크, 두상	85	mask	[mæsk]	
86	부조, 돋을새김	86	relief	[rilíːf]	
87	사진(=picture)	87	photograph	[fóutəgræ̀f]	
88	사진가	88	photographer	[fətágrəfər]	
89	사진기	89	camera	[kǽmərə]	
90	필름	90	film	[film]	
91	렌즈	91	lens	[lenz]	
92	삼각대	92	tripod	[tráipɑd]	
93	플래시	93	flash	[flæʃ]	
94	촬영	94	photographing	[fóutəgræ̀fiŋ]	
95	현상	95	development	[divéləpmənt]	
96	인화	96	printing	[príntiŋ]	
97	노출	97	exposure	[ikspóuʒər]	
98	초점	98	focus	[fóukəs]	
99	화소	99	pixel	[píksəl]	
100	선예도	100	sharpness	[ʃáːrpnis]	

● 다음 주어진 우리말 단어 뜻을 보고 영단어를 말해 보세요.

1	취미	26	음악	51	미술, 예술	76	조각, 조소
2	독서하기	27	악보	52	화가, 예술가	77	조각가
3	여행하기	28	멜로디, 선율	53	화실, 아틀리에	78	석고상
4	낚시하기	29	가사	54	이젤	79	끌
5	등산하기	30	화음	55	캔버스, 화포	80	둥근 끌
6	바둑	31	리듬	56	그림도구	81	망치
7	체스	32	박자	57	유화물감	82	주걱
8	노래하기	33	작사	58	그림붓	83	흉상, 상반신상
9	춤추기	34	작사가	59	평붓	84	[몸통뿐인] 나체흉상
10	사진촬영	35	작곡	60	둥근붓	85	마스크, 두상
11	음악감상	36	클래식 작곡가	61	물감 녹이는 기름	86	부조, 돋을새김
12	영화감상	37	대중음악 작곡가	62	붓 세척기	87	사진(=picture)
13	컴퓨터게임	38	편곡	63	기름통(=dipper)	88	사진가
14	스포츠	39	노래	64	나이프	89	사진기
15	인라인 스케이팅	40	노래자랑	65	초상화	90	필름
16	스케이트보딩	41	인기 가수	66	자화상	91	렌즈
17	행글라이딩	42	가장 잘 하는 노래	67	옆얼굴 그림	92	삼각대
18	요리하기	43	콧노래	68	실루엣(그림자그림)	93	플래시
19	피규어 수집	44	음치	69	정물화	94	촬영
20	서예, 붓글씨	45	휘파람	70	풍경화	95	현상
21	그림 그리기	46	공연	71	목탄, 숯	96	인화
22	조각	47	연주회, 콘서트	72	크로키, 속사	97	노출
23	꽃꽂이	48	기립박수	73	파스텔	98	초점
24	시	49	앙코르, 재청	74	에칭	99	화소
25	도예	50	밴드, 악단	75	목판화	100	선예도

● 다음 주어진 영단어를 보고 우리말 뜻을 말해 보세요.

1 hobby, interest	26 music	51 art	76 sculpture
2 reading	27 music, score	52 artist	77 sculptor
3 traveling	28 melody	53 studio, atelier	78 plaster cast
4 fishing	29 lyrics	54 easel	79 chisel
5 climbing	30 accord	55 canvas	80 gouge
6 go	31 rhythm	56 color box	81 hammer
7 chess	32 beat	57 oil paint	82 spatula
8 singing songs	33 lyric making	58 paint brush	83 bust
9 dancing	34 lyricist	59 flat brush	84 torso
10 taking photos	35 composition	60 round brush	85 mask
11 listening to music	36 composer	61 medium	86 relief
12 watching movies	37 songwriter	62 brush washer	87 photograph
13 computer games	38 arrangement	63 pallet cup	88 photographer
14 sports	39 song	64 knife	89 camera
15 inline skating	40 singing contest	65 portrait	90 film
16 skateboarding	41 pop singer	66 self-portrait	91 lens
17 hang-gliding	42 one's favorite song	67 profile	92 tripod
18 cooking	43 humming	68 silhouette	93 flash
19 collecting figures	44 tone-deafness	69 still life	94 photographing
20 calligraphy	45 whistle	70 landscape	95 development
21 drawing pictures	46 performance	71 charcoal	96 printing
22 sculpture	47 concert	72 rough draft	97 exposure
23 flower arrangement	48 standing ovation	73 pastel	98 focus
24 poems	49 encore	74 etching	99 pixel
25 ceramic art	50 band	75 woodcut	100 sharpness

1	직업(격식체)	1	occupation	[àkjəpéiʃən]	**Tips**
2	직업(구어체)	2	job	[dʒab]	● job은 '임시직'의 뜻도 있다.
3	지적인 직업	3	profession	[prəféʃən]	
4	직업, 천직, 소명	4	calling	[kɔ́:liŋ]	
5	직업, 천직	5	vocation	[voukéiʃən]	
6	장사, 사업	6	business	[bíznis]	
7	일, 직업	7	work	[wə:rk]	
8	숙련을 요하는 직업	8	trade	[treid]	
9	부업, 시간제 일	9	part-time job	[pá:rttàim dʒáb]	
10	전업, 상근직	10	full-time job	[fú:ltàim dʒáb]	
11	회사원	11	company worker	[kʌ́mpəni wə̀:rkər]	
12	사무원	12	office clerk	[á:fis klə̀:rk]	
13	은행원	13	bank clerk	[bǽŋk klə̀:rk]	
14	비서	14	secretary	[sékrətèri]	
15	접수계원	15	receptionist	[risépʃənist]	
16	공무원	16	public servant	[pʌ́blik sə́:rvənt]	
17	판사	17	judge	[dʒʌdʒ]	
18	검사	18	public prosecutor	[pʌ́blik prásəkjù:tər]	
19	변호사	19	lawyer	[lɔ́:jər]	
20	세무사	20	tax accountant	[tǽks əkáuntənt]	
21	의사(=doctor)	21	physician	[fizíʃən]	
22	약사(=druggist)	22	pharmacist	[fá:rməsist]	
23	간호사	23	nurse	[nə:rs]	
24	교사, 선생님	24	teacher	[tí:tʃər]	
25	교수	25	professor	[prəfésər]	

26	대학 강사	26	lecturer	[léktʃərər]	Tips
27	학원 강사	27	academy instructor	[əkǽdəmi instrʌ́ktər]	
28	학자	28	scholar	[skálər]	
29	배우	29	actor	[ǽktər]	
30	여배우	30	actress	[ǽktris]	
31	모델	31	model	[mádl]	
32	가수	32	singer	[síŋər]	
33	가게주인	33	storekeeper	[stɔ́:rkì:pər]	
34	상점판매원	34	salesclerk	[séilzklə̀:rk]	
35	웨이터(=server)	35	waiter	[wéitər]	
36	모든 시중드는 사람	36	attendant	[əténdənt]	
37	바텐더	37	bartender	[bá:rtèndər]	
38	호스티스	38	hostess	[hóustis]	
39	계산원	39	cashier	[kæʃíər]	
40	식료품상인	40	grocer	[gróusər]	
41	정육점주인	41	butcher	[bútʃər]	
42	요리사	42	cook	[kuk]	
43	미용사	43	hairdresser	[héərdrèsər]	
44	이발사	44	barber	[bá:rbər]	
45	여성복 양재사	45	dressmaker	[drésmèikər]	
46	양복기술자	46	tailor	[téilər]	
47	안경점주인	47	optician	[ɑptíʃən]	
48	주유원	48	gas station attendant	[gǽs stèiʃən əténdənt]	
49	외판원	49	salesman	[séilzmən]	
50	길거리 상인	50	street vendor	[strí:t vèndər]	

51 신문판매원	51 newsboy	[njú:zbɔ̀i]	**Tips**
52 여행안내업자	52 travel agent	[trǽvəl èidʒənt]	
53 군인	53 serviceperson	[sə́:rvispə̀:rsən]	
54 경찰관	54 policeman	[pəlí:smən]	
55 소방대원	55 fire fighter	[fáiər fàitər]	
56 경비원	56 guard	[gɑ:rd]	
57 수위, 관리인	57 janitor	[dʒǽnətər]	
58 역무원	58 station employee	[stéiʃən implɔ́i:]	
59 차장	59 conductor	[kəndʌ́ktər]	
60 기관차 운전기사	60 engineer	[èndʒəníər]	
61 지하철·트램 운전기사	61 motorman	[móutərmən]	
62 버스 운전기사	62 bus driver	[bʌ́s dràivər]	
63 장거리트럭 운전기사	63 trucker	[trʌ́kər]	
64 우체국원	64 mail clerk	[méil klə̀:rk]	
65 우편배달원	65 mailman	[méilmæn]	
66 농부	66 farmer	[fɑ́:rmər]	
67 대농장·목장주인	67 rancher	[rǽntʃər]	
68 목축업자	68 cattleman	[kǽtlmən]	
69 목동, 카우보이	69 cowboy	[káubɔ̀i]	
70 양치기	70 shepherd	[ʃépərd]	
71 원예가, 정원사	71 gardener	[gɑ́:rdnər]	
72 사냥꾼	72 hunter	[hʌ́ntər]	
73 어부	73 fisherman	[fíʃərmən]	
74 기술자, 전문가	74 technician	[tekníʃən]	
75 사진사	75 photographer	[fətágrəfər]	

번호	한국어	번호	English	발음	Tips
76	컴퓨터 전문가	76	computer technician	[kəmpjúːtər tekníʃən]	**Tips**
77	TV 수리기사	77	TV repairman	[tìːvíː ripὲərmən]	
78	전기기술자	78	electrician	[ilὲktríʃən]	
79	자동차 수리공	79	auto mechanic	[ɔ́ːtou məkǽnik]	
80	기계공	80	mechanic	[məkǽnik]	
81	인쇄공	81	printer	[príntər]	
82	배관공	82	plumber	[plʌ́mər]	
83	용접공	83	welder	[wéldər]	
84	대장장이	84	blacksmith	[blǽksmìθ]	
85	금세공사	85	goldsmith	[góuldsmìθ]	
86	표구사, 도배장이	86	paperhanger	[péipərhæ̀ŋər]	
87	목수	87	carpenter	[káːrpəntər]	
88	벽돌공	88	bricklayer	[bríklèiər]	
89	미장이, 미장공	89	plasterer	[plǽstərər]	
90	페인트공	90	painter	[péintər]	
91	건축업자	91	builder	[bíldər]	
92	배달원	92	delivery person	[dilívəri pə̀ːrsən]	
93	베이비시터	93	baby sitter	[béibi sìtər]	
94	하인	94	servant	[sə́ːrvənt]	
95	하녀	95	maid	[meid]	
96	가정부, 객실책임자	96	housekeeper	[háuskìːpər]	
97	잡역부	97	handyman	[hǽndimæ̀n]	
98	환경미화원	98	sanitation worker	[sæ̀nitéiʃən wɔ̀ːrkər]	
99	공사장 인부	99	construction worker	[kənstrʌ́kʃən wɔ̀ːrkər]	
100	도로공사 인부	100	roadman	[róudmən]	

● 다음 주어진 우리말 단어 뜻을 보고 영단어를 말해 보세요.

1 직업(격식체)	26 대학 강사	51 신문판매원	76 컴퓨터 전문가
2 직업(구어체)	27 학원 강사	52 여행안내업자	77 TV 수리기사
3 지적인 직업	28 학자	53 군인	78 전기기술자
4 직업, 천직, 소명	29 배우	54 경찰관	79 자동차 수리공
5 직업, 천직	30 여배우	55 소방대원	80 기계공
6 장사, 사업	31 모델	56 경비원	81 인쇄공
7 일, 직업	32 가수	57 수위, 관리인	82 배관공
8 숙련을 요하는 직업	33 가게주인	58 역무원	83 용접공
9 부업, 시간제 일	34 상점판매원	59 차장	84 대장장이
10 전업, 상근직	35 웨이터(=server)	60 기관차 운전기사	85 금세공사
11 회사원	36 모든 시중드는 사람	61 지하철·트램 운전기사	86 표구사, 도배장이
12 사무원	37 바텐더	62 버스 운전기사	87 목수
13 은행원	38 호스티스	63 장거리트럭 운전기사	88 벽돌공
14 비서	39 계산원	64 우체국원	89 미장이, 미장공
15 접수계원	40 식료품상인	65 우편배달원	90 페인트공
16 공무원	41 정육점주인	66 농부	91 건축업자
17 판사	42 요리사	67 대농장·목장주인	92 배달원
18 검사	43 미용사	68 목축업자	93 베이비시터
19 변호사	44 이발사	69 목동, 카우보이	94 하인
20 세무사	45 여성복 양재사	70 양치기	95 하녀
21 의사(=doctor)	46 양복기술자	71 원예가, 정원사	96 가정부, 객실책임자
22 약사(=druggist)	47 안경점주인	72 사냥꾼	97 잡역부
23 간호사	48 주유원	73 어부	98 환경미화원
24 교사, 선생님	49 외판원	74 기술자, 전문가	99 공사장 인부
25 교수	50 길거리 상인	75 사진사	100 도로공사 인부

● 다음 주어진 영단어를 보고 우리말 뜻을 말해 보세요.

1 occupation	26 lecturer	51 newsboy	76 computer technician
2 job	27 academy instructor	52 travel agent	77 TV repairman
3 profession	28 scholar	53 serviceperson	78 electrician
4 calling	29 actor	54 policeman	79 auto mechanic
5 vocation	30 actress	55 fire fighter	80 mechanic
6 business	31 model	56 guard	81 printer
7 work	32 singer	57 janitor	82 plumber
8 trade	33 storekeeper	58 station employee	83 welder
9 part-time job	34 salesclerk	59 conductor	84 blacksmith
10 full-time job	35 waiter	60 engineer	85 goldsmith
11 company worker	36 attendant	61 motorman	86 paperhanger
12 office clerk	37 bartender	62 bus driver	87 carpenter
13 bank clerk	38 hostess	63 trucker	88 bricklayer
14 secretary	39 cashier	64 mail clerk	89 plasterer
15 receptionist	40 grocer	65 mailman	90 painter
16 public servant	41 butcher	66 farmer	91 builder
17 judge	42 cook	67 rancher	92 delivery person
18 public prosecutor	43 hairdresser	68 cattleman	93 baby sitter
19 lawyer	44 barber	69 cowboy	94 servant
20 tax accountant	45 dressmaker	70 shepherd	95 maid
21 physician	46 tailor	71 gardener	96 housekeeper
22 pharmacist	47 optician	72 hunter	97 handyman
23 nurse	48 gas station attendant	73 fisherman	98 sanitation worker
24 teacher	49 salesman	74 technician	99 construction worker
25 professor	50 street vendor	75 photographer	100 roadman

동물의 이름

1	동물(통칭)	1	animal	[ǽnəməl]
2	네발짐승	2	beast	[bi:st]
3	야수(잔인한 짐승)	3	brute	[bru:t]
4	생물	4	creature	[krí:tʃər]
5	가축류	5	livestock	[láivstɑ̀k]
6	개 / 암캐	6	dog / bitch	[dɔ:g] / [bitʃ]
7	[발톱 있는 짐승의] 발	7	paw	[pɔ:]
8	[짐승·새의] 발톱	8	claw	[klɔ:]
9	[짐승의] 꼬리	9	tail	[teil]
10	소형애완견	10	lap dog	[lǽp dɔ̀:g]
11	강아지	11	puppy, pup	[pʌ́pi], [pʌp]
12	잡종견, 똥개	12	mongrel, cur	[mʌ́ŋgrəl], [kə:r]
13	고양이	13	cat	[kæt]
14	고양이수염	14	whiskers	[wískərz]
15	새끼고양이	15	kitten, kitty	[kítn], [kíti]
16	암고양이	16	she-cat	[ʃí:kæt]
17	수고양이	17	he-cat, tomcat	[hí:kæt], [tá:mkæt]
18	범 무늬 고양이	18	tabby	[tǽbi]
19	말	19	horse	[hɔ:rs]
20	말굴레	20	bridle	[bráidl]
21	재갈	21	bit	[bit]
22	야생마	22	mustang	[mʌ́stæŋ]
23	조랑말	23	pony	[póuni]
24	암말	24	mare	[mɛər]
25	승마용 말	25	mount	[maunt]

Tips

- animal[ǽnəməl]
움직이는 동물 전체를 통틀어서 식물의 반대말로서의 동물임을 나타내는 말이다.

- bitch[bitʃ]
문자적으로는 '암캐'라는 뜻이지만 실제로는 '심술 궂고 음란한 여자, 나쁜 년'이라는 뜻의 욕으로 더 많이 쓰이기 때문에 보통은 'she-dog'이라고 한다.

- livestock[láivstɑ̀k]
집합적으로 '가축류'를 의미하며, 불가산명사로서 집합명사이므로 '-s'를 붙이지 않는다.

- 고양이새끼
어린이들이 주로 쓰는 표현으로 'puss'나 'pussy'도 있다.

- 말굴레(bridle)
재갈이나 고삐 등을 부착하여 말의 머리와 목 부분에 씌워서 말을 제어할 수 있도록 해주는 끈으로 만든 도구이다.

				Tips
26	소(암소)	26	cow	[kau]
27	수소, 종우	27	bull	[bul]
28	거세한 수소	28	ox / oxen(복수)	[áks], [áksən]
29	송아지	29	calf	[kæf]
30	염소	30	goat	[gout]
31	염소새끼	31	kid	[kid]
32	돼지(집합명사)	32	swine	[swain]
33	종돈	33	boar	[bɔ:r]
34	암돼지	34	sow	[sau]
35	돼지고기	35	pork	[pɔ:rk]
36	돼지주둥이	36	snout	[snaut]
37	당나귀	37	donkey	[dáŋki]
38	노새	38	mule	[mju:l]
39	혹소(중국·인도산)	39	zebu	[zí:bu:]
40	양, 면양	40	sheep	[ʃi:p]
41	암양	41	ewe	[ju:]
42	수컷 종양	42	ram	[ræm]
43	어린양, 어린양고기	43	lamb	[læm]
44	양고기	44	mutton	[mʌtn]
45	뿔	45	horn	[hɔ:rn]
46	가금	46	poultry, fowl	[póultri], [faul]
47	닭, 암탉	47	hen	[hen]
48	수탉	48	rooster	[rú:stər]
49	병아리	49	chicken	[tʃíkin]
50	닭의 부리	50	bill	[bil]

Tips

● 동물의 암·수 표현
각 동물마다 부르는 이름이 따로 있는 것이 보통이지만, 구어체에서는 주로 그 동물의 대표명칭 앞에 'he-'나 'she-'를 붙여서 표현한다.

● male[meil]
수컷, 수컷의

● female[fí:meil]
암컷, 암컷의

● pig
영국영어에서는 이 말을 일반적으로 '돼지'라는 뜻으로 두루 쓴다. 미국 영어에서는 집합명사로는 'swine'을 쓰고, 'pig'는 '돼지의 새끼'라는 뜻으로 쓰며, 성돈, 즉 성장한 돼지는 'hog'라고 부른다.

● poultry
집합명사이며 복수로 취급한다.

● fowl
'가금'이라는 뜻 외에 '닭', '닭고기·새고기'라는 뜻도 있다.

51	닭벼슬	51	comb	[koum]
52	투계, 싸움닭	52	gamecock	[géimkàk]
53	오리, 암오리	53	duck	[dʌk]
54	숫오리	54	drake	[dreik]
55	오리새끼	55	duckling	[dʌ́kliŋ]
56	물갈퀴	56	web	[web]
57	거위, 암커위	57	goose	[gu:s]
58	거위의 복수형	58	geese	[gi:s]
59	거위 수컷	59	gander	[gǽndər]
60	칠면조, 암 칠면조	60	turkey	[tə́:rki]
61	칠면조 수컷	61	gobbler	[gáblər]
62	부채형 꼬리깃털	62	fantail	[fǽntèil]
63	타조	63	ostrich	[á:stritʃ]
64	조류의 알, 계란	64	egg	[eg]
65	알 껍질	65	shell	[ʃel]
66	흰자위	66	albumen	[ælbjú:mən]
67	노른자위	67	yolk	[jouk]
68	부화	68	hatching	[hǽtʃiŋ]
69	양계장	69	chicken run	[tʃíkin rʌ̀n]
70	하마(구어 hippo)	70	hippopotamus	[hìpəpátəməs]
71	코뿔소(구어 rhino)	71	rhinoceros	[rainásərəs]
72	코끼리	72	elephant	[éləfənt]
73	코끼리의 코	73	trunk	[trʌŋk]
74	상아, 엄니	74	ivory, tusk	[áivəri], [tʌsk]
75	얼룩말	75	zebra	[zí:brə]

Tips

● pig
영국영어에서는 이 말을 일반적으로 '돼지'라는 뜻으로 두루 쓴다. 미국영어에서는 집합명사로는 'swine'을 쓰고, 'pig'는 '돼지의 새끼'라는 뜻으로 쓰며, 성돈, 즉 성장한 돼지는 'hog'라고 부른다.

● hog(돼지의 일반명사)
미국식 영어에서는 '거세 돼지'라는 뜻 외에 '다 자란 식용돼지'라는 뜻도 있다.

● snout
돼지·개·악어 등의 삐죽한 주둥이를 모두 일컫는 말이다.

● 일반적으로 '가축'은 새끼나 알을 낳는 등의 이유로 암컷을 주로 기르기 때문에 암컷을 부르는 말이 그 동물의 대표적인 명칭인 경우가 대부분이다.

				Tips
76	들소	76	bison	[báisən]
77	기린	77	giraffe	[dʒərǽf]
78	멧돼지	78	wild boar	[wáild bɔ̀:r]
79	사슴	79	deer	[diər]
80	사슴종류의 뿔	80	antler	[ǽntlər]
81	노루, 고라니	81	roe deer	[róu dìər]
82	엘크(가장 큰사슴)	82	elk	[elk]
83	순록	83	reindeer	[réindìər]
84	붉은 사슴	84	red deer	[réd dìər]
85	호랑이	85	tiger	[táigər]
86	사자	86	lion	[láiən]
87	표범	87	leopard	[lépərd]
88	늑대, 이리	88	wolf	[wulf]
89	여우	89	fox	[fɑks]
90	곰	90	bear	[bɛər]
91	원숭이	91	monkey	[mʌ́ŋki]
92	유인원(꼬리 없음)	92	ape	[eip]
93	침팬지(구어 chimp)	93	chimpanzee	[tʃìmpænzí:]
94	시궁쥐, 집쥐	94	rat	[ræt]
95	생쥐	95	mouse	[maus]
96	다람쥐	96	squirrel	[skwɔ́:rəl]
97	두더지	97	mole	[moul]
98	박쥐	98	bat	[bæt]
99	집토끼	99	rabbit	[rǽbit]
100	산토끼, 야생토끼	100	hare	[hɛər]

● 다음 주어진 우리말 단어 뜻을 보고 영단어를 말해 보세요.

1 동물(통칭)	26 소(암소)	51 닭벼슬	76 들소
2 네발짐승	27 수소, 종우	52 투계, 싸움닭	77 기린
3 야수(잔인한 짐승)	28 거세한 수소	53 오리, 암오리	78 멧돼지
4 생물	29 송아지	54 숫오리	79 사슴
5 가축류	30 염소	55 오리새끼	80 사슴종류의 뿔
6 개 / 암캐	31 염소새끼	56 물갈퀴	81 노루, 고라니
7 [발톱 있는 짐승의] 발	32 돼지(집합명사)	57 거위, 암커위	82 엘크(가장 큰사슴)
8 [짐승·새의] 발톱	33 종돈	58 거위의 복수형	83 순록
9 [짐승의] 꼬리	34 암돼지	59 거위 수컷	84 붉은 사슴
10 소형애완견	35 돼지고기	60 칠면조, 암 칠면조	85 호랑이
11 강아지	36 돼지주둥이	61 칠면조 수컷	86 사자
12 잡종견, 똥개	37 당나귀	62 부채형 꼬리깃털	87 표범
13 고양이	38 노새	63 타조	88 늑대, 이리
14 고양이수염	39 혹소(중국·인도산)	64 조류의 알, 계란	89 여우
15 새끼고양이	40 양, 면양	65 알 껍질	90 곰
16 암고양이	41 암양	66 흰자위	91 원숭이
17 수고양이	42 수컷 종양	67 노른자위	92 유인원(꼬리 없음)
18 범 무늬 고양이	43 어린양, 어린양고기	68 부화	93 침팬지(구어 chimp)
19 말	44 양고기	69 양계장	94 시궁쥐, 집쥐
20 말굴레	45 뿔	70 하마(구어 hippo)	95 생쥐
21 재갈	46 가금	71 코뿔소(구어 rhino)	96 다람쥐
22 야생마	47 닭, 암탉	72 코끼리	97 두더지
23 조랑말	48 수탉	73 코끼리의 코	98 박쥐
24 암말	49 병아리	74 상아, 엄니	99 집토끼
25 승마용 말	50 닭의 부리	75 얼룩말	100 산토끼, 야생토끼

● 다음 주어진 영단어를 보고 우리말 뜻을 말해 보세요.

1 animal	26 cow	51 comb	76 bison
2 beast	27 bull	52 gamecock	77 giraffe
3 brute	28 ox / oxen(복수)	53 duck	78 wild boar
4 creature	29 calf	54 drake	79 deer
5 livestock	30 goat	55 duckling	80 antler
6 dog / bitch	31 kid	56 web	81 roe deer
7 paw	32 swine	57 goose	82 elk
8 claw	33 boar	58 geese	83 reindeer
9 tail	34 sow	59 gander	84 red deer
10 lap dog	35 pork	60 turkey	85 tiger
11 puppy, pup	36 snout	61 gobbler	86 lion
12 mongrel, cur	37 donkey	62 fantail	87 leopard
13 cat	38 mule	63 ostrich	88 wolf
14 whiskers	39 zebu	64 egg	89 fox
15 kitten, kitty	40 sheep	65 shell	90 bear
16 she-cat	41 ewe	66 albumen	91 monkey
17 he-cat, tomcat	42 ram	67 yolk	92 ape
18 tabby	43 lamb	68 hatching	93 chimpanzee
19 horse	44 mutton	69 chicken run	94 rat
20 bridle	45 horn	70 hippopotamus	95 mouse
21 bit	46 poultry, fowl	71 rhinoceros	96 squirrel
22 mustang	47 hen	72 elephant	97 mole
23 pony	48 rooster	73 trunk	98 bat
24 mare	49 chicken	74 ivory, tusk	99 rabbit
25 mount	50 bill	75 zebra	100 hare

						Tips
1	식물, 초목	1	plant	[plænt]		

1	식물, 초목	1	plant	[plænt]
2	식물, 채소	2	vegetable	[védʒətəbəl]
3	식물(집합적)	3	vegetation	[vèdʒətéiʃən]
4	꽃, 화초	4	flower[s]	[fláuər-z]
5	장미	5	rose	[rouz]
6	꽃봉오리	6	bud	[bʌd]
7	꽃잎	7	petal	[pétl]
8	가시	8	thorn	[θɔːrn]
9	백합	9	lily	[líli]
10	튤립	10	tulip	[tjúːlip]
11	꽃줄기	11	stem	[stem]
12	나팔수선화	12	daffodil	[dǽfədìl]
13	구근	13	bulb	[bʌlb]
14	데이지	14	daisy	[déizi]
15	히아신스	15	hyacinth	[háiəsìnθ]
16	국화(구어 mum)	16	chrysanthemum	[krisǽnθəməm]
17	금잔화	17	marigold	[mǽrəgòuld]
18	붓꽃	18	iris	[áiris]
19	크로커스	19	crocus	[króukəs]
20	난초꽃	20	orchid	[ɔ́ːrkid]
21	백일홍	21	zinnia	[zíniə]
22	베고니아	22	begonia	[bigóunjə]
23	프리지아	23	freesia	[fríːʒiə]
24	달리아	24	dahlia	[dǽljə]
25	글라디올러스	25	gladiolus	[glædióuləs]

Tips

● plant
식물을 나타내는 가장 일반적인 말.

● vegetable=plant
동물에 대해서 식물이라는 뜻. 좁은 뜻으로는 '채소'라는 뜻으로도 쓴다.

● vegetation
집합적으로 식물을 통칭하며 불가산명사이다.

● 꽃받침
calyx[kéiliks]

● 꽃향기
floral scent
[flɔ́ːrəl sènt]

● 암술과 수술
−암술 pistil[pístəl]
−수술
stamen[stéimən]

● 잎사귀(나뭇잎·풀잎 등)
leaf[liːf]
leaves(복수형)

● 낙엽
fallen leaves
[fɔ́lən lìːvz]

● 씨, 종자
seed[siːd]

● 홀씨, 포자
spore[spɔːr]

26	카네이션	26	carnation	[kɑ:rnéiʃən]
27	화초양귀비	27	poppy	[pápi]
28	봉선화	28	touch-me-not	[tʌ́tʃminàt]
29	코스모스	29	cosmos	[kázməs]
30	팬지	30	pansy	[pǽnzi]
31	나팔꽃	31	morning glory	[mɔ́:rniŋ glɔ̀:ri]
32	해바라기	32	sunflower	[sʌ́nflàuər]
33	칸나	33	canna	[kǽnə]
34	제라늄	34	geranium	[dʒəréiniəm]
35	채송화	35	rose moss	[róuz mɔ̀:s]
36	꽃나무	36	flowering tree[s]	[fláuəriŋtrì:-z]
37	목련	37	magnolia	[mægnóuliə]
38	개나리	38	forsythia	[fərsíθiə]
39	진달래	39	azalea	[əzéiljə]
40	치자나무	40	gardenia	[gɑ:rdí:niə]
41	라일락	41	lilac	[láilək]
42	등나무	42	wistaria	[wistí:riə]
43	재스민	43	jasmine	[dʒǽzmin]
44	동백나무	44	camellia	[kəmí:ljə]
45	작약	45	peony	[pí:əni]
46	모란	46	tree peony	[trí: pì:əni]
47	포인세티아	47	poinsettia	[pɔinsétiə]
48	수국	48	hydrangea	[haidréindʒiə]
49	덩굴장미	49	rambler	[rǽmblər]
50	벗나무	50	cherry tree	[tʃéri trì:]

Tips

- poppy[pápi]
  화초양귀비
  마약인 아편을 얻
  는 양귀비는 'opium
  poppy'[óupiəm
  pὰpi]'라 한다. 'opium'
  은 '아편'이라는 뜻이다.

51	과일나무의 꽃	51	blossom	[blásəm]
52	덜 익은 과일	52	unripe fruit	[ʌnráip frù:t]
53	익은 과일	53	ripe fruit	[ráip frù:t]
54	과즙이 많은 과일	54	juicy fruit	[dʒú:si frù:t]
55	말린 과일	55	dried fruit	[dráid frù:t]
56	설탕에 절인 과일	56	crystallized fruit	[krístəlaizd frù:t]
57	과채류	57	fruit vegetables	[frú:t vèdʒətəbəlz]
58	엽채류	58	green vegetables	[grí:n vèdʒətəbəlz]
59	근채류	59	root crops	[rú:t kràps]
60	농작물, 수확	60	crop	[krɑp]
61	곡물껍질, 껍데기	61	hull, husk	[hʌl], [hʌsk]
62	배, 씨눈	62	embryo	[émbriòu]
63	곡물이삭	63	ear, head	[iər], [hed]
64	완두콩	64	pea	[pi:]
65	완두콩 깍지	65	pod	[pɑd]
66	콩	66	bean	[bi:n]
67	콩깍지	67	bean chaff	[bí:n tʃæf]
68	야생화, 야생초	68	wild flower[s]	[wáild flàuər-z]
69	민들레	69	dandelion	[dǽndəlàiən]
70	엉겅퀴	70	thistle	[θísl]
71	쑥	71	wormwood	[wɔ́:rmwùd]
72	냉이	72	shepherd's purse	[ʃépərdz pə́:rs]
73	갈대	73	reed	[ri:d]
74	선인장	74	cactus	[kǽktəs]
75	제비꽃	75	violet	[váiəlit]

Tips

● fruit
'과일'이라는 뜻 외에 모든 식물의 '열매'라는 뜻으로도 쓰인다.

● –류
보통 '과채류, 곡류'처럼 '–류'라고 할 때에는 그 안에 속한 것들을 모두 통틀어 나타내야 하기 때문에 '복수형'으로 쓴다.

#	한국어	#	English	발음
76	나무	76	tree	[triː]
77	관목, 수풀	77	bush, shrub	[buʃ], [ʃrʌb]
78	목재, 목재용 나무	78	timber	[tímbər]
79	침엽수	79	needleleaf tree	[níːdlːf triː]
80	활엽수	80	broadleaf tree	[brɔ́ːdlːf triː]
81	낙엽수	81	deciduous tree	[disídʒuːəs triː]
82	상록수	82	evergreen tree	[évərgrìːn triː]
83	나무, 목재	83	wood	[wud]
84	통나무, 원목	84	log	[lɔːg]
85	제재목, 재목	85	lumber	[lʌ́mbər]
86	각목	86	square lumber	[skwéər lʌ̀mbər]
87	땔감, 장작	87	firewood	[fáiərwùd]
88	다양한 나무들	88	various trees	[véəriəs triːz]
89	소나무	89	pine [tree]	[páin-triː]
90	솔방울	90	pine cone	[páin kòun]
91	송진	91	resin	[rézin]
92	잣나무	92	nut pine	[nʌ́t pàin]
93	잣	93	pine nuts	[páin nʌ̀ts]
94	전나무	94	fir	[fəːr]
95	가문비나무	95	spruce	[spruːs]
96	삼나무	96	cedar	[síːdər]
97	메타세쿼이아	97	Metasequoia	[mètəsikwóiə]
98	아카시아	98	acacia	[əkéiʃə]
99	주목	99	yew	[juː]
100	대나무	100	bamboo	[bæmbúː]

Tips

● tree(나무)
잣나무·삼나무처럼 본 줄기가 분명하고 위로 높이 크는 나무

● bush, shrub(관목)
무궁화처럼 본줄기가 불분명하고 여러 가지가 넓게 퍼져서 자라는 키가 작은 나무

● tree와 wood
둘 다 '나무'라고 번역되지만, 'tree'는 '한 그루의 나무'라는 뜻이며, 'wood'는 '나무라는 재료로 된 물질'을 나타내는 말이다.

● 단풍나무
maple tree
[méipəl triː]

● 고무나무
rubber tree
[rʌ́bər triː]

● 뽕나무
mulberry[mʌ́lbèri]

● 닥나무
paper mulberry
[péipər mʌ̀lberi]

● 옻나무
—lacquer tree
[lǽkər triː]
—varnish tree
[vɑ́ːrniʃtriː]

● 다음 주어진 우리말 단어 뜻을 보고 영단어를 말해 보세요.

1 식물, 초목	26 카네이션	51 과일나무의 꽃	76 나무
2 식물, 채소	27 화초양귀비	52 덜 익은 과일	77 관목, 수풀
3 식물(집합적)	28 봉선화	53 익은 과일	78 목재, 목재용 나무
4 꽃, 화초	29 코스모스	54 과즙이 많은 과일	79 침엽수
5 장미	30 팬지	55 말린 과일	80 활엽수
6 꽃봉오리	31 나팔꽃	56 설탕에 절인 과일	81 낙엽수
7 꽃잎	32 해바라기	57 과채류	82 상록수
8 가시	33 칸나	58 엽채류	83 나무, 목재
9 백합	34 제라늄	59 근채류	84 통나무, 원목
10 튤립	35 채송화	60 농작물, 수확	85 제재목, 재목
11 꽃줄기	36 꽃나무	61 곡물껍질, 껍데기	86 각목
12 나팔수선화	37 목련	62 배, 씨눈	87 땔감, 장작
13 구근	38 개나리	63 곡물이삭	88 다양한 나무들
14 데이지	39 진달래	64 완두콩	89 소나무
15 히아신스	40 치자나무	65 완두콩 깍지	90 솔방울
16 국화(구어 mum)	41 라일락	66 콩	91 송진
17 금잔화	42 등나무	67 콩깍지	92 잣나무
18 붓꽃	43 재스민	68 야생화, 야생초	93 잣
19 크로커스	44 동백나무	69 민들레	94 전나무
20 난초꽃	45 작약	70 엉겅퀴	95 가문비나무
21 백일홍	46 모란	71 쑥	96 삼나무
22 베고니아	47 포인세티아	72 냉이	97 메타세쿼이아
23 프리지아	48 수국	73 갈대	98 아카시아
24 달리아	49 덩굴장미	74 선인장	99 주목
25 글라디올러스	50 벚나무	75 제비꽃	100 대나무

● 다음 주어진 영단어를 보고 우리말 뜻을 말해 보세요.

1 plant	26 carnation	51 blossom	76 tree
2 vegetable	27 poppy	52 unripe fruit	77 bush, shrub
3 vegetation	28 touch-me-not	53 ripe fruit	78 timber
4 flower[s]	29 cosmos	54 juicy fruit	79 needleleaf tree
5 rose	30 pansy	55 dried fruit	80 broadleaf tree
6 bud	31 morning glory	56 crystallized fruit	81 deciduous tree
7 petal	32 sunflower	57 fruit vegetables	82 evergreen tree
8 thorn	33 canna	58 green vegetables	83 wood
9 lily	34 geranium	59 root crops	84 log
10 tulip	35 rose moss	60 crop	85 lumber
11 stem	36 flowering tree[s]	61 hull, husk	86 square lumber
12 daffodil	37 magnolia	62 embryo	87 firewood
13 bulb	38 forsythia	63 ear, head	88 various trees
14 daisy	39 azalea	64 pea	89 pine [tree]
15 hyacinth	40 gardenia	65 pod	90 pine cone
16 chrysanthemum	41 lilac	66 bean	91 resin
17 marigold	42 wistaria	67 bean chaff	92 nut pine
18 iris	43 jasmine	68 wild flower[s]	93 pine nuts
19 crocus	44 camellia	69 dandelion	94 fir
20 orchid	45 peony	70 thistle	95 spruce
21 zinnia	46 tree peony	71 wormwood	96 cedar
22 begonia	47 poinsettia	72 shepherd's purse	97 Metasequoia
23 freesia	48 hydrangea	73 reed	98 acacia
24 dahlia	49 rambler	74 cactus	99 yew
25 gladiolus	50 cherry tree	75 violet	100 bamboo

1	영화제	1	film festival	[fílm fèstəvəl]
2	아카데미영화상	2	Academy Film Award	[əkǽdəmi film əwɔ́ːrd]
3	오스카영화상	3	Oscar Film Award	[áskər film əwɔ́ːrd]
4	스튜디오(촬영소)	4	studio	[stjúːdiòu]
5	야외촬영	5	location	[loukéiʃən]
6	리허설(예행연습)	6	rehearsal	[rihə́ːrsəl]
7	연예계(show ~)	7	entertainment business	[èntərtéinmənt bìznis]
8	연예인	8	entertainer	[èntərtéinər]
9	영화배우	9	movie actor	[múːvi æ̀ktər]
10	남배우	10	actor	[ǽktər]
11	여배우	11	actress	[ǽktris]
12	남주인공	12	hero	[híːrou]
13	여주인공	13	heroine	[hérouin]
14	엑스트라(보조출연자)	14	extra	[ékstrə]
15	스턴트 맨	15	stunt man	[stʌ́nt mæ̀n]
16	대역	16	stand-in	[stǽndìn]
17	클래퍼보드	17	clapper boards	[klǽpər bɔ̀ːrdz]
18	영화감독	18	movie director	[múːvi dirèktər]
19	제작자	19	film producer	[fílm prədjùːsər]
20	스태프(현장직원)	20	the staff	[ðə stǽf]
21	배역, 캐스팅	21	the cast	[ðə kǽst]
22	등장인물	22	character	[kǽriktər]
23	카메오(깜짝출연)	23	cameo	[kǽmiòu]
24	영화팬	24	movie fan	[múːvi fæ̀n]
25	열혈팬, 광팬	25	big fan	[bíg fæ̀n]

Tips

● clapper boards
영화촬영을 할 때 촬영의 개시·종료를 알리는 '신호용 딱딱이'를 뜻하는데, 'clapstick'이라고도 한다. 보통 한국식 외래어로는 '슬레이트(slate)'라고도 부른다.

● 헤로인[hérouin]
발음만 따지자면 '여주인공'이라는 뜻의 영단어와 '모르핀으로 만든 마약의 일종'을 뜻하는 '헤로인'이 똑같고 스펠링도 비슷해서 혼동이 된다. 그러나 '여배우'를 뜻할 때에는 스펠링이 끝에 'e'가 하나 추가되므로 이 부분을 유의하면 된다.
−heroin(마약 헤로인)
−heroine (여배우)

26	개봉	26	first showing	[fə́:rst ʃòuiŋ]
27	다큐멘터리(기록영화)	27	documentary film	[dàkjəméntəri film]
28	옴니버스	28	omnibus	[ámnəbÀs]
29	장편영화	29	feature film	[fí:tʃər film]
30	서부영화	30	Western	[wéstərn]
31	이탈리아식 서부영화	31	spaghetti western	[spəgéti wèstərn]
32	전쟁영화	32	war film	[wɔ́:r film]
33	스릴러	33	thriller	[θrílər]
34	추리영화	34	whodunit	[hu:dʌ́nit]
35	뮤지컬영화	35	musical	[mjú:zikəl]
36	눈물을 짜내는 영화	36	tearjerker	[tíərdʒə̀:rkər]
37	멜로영화	37	romantic movie	[roumǽntik mù:vi]
38	액션영화	38	action movie	[ǽkʃən mù:vi]
39	판타지영화	39	fantasy movie	[fǽntəsi mù:vi]
40	어드벤처영화	40	adventure movie	[ædvéntʃər mù:vi]
41	SF영화	41	SF movie	[éséf mù:vi]
42	공포영화	42	horror movie	[hɔ́:rər mù:vi]
43	코믹영화	43	comic movie	[kámik mù:vi]
44	로맨틱 코미디	44	romantic comedy	[roumǽntik kàmədi]
45	성인영화	45	adult movie	[ədʌ́lt mù:vi]
46	에로영화	46	erotic movie	[irátik mù:vi]
47	포르노영화	47	porno movie	[pɔ́:rnou mù:vi]
48	흑백영화	48	monochrome film	[mánəkròum film]
49	무성영화	49	silent film	[sáilənt film]
50	발성영화(=talkie)	50	talking film	[tɔ́:kiŋ film]

Tips

● 옴니버스(omnibus)
몇 개의 독립된 이야기를
전체적으로 일관된 분위
기를 나타내도록 한편의
영화로 만든 것을 말한
다.

● spaghetti western
'이탈리아에서 만든 서부
영화'를 뜻하는 말인데
속어로는 '마카로니 웨스
턴'이라고도 부른다.

● whodunit
'Who done it?'을 줄
여서 만든 말이다. 그러
나 바른 영어로 쓰면,
'Who did it?'이 된다.
결국 "누가 그 짓을 했는
가?", 또는 "누가 범인인
가?"라는 뜻이기 때문에
'추리영화'라는 뜻이 되
었다.

51	charge	[tʃɑ:rdʒ]	51	가격·요금: [서비스에 대한] 요금; 전기료, 가스료 등
52	price	[prais]	52	[판매자가 상품에 붙이는] 값, 가격; (~s)물가
53	cost	[kɔ:st]	53	[생산·유지에 드는] 비용; 생활비, 차 유지비 등
54	expense	[ikspéns]	54	[일반적 의미의] 지출 (주로 복수형으로 씀)
55	fee	[fi:]	55	[의사, 변호사 등 전문직 종사자에게 지불하는] 사례비
56	fare	[fɛər]	56	[버스비, 택시비, 열차요금 등] 교통운임
57	toll	[toul]	57	[고속도로·유료도로 등의] 통행료
58	tuition	[tjuːíʃən]	58	[학원비, 과외비 등] 수업료
59	fear	[fiər]	59	공포:[위험·협박·고통 등에 의한] 공포·불안
60	terror	[térər]	60	[장시간에 걸친 극심한] 공포
61	horror	[hɔ́:rər]	61	[뱀, 벌레, 시체 등을 보고 느끼는] 오싹한 공포
62	dread	[dred]	62	[사람·사물(물·불·재난) 등에 대해 느끼는] 잠재적인 공포
63	fright	[frait]	63	[돌발적인 사고로 인해 깜짝 놀란 일시적] 공포
64	street	[stri:t]	64	길·도로: [도시 안의 좌우에 상가가 있고 차가 다니는 큰] 도로
65	avenue	[ǽvənjù:]	65	['street'과 같으나 남북으로 달리는 뉴욕의 큰] 도로
66	road	[roud]	66	[어떤 지역에서 다른 지역으로 통하는] 길, 국도
67	way	[wei]	67	[~에 이르는] 길, [~로 가는] 길(=road)
68	path	[pæθ]	68	[산등성이의 이동로나 강가·공원 등의 보행로 같은] 소로
69	lane	[lein]	69	[도시의] 골목길; [넓은 길의 한] 차선; [육상의] 트랙
70	tool	[tu:l]	70	도구·공구·기구: [물건을 만들거나 수리할 때 쓰는] 공구
71	appliance	[əpláiəns]	71	가전제품
72	utensil	[juːténsəl]	72	[스푼, 포크, 나이프, 접시, 그릇 등] 주방용품
73	implement	[ímpləmənt]	73	[삽, 괭이, 쟁기 등의 농업용] 도구
74	instrument	[ínstrəmənt]	74	[의료기기, 광학기기 등 정밀한] 장비; 악기
75	apparatus	[ǽpəréitəs]	75	[과학, 의학 등에 쓰이는 한 벌의] 기구

76	answer	[ǽnsər]	76 대답: [질문·요청·호소 등에 대한 가장 일반적인] 답변
77	reply	[riplái]	77 [질문·요청·호소 등에 대한 응답자의 신중한 의도적] 답변
78	response	[rispáns]	78 의미상으로는 위 둘과 비슷하나 '반응'을 나타낸다.
79	heart	[hɑ:rt]	79 마음: 마음, 심정, 감정, 기분, 마음씨- 감성적 마음
80	mind	[maind]	80 마음, 정신; 지성, 이지, 머리 – 이성적 마음
81	soul	[soul]	81 영혼, 혼, 넋; 정신, 마음 – 영적인 마음
82	question	[kwéstʃən]	82 문제: 단순한 질문이며, 다양한 답을 예상할 수 있다.
83	problem	[prábləm]	83 [확실한 해결책이 필요한 다루기 어려운] 문제, 골칫거리
84	issue	[íʃu:]	84 [결론을 내릴 필요가 있는 사회적·국제적] 문제
85	affair	[əféər]	85 단수: 개인적 문제나 관심사; 복수: 사회적 문제나 관심사
86	matter	[mǽtər]	86 [중대한] 문제, [꼭 처리해야 할] 문제
87	wages	[weidʒiz]	87 보수·급료: [단순 육체노동에 대한] 주급, 노임, 일당
88	salary	[sǽləri]	88 [전문직·사무직 등에 대해 매월 지급되는] 월급
89	pay	[pei]	89 급여: 모든 종류의 급여에 사용되는 일반적인 말
90	event	[ivént]	90 사건: 특별히 중요한 일이나 큰 사건, 다양한 행사
91	incident	[ínsədənt]	91 event에서 부수적으로 발생하는 작은 사건, 사고
92	accident	[ǽksidənt]	92 [주로 자동차] 사고, [뜻밖의] 사건, 사고; 우발적 사고
93	occurrence	[əkə́:rəns]	93 [일반적인] 사건, 사고(격식체)
94	happening	[hǽpəniŋ]	94 [드물고 이상한] 사건(보통 복수형으로 쓰임)
95	visitor	[vízitər]	95 손님: 일·사교·관광을 목적으로 찾아온 방문객
96	guest	[gest]	96 초대된 손님 또는 호텔 등 숙박업소의 투숙객
97	customer	[kʌ́stəmər]	97 상점에서 물건을 사는 손님; 단골손님; 음식점의 손님
98	client	[kláiənt]	98 변호사의 고객, 기타 전문적인 상담을 받으러 온 고객
99	garden	[gá:rdn]	99 정원: [꽃·채소 등을 심을 수 있는] 정원, 채소밭, 꽃밭
100	yard	[jɑ:rd]	100 [울타리를 친] 안마당, 집뜰

명사 유의어 심층탐구 2

1	promise	[prámis]	1	약속·예약: 한 쪽이 상대방에게 하는 일방적 약속
2	appointment	[əpɔ́intmənt]	2	병원의 예약; 업무상의 만남 약속
3	reservation	[rèzərvéiʃən]	3	호텔·식당의 예약; 열차표·비행기표 등의 예매
4	engagement	[engéidʒmənt]	4	공식적인 사교상의 약속; 문서상의 계약; 약혼
5	habit	[hǽbit]	5	습관·관습: [반복된 행동에 의해 몸에 밴] 버릇
6	custom	[kʌ́stəm]	6	[주로 문화적·사회적으로 행해지는] 관례·관습·풍습
7	practice	[prǽktis]	7	[개인의 의식적·규칙적] 습관; [사회적] 관례
8	convention	[kənvénʃən]	8	[예술·문화 등의 전통적인] 관습·인습
9	fight	[fait]	9	싸움: 서로 맞붙어 싸우는 싸움; 말다툼
10	quarrel	[kwɔ́ːrəl]	10	말다툼
11	war	[wɔːr]	11	개국 이상이 장기간 치르는 전쟁
12	battle	[bǽtl]	12	치고받고 싸우는 싸움
13	practice	[prǽktis]	13	연습·훈련: [악기·스포츠·어학기술 습득을 위한] 반복훈련
14	exercise	[éksərsàiz]	14	[이미 습득한 기술의 upgrade를 위한] 연습; 운동
15	drill	[dril]	15	[한 skill의 자동실행을 목표로 한] 반복훈련
16	training	[tréiniŋ]	16	[스포츠·전문기술의 숙달을 위한] 반복훈련
17	mistake	[mistéik]	17	실수·잘못: [부주의·착각 등에 의해 발생하는] 실수
18	error	[érər]	18	[근본적인] 판단착오, [기계의] 오차, [스포츠의] 실책
19	slip	[slip]	19	[실언·오타 등 부주의로 발생하는 가벼운] 실수
20	blunder	[blʌ́ndər]	20	[법적·도의적 책임을 물을 만한] 큰 실수, 대실책
21	fault	[fɔːlt]	21	[사람의 바람직하지 않은 행동에 따른] 실수, 잘못
22	center	[séntər]	22	중심: 원이나 구의 중심점; 활동·흥미·관심의 중심점
23	middle	[mídl]	23	가늘고 긴 물건의 한가운데; 특정시기·시대의 중간 부분
24	core	[kɔːr]	24	어떤 물체의 중심부; 핵심
25	heart	[hɑːrt]	25	전체 중 가장 중요한 부분(물리적인 중간이 아닐 수도 있음)

26	ability	[əbíləti]	26	능력·재능: [인간의 선천적·후천적인 지적·육체적] 능력
27	capacity	[kəpǽsəti]	27	수용력·포용력·처리능력
28	talent	[tǽlənt]	28	[음악, 미술 등에 대해서 타고난 예술적인] 재능
29	gift	[gift]	29	[한 분야의 특출한 천부적인] 재능, 적성
30	faculty	[fǽkəlti]	30	어떤 분야에서의 특별한 선천적·후천적 기능(격식)
31	souvenir	[sù:vəníər]	31	선물: 여행지를 기억하고자 자기 자신을 위해 사는 기념품
32	gift	[gift]	32	'[공적인] 기부품, 선사품, 증여품'(격식체); 재능
33	present	[prézənt]	33	[친한 사람끼리의] 선물
34	region	[rí:dʒən]	34	지역·지구: 지리적인 특징에 따라 나눠진 한 나라의 광대한 지역
35	district	[dístrikt]	35	[산업지구, 선거구처럼 특별한 성질이나 특징을 가진] 지구
36	zone	[zoun]	36	[다른 곳과는 다른 특징이나 성격을 가진 특수한] 지역
37	area	[ɛ́əriə]	37	가장 일반적으로 어떤 '특정지역'을 나타내는 말
38	scene	[si:n]	38	풍경:[연극·영화·소설의 배경이 되는] 장면; 사건현장
39	scenery	[sí:nəri]	39	배경, 무대장치; 한 지방 전체의 자연풍경
40	view	[vju:]	40	특정 장소에서 눈앞에 펼쳐진 자연풍경(scenery의 일부)
41	sight	[sait]	41	단순히 눈에 비친 광경·풍경·조망; 시각, 시력
42	landscape	[lǽndskèip]	42	한눈에 들어오는 육지풍경; 풍경화
43	coast	[koust]	43	해안: [지도상에서 보는 한 나라의 바다와 연접한 광범위한] 해안
44	shore	[ʃɔ:r]	44	[주로 강, 바다, 호수 쪽에서 본] 해안; 호반; 강기슭
45	beach	[bi:tʃ]	45	['shore'의 일부로서 해수욕장 같은] 모래사장, 물가
46	seaside	[sí:sàid]	46	해안을 나타내는 일반적인 말(=beach)
47	power	[páuər]	47	힘: 어떤 일을 할 수 있는 능력; 숨겨지거나 드러난 힘
48	strength	[stréŋkθ]	48	[어떤 행위를 가능케 하는 근본적인] 힘; 세기; 체력
49	energy	[énərdʒi]	49	[어떤 일을 할 수 있게 하는 잠재적인] 힘; 정력, 활력, 원기
50	force	[fɔ:rs]	50	[밖으로 드러나 실제로 행사되는 물리적·정신적인] 힘

51	work	[wə:rk]	51	일: [육체·정신을 이용해서 행하는 모든] 일, 작업
52	job	[dʒɑb]	52	[수입을 얻게 되는] 구체적으로 정해진 일, 업무
53	task	[tæsk]	53	[조직·타인에게서 임무·의무로 부과된] 일, 과업
54	labor	[léibər]	54	[고되고 괴로운] 일, [주로] 육체노동
55	job	[dʒɑb]	55	직업:[돈을 벌기위한] 일
56	occupation	[àkjəpéiʃən]	56	'job'의 격식체
57	profession	[prəféʃən]	57	[의사, 변호사, 교수 등 고도의] 전문직
58	vocation	[voukéiʃən]	58	[남을 위해 헌신하는] 일
59	calling	[kɔ:liŋ]	59	vocation과 같은 뜻
60	aim	[eim]	60	목적: [열심히 노력해서 성취하려는 구체적] 목적
61	purpose	[pə́:rpəs]	61	[굳은 결심을 가지고 달성하려는 뚜렷한] 목적
62	goal	[goul]	62	[장기간에 걸친 노력과 고생 끝에 얻는] 목표
63	object	[ɑ́bdʒikt]	63	[금방 성취할 수 있는 눈에 보이는 뚜렷한] 목표
64	objective	[əbdʒéktiv]	64	[금방 성취할 수 있는 눈에 보이는 뚜렷한] 목표
65	end	[end]	65	[최종적으로 달성되는 결과로서의] 목적
66	crowd	[kraud]	66	무리, 떼: 사람의 무리, 군중
67	flock	[flɑk]	67	[작은 새·양의] 무리
68	herd	[hə:rd]	68	[소·돼지의] 떼
69	school	[sku:l]	69	[물고기의] 떼
70	shoal	[ʃoul]	70	[물고기의] 떼
71	swarm	[swɔ:rm]	71	[꿀벌·개미 등 곤충의] 떼
72	bevy	[bévi]	72	[소녀·사슴의] 떼
73	covey	[kʌ́vi]	73	[한배의 병아리·메추리] 떼
74	gang	[gæŋ]	74	[노동자·죄수·폭력단의] 떼
75	pack	[pæk]	75	[개·늑대·군함·비행기의] 떼

76	lack	[læk]	76	부족: [원하는 것·꼭 있어야 할 것의] 부족; 결여
77	want	[wɔ:nt]	77	필요한 것; 부족; 결핍(빠른 보충이 필요한 상태)
78	shortage	[ʃɔ́:rtidʒ]	78	[필요한 만큼 보충시키지 못한] 부족; 결핍
79	dearth	[də:rθ]	79	[있어야 할 것이 부족해서 생긴] 결핍; 기근
80	scarcity	[skéərsəti]	80	[수요에 비해 존재량이 희소해서 오는] 부족; 결핍
81	journey	[dʒə́:rni]	81	여행: 육상의 긴 여행
82	travel	[trǽvəl]	82	[일반적 의미의] 여행, 장거리·외국여행; 여행기
83	tour	[tuər]	83	관광여행
84	trip	[trip]	84	[특별한 목적을 가진 일정이나 거리가] 짧은 여행; 소풍
85	voyage	[vɔ́iidʒ]	85	[배·비행기를 이용한 긴] 여행
86	cruise	[kru:z]	86	선박여행
87	expedition	[èkspədíʃən]	87	[특별한 목적을 가진] 탐험·원정여행
88	excursion	[ikskə́:rʒən]	88	소풍, [짧은] 유람
89	effect	[ifékt]	89	결과:[어떤 원인·행동·과정의 필연적] 결과, 결말
90	result	[rizʌ́lt]	90	[일련의 'effect'들 중 최종적인] 결과, 결말
91	consequence	[kánsikwèns]	91	[단순히 앞 사건에 뒤이은] 결과, 결말
92	outcome	[áutkʌ̀m]	92	[복잡하게 얽힌 문제·사건 등의 최종적] 결과
93	upshot	[ʌ́pʃàt]	93	[최후의] 결과, 결말; 결론, 요지, 귀결
94	friend	[frend]	94	벗, 친구: '친구'를 나타내는 가장 일반적 표현
95	acquaintance	[əkwéintəns]	95	[만나면 대화를 나눌 정도로] 아는 사람, 지인
96	companion	[kəmpǽnjən]	96	[어떤 행동을 공유하는 개인적으로 친밀한] 동료
97	colleague	[káli:g]	97	직업상의 동료(개인적인 친밀감은 없음)
98	comrade	[kámræd]	98	[공동의 운명·목적 등으로 맺어진] 동지; 전우
99	influence	[ínfluəns]	99	영향: [간접적인] 영향, 감화력
100	effect	[ifékt]	100	[직접적인] 영향, 효과; 효력

Unit 23 절대필수 대명사 & 부정대명사 100

1	I	[ai]	1	내가, 나는	
2	my	[mai]	2	나의	
3	me	[mi]	3	나를, 나에게	
4	mine	[main]	4	나의 것	
5	myself	[maisélf]	5	나 자신이, 나 자신을(에게)	
6	we	[wi:]	6	우리가, 우리는	
7	our	[auər]	7	우리의, 우리들의	
8	us	[ʌs]	8	우리를, 우리에게	
9	ours	[auərz]	9	우리의 것	
10	ourselves	[àuərsélvz]	10	우리자신이, 우리자신을(에게)	
11	you	[ju:]	11	당신[들]은, 당신[들]을, 당신[들]에게	
12	your	[juər]	12	당신의, 당신들의	
13	yours	[juərz]	13	당신의 것, 당신들의 것	
14	yourself	[juərsélf]	14	당신 자신이, 당신 자신을(에게)	
15	yourselves	[juərsélvz]	15	너희 자신이, 너희 자신을(에게)	
16	he	[hi:]	16	그가, 그는	
17	his	[hiz]	17	그의	
18	him	[him]	18	그를	
19	himself	[himsélf]	19	그 자신이, 그 자신을(에게)	
20	she	[ʃi:]	20	그녀가, 그녀는	
21	her	[hə:r]	21	그녀의, 그녀를, 그녀에게	
22	hers	[hə:rz]	22	그녀의 것	
23	herself	[hə:rsélf]	23	그녀 자신이, 그녀 자신을(에게)	
24	it	[it]	24	그것이, 그것을	
25	its	[its]	25	그것의	

26	itself	[itsélf]	26	그것 자신이, 그것 자신을(에게)
27	they	[ðei]	27	그들이, 그들은, 그것들이, 그것들은
28	their	[ðɛər]	28	그들의, 그것들의
29	them	[ðem]	29	그들을(에게), 그것들을(에게)
30	theirs	[ðɛərz]	30	그들의 것, 그것들의 것
31	themselves	[ðəmsélvz]	31	그들 자신이, 그들 자신을(에게)
32	this	[ðis]	32	이것, 이 물건, 이 사람
33	these	[ði:z]	33	이것들, 이 사람들
34	that	[ðæt]	34	저것, 저 물건, 저 사람; 그것
35	those	[ðouz]	35	그것들, 그 사람들; 사람들
36	the same	[ðəséim]	36	같은 것
37	such	[sʌtʃ]	37	그러한 것, 그런 것
38	so	[sou]	38	그러한 것
39	who	[hu:]	39	누구, 어느 사람, 어떤 사람
40	whose	[hu:z]	40	때누구의 것 / 형누구의
41	whom	[hu:m]	41	누구를
42	what	[wɑt]	42	무엇이(을), 어떤 것이(을), 무슨 일이(을)
43	which	[witʃ]	43	어느 쪽이(을), 어느 것이(을), 어느 사람이(을)
44	where	[wɛər]	44	때어디, 어떤 곳; 어떤 점
45	where	[wɛər]	45	부어디에서, 어디로, 어떤 점에서
46	when	[wen]	46	때언제, 부어느 때
47	when	[wen]	47	부언제, 어떤 경우에; 어느 정도에서, 얼마쯤에서
48	why	[wai]	48	이유, 까닭
49	why	[wai]	49	왜, 어째서, 무엇 때문에
50	how	[hau]	50	명방법

51	how	[hau]	51	園어떻게, 얼마나, 어찌, 어떤 방법(식)으로
52	one	[wʌn]	52	사람은, 사람이면 누구나; 것
53	none	[nʌn]	53	아무 [것]도 ~않다(없다)
54	someone	[sʌ́mwʌ̀n]	54	누군가, 어떤 사람
55	anyone	[éniwʌ̀n]	55	누구도, 누구나, 누군가; 아무도, 아무나
56	everyone	[évriwʌ̀n]	56	모든 사람, 누구나, 모두
57	no one	[nóu-wʌ́n]	57	(=nobody) 아무도 ~않다
58	somebody	[sʌ́mbàdi]	58	어떤 사람, 누군가; 대단한 사람
59	anybody	[énibàdi]	59	누군가, 누가, 누구(아무)라도; 누구도, 아무도
60	everybody	[évribàdi]	60	각자 모두, 누구나, 모두
61	nobody	[nóubàdi]	61	아무도 ~않다; 하찮은 사람
62	something	[sʌ́mθiŋ]	62	무언가, 어떤 것(일); 얼마쯤, 어느 정도, 다소
63	anything	[éniθìŋ]	63	무언가; 아무 것도, 어떤 것도; 무엇이나
64	everything	[évriθìŋ]	64	모든 것, 무엇이나 다, 만사; 가장 귀중한 것
65	nothing	[nʌ́θiŋ]	65	아무 것(아무 일)도 ~아님; 하찮은 사람
66	each	[i:tʃ]	66	각각(각기)의, 각자의, 제각기의, 각 ~
67	either	[í:ðər]	67	…도 또한 (~아니다, 않다)
68	neither	[ní:ðər]	68	[둘 중에서] 어느 쪽의 …도 ~아니다(않다)
69	another	[ənʌ́ðər]	69	또 다른 한 개[의 것], 또 다른 한 사람
70	other	[ʌ́ðər]	70	다른 사람, 다른 것; 그 밖(이외)의 것
71	some	[sʌm]	71	園다소, 얼마간, 좀, 약간, 일부; 어떤 사람들(것)
72	some	[sʌm]	72	園어떤, 무언가, 누군가; 좀, 몇몇의, 약간의
73	any	[éni]	73	園어느 것인가, 무언가, 누군가; 얼마쯤, 다소
74	any	[éni]	74	園어떤 ~이라도 [좀], 어떤 ~이든지 [좀]
75	all	[ɔ:l]	75	전부, 전원, 모두; 모든 사람, 모든 물건(일)

76	both	[bouθ]	76	양쪽, 양자, 쌍방, 둘 다
77	many	[méni]	77	[막연히] 많은 사람들; 많은 것(사람)
78	much	[mʌtʃ]	78	많은 것, 다량[의 것]; 대단한(중요한) 것(일)
79	the former	[ðə fɔ́:rmər]	79	(=the one) 전자, 앞의 것
80	the latter	[ðə lǽtər]	80	(=the other) 후자, 뒤의 것
81	the others	[ði ʌ́ðərz]	81	그 나머지 모두
82	each other	[í:tʃ ʌ́ðər]	82	(둘 사이에) 서로[를], 상호
83	one another	[wʌ́n ənʌ́ðər]	83	(셋 이상의 사이에) 서로[를], 상호
84	by oneself	[bai wʌnsélf]	84	혼자; 다른 사람 없이
85	for oneself	[fɔ:r wʌnsélf]	85	그 자신을 위하여, 스스로
86	of itself	[əv itsélf]	86	자연히, 저절로
87	in itself	[in itsélf]	87	그것 자체가, 본래가, 본질적으로
88	beside oneself	[bisáid wʌnsélf]	88	이성을 잃고, 어찌할 바를 모르고
89	in spite of oneself		89	자기도 모르게, 무심코
90	between ourselves		90	우리끼리니까 말인데
91	come to oneself		91	제 정신이 들다
92	keep ~ to oneself		92	~을 그 자신[에게]만 간직하다, 억제하다
93	have ~ to oneself		93	[물건을] 독차지하다
94	one after the other		94	[둘이서] 교대로, 번갈아
95	one after another		95	[여럿이] 속속, 줄이어, 차례로
96	one way or another		96	어떻게 해서든지
97	somehow or other		97	어떻게 해서든지
98	somewhere		98	어디엔가 [있다]
99	anywhere		99	어디에[라]도, 어디엔가, 어디에나
100	nowhere		100	아무 데도 [~없다]

Chapter 02

절대 필수 동사
1100

절대필수 기본동사 100

1	be:am, are, is / was, were	1	㉣이다; 있다; 되다; 가 있다, 와 있다; ~의 존재이다
2	make-made-made	2	㉣만들어 생기게 하다; 새로 만들다
3	work-worked-worked	3	㉣제 할일을 하다; 작동하다; [약이] 들다
4	fix-fixed-fixed	4	㉣고치다; 고정시키다 ㉣고정되다; 자리 잡다
5	do-did-done	5	㉣[일을] 완수하다; 하다; 행하다
6	let-let-let	6	㉣허락해주다; 세주다
7	put-put-put	7	㉣[어떤 장소에] 있게 하다; 놓다, 두다
8	set-set-set	8	㉣[갖추어] 놓다; 두다
9	lay-laid-laid	9	㉣[제자리에 갖추어] 놓다; 누이다; 깔다; [알을] 낳다
10	get-got-got(gotten)	10	㉣입수하다, 생기다, 가서 가져오다
11	take-took-taken	11	㉣손에 잡다; 껴안다; 취하여 가지다; 가져가다
12	catch-caught-caught	12	㉣[움직이는 것을] 붙잡다; 포획하다
13	have-had-had	13	㉣소유권을 가지다, 가지고(지니고) 있다
14	give-gave-given	14	㉣[가진 것을] 넘겨주다 ㉣주다; 기부하다
15	keep-kept-kept	15	㉣[상태·동작을] 계속하다, 유지하다 ㉣~한 상태에 있다
16	hold-held-held	16	㉣보존(유지)하다; 붙들고 있다 ㉣갖고 있다; 지키다
17	cover-covered-covered	17	㉣덮다, 씌우다, 감싸서 숨기다; 보호하다; 보도하다
18	stay-stayed-stayed	18	㉣[계속] 머물다, 체재하다; 유지하다; 버티다
19	stand-stood-stood	19	㉣서다 ㉣세우다; 참다
20	go-went-gone	20	㉣[어떤 장소·방향으로] 가다; 작동하다; 나빠지다
21	come-came-come	21	㉣[나 또는 너에게로] 이동하다; 오다, 다가오다
22	run-ran-run	22	㉣[제 길로 계속] 달리다, 뛰다
23	leave-left-left	23	㉣~을 떠나다; ~을 남기고 가다
24	pass-passed-passed	24	㉣지나가다, 통과하다, 지나다 ㉣통과시키다
25	shift-shifted-shifted	25	㉣바뀌다 ㉣바꾸다, ~을 이동시키다

26	turn-turned-turned	26	짜돌다, 변화하다 탸돌리다, 바꾸다
27	break-broke-broken	27	짜깨지다; 중단하다 탸깨뜨리다, 부수다; 분해하다
28	grow-grew-grown	28	짜성장하다, 점점 커지다; 생기다 탸키우다; 기르다
29	rise-rose-risen	29	짜일어서(나)다; 다시 살아나다; 오르다, 상승하다
30	raise-raised-raised	30	탸올리다, 상승시키다; 일으키다; 모금(모집)하다
31	drop-dropped-dropped	31	짜[급히] 떨어지다 탸툭 떨어뜨리다
32	fall-fell-fallen	32	짜[선을 이루며] 떨어지다 탸베어 넘기다
33	lose-lost-lost	33	탸잃다, 상실하다; 잊다 짜지다(패하다)
34	bring-brought-brought	34	탸[올 때] 가지고 오다
35	carry-carried-carried	35	짜 탸운반하다, 휴대하다 짜이동해 도달하다, 미치다
36	send-sent-sent	36	짜 탸[멀리] 보내다, 발송(송신)하다; 파견하다 탸내 몰다
37	touch-touched-touched	37	짜[두 물체가] 서로 닿다 탸닿다, 접촉하다; 만지다
38	press-pressed-pressed	38	짜 탸압박하다, 내리 누르다 탸눌러 펴다; 껴안다; 즙을 짜내다
39	push-pushed-pushed	39	짜 탸밀다, 밀치다, 밀고 나가다 탸확장하다; 강요하다
40	see-saw-seen	40	짜 탸보이다; 보다 탸확인해보다; 만나보다 짜알다
41	look-looked-looked	41	짜눈여겨보다, ~하게 보이다 탸응시하다; 관찰하다
42	show-showed-shown	42	짜나타나다, 등장하다 탸~을 보여주다, 나타내다
43	know-knew-known	43	짜 탸알고 있다 탸아는 사이다; 정통하다; ~의 경험이 있다
44	meet-met-met	44	짜 탸만나다, 마주치다; 마중하다; 합쳐지다
45	fit-fit-fit	45	짜 탸[~에] 꼭 맞다, 어울리다, 적합하다 탸~에 적응시키다
46	call-called-called	46	탸소리쳐 부르다, 전화하다; [이름을] 부르다; 초대하다
47	speak-spoke-spoken	47	짜 탸[무엇이든] 말(이야기)하다, 지껄이다 짜연설(강연)하다
48	talk-talked-talked	48	짜 탸[사적으로] 말하다, [소리 내어] 이야기를 나누다
49	say-said-said	49	짜 탸[어떤 표현으로] 말하다, 의견을 말하다; 씌어있다
50	tell-told-told	50	탸말하다; [어떤 내용을] 말해서 메시지를 전달하다

51	bite-bit-bitten	51	자 타 물다 타 물어뜯다; 부식하다; 쏘다, 자극하다
52	eat-ate-eaten	52	타 먹다; [식사를] 하다; 침식(부식)하다
53	blow-blew-blown	53	자 [바람이] 불다; 바람에 날리다 타 [입김을] 불다
54	cry-cried-cried	54	자 타 소리치다, 외치다 자 [소리 내어] 울다
55	laugh-laughed-laughed	55	자 [소리 내어] 웃다; 재미있어하다; 비웃다
56	ask-asked-asked	56	타 묻다, 물어보다; 요구(청구)하다, 요청하다
57	answer-answered-answered	57	자 타 [질문에] 답하다; 응대하다; 일치하다; 적합하다
58	read-read[red]-read[red]	58	타 읽다, 낭독하다; 알아차리다; 판단하다; 판독하다
59	write-wrote-written	59	자 타 쓰다, 기록하다, 편지를 쓰다 타 써넣다, 서명하다
60	count-counted-counted	60	자 타 세다, 계산하다; 셈에 넣다; ~으로 간주하다
61	add-added-added	61	타 더하다, 덧붙이다, 포함하다 자 덧셈하다; 증가하다
62	fill-filled-filled	62	타 ~을 가득 채우다; 메우다; 충족시키다 자 충만해지다
63	charge-charged-charged	63	타 충전(장전)하다; 담다, 싣다; 부과(청구)하다
64	join-joined-joined	64	타 연결하다; 합류하다; ~에 가입하다; 인접하다
65	lose-lost-lost	65	타 잃다; 잊어버리다; 손해보다; 길을 잃다; 지다
66	find-found-found	66	타 [우연히] 발견하다, [애써] 찾아내다; [경험으로] 알다
67	hide-hid-hidden	67	자 숨다, 잠복하다 타 숨기다, 감추다, 덮어 가리다
68	appear-appeared-appeared	68	자 나타나다, 출현하다, 나오다; ~로 보이다; 실리다
69	sit-sat-sat	69	자 앉다, 착석하다, 앉아있다; [새가] 알을 품다
70	jump-jumped-jumped	70	자 껑충 뛰다, 도약하다; 갑자기 일어서다 타 ~을 뛰어넘다
71	roll-rolled-rolled	71	자 구르다, 굴러가다; [차가] 달리다; 옆질하다
72	throw-threw-thrown	72	타 던지다, 메어치다; 발사하다; 급히 입다, 벗어던지다
73	hit-hit-hit	73	타 때리다, 치다, 맞히다, 명중시키다; 맞다, 명중하다
74	strike-struck-struck	74	타 치다, 두드리다 자 치다; 공격하다; 충돌하다
75	beat-beat-beaten	75	타 [계속해서] 치다, 두드리다; 휘저어 섞다; 이기다

76	kick-kicked-kicked	76	짜 타 차다, 걷어차다 타 속도를 갑자기 올리다
77	hurt-hurt-hurt	77	타 [몸·마음에] 상처를 입히다, ~을 다치게 하다 짜 아프다
78	cut-cut-cut	78	타 베다, 자르다; 잘라내다; 깎다; 삭제하다
79	stick-stuck-stuck	79	타 찌르다, 꿰찌르다; 내밀다; 붙이다 짜 꽂히다, 달라붙다
80	tie-tied-tied	80	타 묶다, 매다; 의무를 지우다 짜 매이다, 비기다
81	live-lived-lived	81	짜 살다, 생존하다; 생활하다
82	die-died-died	82	짜 죽다, 사라지다; 간절히 바라다
83	kill-killed-killed	83	타 죽이다, 살해하다; [시간·세월 등을] 헛되이 보내다
84	move-moved-moved	84	짜 타 움직이다; 이사(이동)하다 타 옮기다; 감동시키다
85	try-tried-tried	85	짜 타 해보다; 시험해보다 짜 노력하다 타 재판하다
86	play-played-played	86	짜 놀다, [기계 등이] 돌아가다 타 [게임·경기를] 하다
87	walk-walked-walked	87	짜 걷다, 산책하다 타 ~을 걷다; ~을 데리고 가다
88	open-opened-opened	88	짜 열리다 타 [닫힌 것을] 열다, 개봉하다; 시작하다
89	close-closed-closed	89	짜 닫히다, 끝나다 타 [열린 것을] 닫다, 눈을 감다; 끝내다
90	shut-shut-shut	90	타 닫아버리다, 막다 짜 닫히다 짜 타 휴업(폐점)하다
91	draw-drew-drawn	91	타 끌다, 끌어내다; 끌어당기다; 잡아 뽑다; 그리다
92	pull-pulled-pulled	92	타 당기다, 끌다; 끌고 가다; 끌어당기다; 뽑아내다
93	boil-boiled-boiled	93	짜 끓다, [피가] 끓어오르다 타 끓이다, 삶다, 데치다
94	burn-burned-burned	94	짜 타다; 빛나다; 달아오르다 타 때다, 태우다, 데우다
95	buy-bought-bought	95	타 사다, 구입하다; [대가·희생을 치르고] 획득하다; 채택하다
96	sell-sold-sold	96	타 팔다, 매도(매각)하다; 배반하다; 납득시키다 짜 팔리다
97	pay-paid-paid	97	짜 타 갚다, [돈을] 치르다, 지불하다; 수지가 맞다
98	pick-picked-picked	98	타 따다, 뜯다; 쪼다; 고르다; 소매치기 하다
99	choose-chose-chosen	99	타 고르다, 선택하다; ~을 …로 선출하다; 원하다
100	change-changed-changed	100	타 바꾸다, 교환하다, 변경하다 짜 갈아타다(입다)

1	bear - bore - born	1	타나르다; 지니다 자 타지탱하다, 견디다; 열매를 맺다
2	build - built - built	2	타짓다, 세우다, 건축하다
3	feel - felt - felt	3	타만져보다 자느끼다
4	fly - flew - flown	4	자날다, 비행하다, 날아가 버리다 타날리다
5	follow - followed - followed	5	타~을 따라가다; 추구하다
6	hang - hung - hung	6	타매달다, 걸다 자걸리다 (hang - hanged - hanged: 목매달다)
7	reach - reached - reached	7	타~에 도착하다 자[손·발을] 뻗다, 내밀다; 구하다
8	ride - rode - ridden	8	자타타다, 타고가다; 걸터타다
9	serve - served - served	9	타섬기다, ~에 봉사하다; [음식을] 차려내다; ~에게 공급하다
10	shake - shook - shaken	10	타흔들다 자흔들리다
11	skip - skipped - skipped	11	자가볍게 뛰다 타뛰어넘다; 빼먹다
12	wear - wore - worn	12	타착용하고 있다 자닳아 해지다; 오래가다
13	receive	[risíːv]	13	타[물리적으로] 받다; 맞이하다
14	accept	[æksépt]	14	타[동의하고] 받아들이다, 수락하다, 감수하다
15	achieve	[ətʃíːv]	15	자타[어려움을 극복하고] 목적을 성취(달성)하다
16	accomplish	[əkámpliʃ]	16	타[해야 할 일을 정확히] 완수하다, 목적을 달성하다
17	affect	[əfékt]	17	타~에게 직접적으로 영향을 주다; 감동을 주다
18	influence	[ínfluəns]	18	타~에게 [간접적으로] 감화를 주다, 좌우시키다
19	assert	[əsə́ːrt]	19	타[근거가 없어도] 당당히 주장하다; 역설하다
20	insist	[insíst]	20	자타[반대에도 불구하고] 강력히 주장하다, 우기다
21	describe	[diskráib]	21	타[말로 상세히] 묘사하다
22	explain	[ikspléin]	22	자타[분명하고 알기 쉽게 말로] 설명하다, 묘사하다
23	evaluate	[ivǽljuèit]	23	자타[능력·효과 등을 숫자로] 평가하다
24	estimate	[éstəmèit]	24	자타[가치·수량을] 어림잡다; 견적하다
25	focus	[fóukəs]	25	타[특정한 것에] 초점을 맞추다 자초점이 맞다

26	concentrate	[kánsəntrèit]	26	짜 타 [흩어진 것을 한곳으로] 집중하다; 집결하다
27	persuade	[pə:rswéid]	27	타 [행동에 옮기도록] 설득하다; ~을 확신하다
28	convince	[kənvíns]	28	타 [그렇다고 인정하도록] 납득시키다, 확신시키다
29	presume	[prizú:m]	29	짜 타 [근거는 없으나 그럴 거라] 추정하다, 상상하다
30	assume	[əsjú:m]	30	타 [자신은 없으나 그럴 거라] 가정하다, 추측하다
31	qualify	[kwáləfài]	31	타 [충분한 능력이 있다고] 자격을 인정하다 짜 자격을 따다
32	entitle	[entáitl]	32	타 자격·권리·명칭(제목)을 부여하다
33	reduce	[ridjú:s]	33	타 [누군가가] 줄이다, 감소시키다 짜 줄다, 쇠하다
34	decrease	[dikrí:s]	34	짜 [저절로] 줄다, 감소하다 타 줄이다, 감소시키다
35	satisfy	[sǽtisfài]	35	타 [충분히] 만족시키다 짜 만족을 주다
36	content	[kəntént]	36	타 [불평 없을 만큼] 만족시키다
37	select	[silékt]	37	타 [비슷한 것들 중 숙고해] 고르다, 선택하다
38	choose	[tʃu:z]	38	타 [직감으로 가볍게] 고르다, 선택하다
39	admit	[ædmít]	39	타 [내키지는 않지만] 사실을 인정하다
40	acknowledge	[æknálidʒ]	40	타 [마지못해] 인정하다, 시인하다
41	demand	[dimǽnd]	41	타 [고압적으로 강력히] 요구하다, 청구하다; ~을 묻다
42	claim	[kleim]	42	타 [당연한 권리로서] 요구하다, 청구하다, 주장하다
43	require	[rikwáiər]	43	타 [필요해서] 요구하다; 명하다
44	refuse	[rifjú:z]	44	타 [요구·부탁 등을 딱 잘라] 거절하다; 거부하다
45	decline	[dikláin]	45	타 [초대·제의 등을 정중히] 사절하다; 거부하다
46	reject	[ridʒékt]	46	타 [계획·제안 따위를] 거절하다·퇴짜 놓다·각하하다
47	obtain	[əbtéin]	47	타 [바라던 것을] 노력하여 손에 넣다; 획득하다 짜 통용되다
48	get	[get]	48	타 [단순히] 손에 넣다; 획득하다, 생기다
49	acquire	[əkwáiər]	49	타 [부단한 노력으로] 손에 넣다; 배우다, 몸에 익히다
50	secure	[sikjúər]	50	타 [얻기 어려운 것을] 간신히 손에 넣다; 굳게 지키다

절대필수 핵심동사 100

51	earn	[ə:rn]	51	㉣ [노력해서] 획득하다; 벌다
52	afford	[əfɔ́:rd]	52	㉣ [어떤 일을] 할 여유가 있다
53	arrange	[əréindʒ]	53	㉣ [흐트러진 것들을] 가지런히 하다; 배열하다, 정돈하다
54	cause	[kɔ:z]	54	㉣ [좋지 않은 일을] 일으키다; …로 하여금 ~하게 하다
55	demonstrate	[démənstrèit]	55	㉣ [시범을 보여] 증명하다; 시범교수하다; 드러내다
56	disclose	[disklóuz]	56	㉣ [숨겨진 것을] 드러내다; [비밀 등을] 털어놓다
57	submit	[səbmít]	57	㉣ 복종시키다; 제출하다 ㉣ 복종하다; 항복하다
58	employ	[emplɔ́i]	58	㉣ 도입해서 잘 사용하다; 고용하다
59	engage	[engéidʒ]	59	㉣ [맹세·약속 등으로] 속박하다 ㉣ 종사하다; 근무하다
60	expedite	[ékspədàit]	60	㉣ [일을] 신속히 처리하다
61	extend	[iksténd]	61	㉣ [손발을] 내밀다; 확장하다, 연장하다 ㉣ 늘어나다, 연장되다
62	facilitate	[fəsílətèit]	62	㉣ [좀 더] 손쉽게 하다; 촉진하다, 조장하다
63	gain	[gein]	63	㉣ [소중한 것을 조금씩] 손에 넣다
64	judge	[dʒʌdʒ]	64	㉣ ㉣ [어떤 것을 기준삼아] 판단하다, 심사하다; 재판하다
65	offer	[ɔ́:fər]	65	㉣ [특별한 것을] 권하다; 제공하다; 바치다; 제출하다
66	prove	[pru:v]	66	㉣ 증명하다, 입증하다 ㉣ ~임을 알다
67	quantify	[kwántəfài]	67	㉣ [수량표현이 어려운 것의] 양을 재다, 양을 표시하다
68	refer	[rifɔ́:r]	68	㉣ ㉣ [~에게] 알아보도록 하다, [~을] 참조하게 하다
69	reserve	[rizɔ́:rv]	69	㉣ [무언가를 자기 안에] 떼어두다, 비축하다; 예약하다
70	restore	[ristɔ́:r]	70	㉣ [원 상태로] 되돌려 놓다; 되찾다, 회복하다; 재건하다
71	reveal	[rivíːl]	71	㉣ [감춰진 것을] 드러내다, 폭로하다, 보이다
72	save	[seiv]	72	㉣ 소중히 남겨두다; 구하다, 건지다; 절약하다, 저축하다
73	withdraw	[wiðdrɔ:]	73	㉣ ㉣ [원래 자리로] 되돌리다; 철수하다 ㉣ 움츠리다
74	yield	[ji:ld]	74	㉣ [힘든 과정을 통해] 만들어내다; 산출하다; 양보하다
75	recognize	[rékəgnàiz]	75	㉣ [무엇을 무엇으로서] 인지하다, 알아보다; 인정하다

76	allow	[əláu]	76	㊉ [누군가가 무엇을 하도록] 허락하다, 허가하다
77	appear	[əpíər]	77	㊂ [눈에 보이도록] 모습을 드러내다, 나타내다; ~로 보이다
78	clarify	[klǽrəfài]	78	㊉ [깔끔하지 않은 것을] 깔끔히 하다; 해명하다; 정화하다
79	confirm	[kənfə́:rm]	79	㊉ [확인해서] 확증하다; 추인하다
80	consider	[kənsídər]	80	㊉ [관심을 가지고] 숙고하다; ~로 간주하다; ~을 고려하다
81	consist	[kənsíst]	81	㊂ [견고히] 구성되어있다; ~에 있다; ~와 양립하다
82	define	[difáin]	82	㊉ [범위를 확실히] 한정하다, 규정하다; 정의를 내리다
83	deserve	[dizə́:rv]	83	㊂ ㊉ ~할 만하다; ~하는 것이 당연하다
84	expect	[ikspékt]	84	㊉ 기다리다; 예상하다; 바라다
85	familiarize	[fəmíljəràiz]	85	㊉ [친밀하여] 익숙케 하다; ~에게 잘 알리다
86	guarantee	[gæ̀rəntí:]	86	㊉ [괜찮다고 장담하며] 보증하다; 보장하다; 장담하다
87	indicate	[índikèit]	87	㊉ [손짓·몸짓으로] 가리키다
88	inform	[infɔ́:rm]	88	㊉ [정확한 정보를 정확히] 전달하다; ~에게 불어넣다
89	inspire	[inspáiər]	89	㊉ [고무시켜] 할 생각이 들게 하다; 영감을 주다
90	intend	[inténd]	90	㊉ [~하려고] 작정하다; 의도하다; 의미하다; 예정하다
91	involve	[inválv]	91	㊉ 말려들게 하다; 연좌시키다; 몰두시키다
92	permit	[pə:rmít]	92	㊂ ㊉ [권세 있는 자가] 허락해주다; 용납하다
93	apply	[əplái]	93	㊉ [적재적소에] 적용하다; 사용하다 ㊂ 적합하다; 신청하다
94	appreciate	[əprí:ʃièit]	94	㊉ [진가를] 감상하다; 감정하다; 감사하다 ㊂ 시세가 오르다
95	assign	[əsáin]	95	㊉ [규칙에 따라서] 분배하다, 할당하다; 정하다
96	charge	[tʃɑ:rdʒ]	96	㊉ [가득차야 할 부분을] 채우다; 충전(장전)하다, 청구하다
97	contract	[kəntrǽkt]	97	㊉ 계약하다; ~와 친교를 맺다; 수축시키다
98	develop	[divéləp]	98	㊉발전시키다, 개발하다; 밝히다 ㊂발전하다; 밝혀지다
99	entertain	[èntərtéin]	99	㊂ ㊉대접하다; ㊉식사에 초대하다; 즐겁게 하다
100	follow	[fálou]	100	㊉ ~을 좇다, 와 동행하다; 따르다; 추구하다; 이해하다

1	㉺ **가져오다**	1	**bring**	[briŋ]
2	㉺ 가져가다	2	take	[teik]
3	㉺ **깨끗하게 하다**	3	**cleanse**	[klenz]
4	㉺ 더럽히다	4	stain	[stein]
5	㉺ **건설하다**	5	**construct**	[kənstrʌ́kt]
6	㉺ 파괴하다	6	destroy	[distrɔ́i]
7	㉺ **결합하다**	7	**join**	[dʒɔin]
8	㉺ 분리하다	8	separate	[sépərèit]
9	㉺ **고용하다**	9	**employ, hire**	[emplɔ́i], [haiər]
10	㉺ 해고하다	10	dismiss, fire	[dismís], [faiər]
11	㉺ **골라 뽑다**	11	**select**	[silékt]
12	㉺ 제외하다, 거절하다	12	reject	[ridʒékt]
13	㉺ **공격하다**	13	**attack, aggress**	[ətǽk], [əgrés]
14	㉺ 방어하다	14	defend	[difénd]
15	㉺ **곱하다**	15	**multiply**	[mʌ́ltəplài]
16	㉺ 나누다	16	divide	[diváid]
17	㉺ **구하다**	17	**request**	[rikwést]
18	㉺ 주다, 허락하다	18	grant	[grænt]
19	㉺ **굳게 하다**	19	**harden**	[háːrdn]
20	㉺ 부드럽게 하다	20	soften	[sɔ́ːfən]
21	㉺ **긍정하다**	21	**affirm**	[əfə́ːrm]
22	㉺ 부정하다	22	deny	[dinái]
23	㉺ **기쁘게 하다**	23	**please**	[pliːz]
24	㉺ 화나게 하다	24	vex	[veks]
25	㉺ **나타내다, 드러내다**	25	**disclose, reveal**	[disklóuz], [rivíːl]

26 ㉧ 감추다	26 conceal, hide	[kənsíːl], [haid]
27 ㉧ **밀다**	27 **push**	[puʃ]
28 ㉧ 당기다	28 pull	[pul]
29 ㉧ **더하다**	29 **add**	[æd]
30 ㉧ 빼다	30 subtract	[səbtrǽkt]
31 ㉪ **떠나다**	31 **depart**	[dipáːrt]
32 ㉪ 도착하다	32 arrive	[əráiv]
33 ㉧ **들어 올리다**	33 **lift**	[lift]
34 ㉧ 떨어뜨리다	34 drop	[drɑp]
35 ㉪ **뜨다**	35 **float**	[flout]
36 ㉪ 가라앉다	36 sink	[siŋk]
37 ㉪ ㉧ **만나다**	37 **meet**	[miːt]
38 ㉪ 헤어지다	38 part	[pɑrt]
39 ㉧ **모으다**	39 **gather**	[gǽðər]
40 ㉧ 흩뿌리다	40 scatter	[skǽtər]
41 ㉪ **미소 짓다**	41 **smile**	[smail]
42 ㉪ 찡그리다	42 frown	[fraun]
43 ㉧ **믿다, 확신하다**	43 **believe, assure**	[bilíːv], [əʃúər]
44 ㉧ 의심하다	44 doubt	[daut]
45 ㉪ **반항하다**	45 **resist**	[rizíst]
46 ㉪ 굴복하다	46 surrender	[səréndər]
47 ㉧ **받아들이다**	47 **accept**	[æksépt]
48 ㉧ 거부하다	48 reject	[ridʒékt]
49 ㉧ **인정하다**	49 **acknowledge**	[æknálidʒ]
50 ㉧ 부정하다	50 deny	[dináí]

51	🖽제공하다	51	**offer**	[ɔ́:fər]
52	🖽받다	52	accept	[æksépt]
53	🖽**빌려주다**	53	**lend**	[lend]
54	🖽빌리다	54	borrow	[bɔ́:rou]
55	🖽**사다**	55	**buy**	[bai]
56	🖽팔다	56	sell	[sel]
57	🖽**사랑하다**	57	**love**	[lʌv]
58	🖽미워하다	58	hate	[heit]
59	🖽**상주다**	59	**reward**	[riwɔ́:rd]
60	🖽벌주다	60	punish	[pʌ́niʃ]
61	🖽**생산하다**	61	**produce**	[prədjú:s]
62	🖽소비하다	62	consume	[kənsú:m]
63	🇦🖽**서두르다**	63	**hasten**	[héisn]
64	🇦🖽지연하다	64	delay	[diléi]
65	🖽**세놓다**	65	**let**	[let]
66	🖽세내다	66	hire	[haiər]
67	🇦**수축하다**	67	**contract**	[kántrækt]
68	🇦팽창하다	68	expand	[ikspǽnd]
69	🖽**수출하다**	69	**export**	[ikspɔ́:rt]
70	🖽수입하다	70	import	[impɔ́:rt]
71	🖽**승낙하다**	71	**permit, allow**	[pə:rmít], [əláu]
72	🖽금지하다	72	prohibit, forbid	[prouhíbit], [fərbíd]
73	🖽**씻다**	73	**wash**	[wɑʃ]
74	🖽더럽히다	74	soil	[sɔil]
75	🇦**앞서가다** / 🖽**인도하다**	75	**precede / lead**	[sɔil] / [li:d]

76	㈜ 뒤따르다	76 follow	[fálou]
77	㉤ **연합하다**	77 **unite**	[juːnáit]
78	㉤ 분리하다	78 divide	[diváid]
79	㉣ **올라가다**	79 **rise**	[raiz]
80	㉣ 떨어지다	80 fall	[fɔːl]
81	㉤ **올리다**	81 **raise**	[reiz]
82	㉤ 내리다	82 drop	[drɑp]
83	㉤ **요구하다**	83 **demand**	[dimǽnd]
84	㉤ 공급하다	84 supply	[səplái]
85	㉤ **용기를 북돋다**	85 **encourage**	[enkə́ːridʒ]
86	㉤ 용기를 잃게 하다	86 discourage	[diskə́ːridʒ]
87	㉤ **용서하다**	87 **forgive**	[fərgív]
88	㉤ 처벌하다	88 punish	[pʌ́niʃ]
89	㉤ **위로하다**	89 **console**	[kənsóul]
90	㉤ 괴롭히다	90 afflict	[əflíkt]
91	㉣ **일치하다**	91 **agree**	[əgríː]
92	㉣ 다르다	92 differ	[dífər]
93	㉤ **잡다**	93 **catch**	[kætʃ]
94	㉤ 놓치다	94 miss	[mis]
95	㉤ **장식하다**	95 **decorate**	[dékərèit]
96	㉤ 훼손하다	96 destroy	[distrɔ́i]
97	㉣ **전진하다**	97 **advance**	[ædvǽns]
98	㉣ 후퇴하다	98 retreat	[riːtríːt]
99	㉤ **정복하다**	99 **conquer**	[kɑ́ŋkər]
100	㉣ 항복하다	100 surrender	[səréndər]

1	**begin**	[bigín]	1	짜탸[일의 과정을 처음으로] 시작하다, 개시하다
2	start	[stɑ:rt]	2	짜탸[활동하기] 시작하다
3	commence	[kəméns]	3	탸[재판·종교의식 등을 잘 준비해] 시작하다
4	**end**(↔begin)	[end]	4	짜어떤 일의 과정이 종료되다, 끝나다
5	finish(↔start)	[fíniʃ]	5	짜활동(운동) 상태가 목적을 이루고 종료되다, 끝나다
6	**split**	[split]	6	탸[선을 따라 균등하게] 나누다; 쪼개다
7	share	[ʃɛər]	7	탸[자기 것을 남에게] 나눠주다, 균등히 나눠 쓰다
8	divide	[diváid]	8	탸[어떤 기준이나 치수에 따라] 세심하게 나누다
9	separate	[sépərèit]	9	탸원래 하나였던 것을 떼어(갈라)놓다; 나누다
10	**close**	[klouz]	10	탸[열린 것을 천천히] 닫다
11	shut	[ʃʌt]	11	탸[빠른 속도로] 닫아 버리다
12	**push**	[puʃ]	12	탸[자기와 반대 방향으로 이동하도록 힘주어] 밀다
13	press	[pres]	13	탸[정해진 방향으로 힘을 가해 대상을 압박해서] 밀다
14	**pull**	[pul]	14	탸[손으로 잡고 자기 쪽으로 오도록] 당기다
15	draw	[drɔ:]	15	탸[안정된 속도와 힘으로 미끄러지듯] 당기다
16	drag	[dræg]	16	탸[대상을 질질] 끌어당기다
17	tug	[tʌg]	17	탸[대상에 힘을 가해 갑자기 여러 번 힘껏] 당기다
18	**help**	[help]	18	탸[긴급하고 절박한 상황에서 객관적인 입장으로] 돕다
19	assist	[əsíst]	19	탸[긴급하고 절박한 상황에서 객관적인 입장으로] 돕다
20	save	[seiv]	20	탸[위험 따위에서] 구해내다, 건져내다
21	rescue	[réskju:]	21	탸신속하고 조직적인 행동으로 구출하다
22	**fall**	[fɔ:l]	22	짜[낙하산처럼 선을 이루며 서서히] 떨어지다
23	drop	[drɑp]	23	짜['툭'하고 급히] 떨어지다; 탸['툭'] 떨어뜨리다
24	**listen**	[lísən]	24	탸[일부러 의식을 모아 귀를 기울여] 듣다
25	hear	[hiər]	25	탸[귀에 들려오는 것을 들리는 대로] 듣다

160

26	**see**	[siː]	26	타[눈에 보이는 대로] 보다; [의식적으로] 보다
27	look	[luk]	27	자[정지해 있는 특정 대상을 의식적으로] 바라보다
28	watch	[wɑtʃ]	28	타[움직이는 대상을 오래 관찰하여] 지켜보다
29	**meet**	[miːt]	29	타[우연히, 시간·날짜를 정해, 처음으로] 만나다
30	see	[siː]	30	타[아는 사이에 서로] 만나다; 만나서 시간을 가지다
31	bump into	[bʌ́mp íntu]	31	자[~와 우연히] 마주치다; 충돌하다
32	run into	[rʌ́n íntu]	32	자[~와 우연히] 마주치다; 충돌하다
33	**have**	[hæv]	33	타**먹다, 마시다; 식사를 하다**(식사라는 일을 표현)
34	eat	[iːt]	34	타먹다, 마시다(먹는 행위 자체를 강조해서 표현)
35	drink	[driŋk]	35	타마시다; 술을 마시다
36	take	[teik]	36	타[영양을] 섭취하다; [약을] 먹다
37	**let**	[let]	37	타**허락하다, [원하는 것을 하도록] 시켜주다**
38	have	[hæv]	38	타[당연히 하게 되어 있는 것을 하도록] 시키다
39	make	[meik]	39	타[강제로 하도록] 시키다
40	get	[get]	40	타[설득해서 하도록] 시키다
41	**want**	[wɔnt]	41	타**[단순히 원하는 욕구·필요를 채우기를] 원하다**
42	wish	[wiʃ]	42	타[이루어질 가능성은 없지만 희망사항으로] 바라다
43	hope	[houp]	43	타[가능성이 상당한 정도 있는 일을] 바라다
44	expect	[ikspékt]	44	타[가능성이 꽤 높은 일을] 예측하다, 예상하다
45	**break**	[breik]	45	타**깨뜨리다, 부수다, 망가뜨리다**
46	destroy	[distrɔ́i]	46	타회복 불능 상태가 되도록 철저하게 파괴하다
47	ruin	[rúːin]	47	타파괴하다; 파멸시켜 못쓰게 해놓다; 망쳐놓다
48	wreck	[rek]	48	타자동차·열차를 파괴시키다; 자난파하다
49	tear	[tɛər]	49	타[힘주어 박박] 찢다, 잡아 뜯다
50	damage	[dǽmidʒ]	50	타손해나 손상을 입히다(수리·회복이 가능한 상태)

51	**cook**	[kuk]	51	타[불을 사용해서] 요리하다
52	make	[meik]	52	타[불을 사용하지 않고 음식을] 만들다
53	boil	[bɔil]	53	타[물·국을] 끓이다; 조리다; 삶다; [밥을] 짓다
54	steam	[sti:m]	54	타[증기로] 찌다
55	fry	[frai]	55	타[기름으로] 튀기다; 볶다
56	bake	[beik]	56	타[오븐에서 빵·케이크·쿠키 등을] 굽다
57	**move**	[mu:v]	57	자[한 장소에서 다른 장소로] 움직이다, 이동하다
58	work	[wə:rk]	58	자[기계·장비·두뇌 등이 제 기능대로] 작동하다
59	go	[gou]	59	자[기계·장비 등이 켜져서 실제로] 작동하다
60	run	[rʌn]	60	자[기계·장비 등이 켜져서 실제로] 작동하다
61	**become**	[bikʌ́m]	61	자[과정이 어떻든 결과적으로] ~이 되다
62	get	[get]	62	자[시간의 흐름에 따라 서서히] ~이 되다
63	grow	[grou]	63	자[시간을 들여 서서히 변화되어] ~이 되다
64	go	[gou]	64	자[나쁜 쪽으로 변해서] ~이 되다
65	come	[kʌm]	65	자[좋은 쪽으로 변해서] ~이 되다
66	turn	[tə:rn]	66	자[원래의 상태와는 전혀 다른 상태로] 되다
67	fall	[fɔ:l]	67	자[갑자기 ~의 상태가] 되다
68	**happen**	[hǽpən]	68	자[예상치 못한 일이 우연히] 발생하다, 일어나다
69	occur	[əkə́:r]	69	자[어떤 특정한 일이 특정한 때에] 일어나다
70	take place	[téik plèis]	70	자[예정되거나 계획된 일이] 일어나다
71	break out	[bréik àut]	71	자['전쟁·폭동' 등이 갑자기] 일어나다, 발발하다
72	**take**	[teik]	72	타[내밀어진 것·주어진 것을 의지로] 취하다, 받다
73	get	[get]	73	타[주어진 것을 의지와 상관없이] 받다; 어떻게든 얻다
74	**allow**	[əláu]	74	타[개인적으로] 허가하다; [~하도록] 묵인해주다
75	permit	[pə:rmít]	75	타[법률·규칙 등에 의해 공적으로] 허가하다

76	**stand**	[stænd]	76	卧[어떤 사람·상황에 불쾌감을 느끼면서도] 참다
77	bear	[bɛər]	77	卧'stand'와 같은 뜻(문어체)
78	endure	[endjúər]	78	卧[불쾌하고 고통스러운 상황에서 오랫동안] 꾹 참다
79	tolerate	[tálərèit]	79	卧[바람직하지 못한 일을] 참다
80	**treat**	[tri:t]	80	卧[사람·동물·물건·문제를] 다루다; 대접하다
81	deal with	[dí:l wið]	81	卧[어려운 문제나 상황·귀찮은 상대를] 다루다
82	handle	[hǽndl]	82	卧[어떤 것을 손으로 직접] 다루다; 상품을 취급하다
83	operate	[ápərèit]	83	卧[기계·장비를 조작하여] 다루다
84	**agree**	[əgrí:]	84	자[의견 차이 없이] 동의하다, 찬동하다
85	assent	[əsént]	85	자[상대의 의견을 숙지하고 숙고하여] 동의하다
86	consent	[kənsént]	86	자[제안·요청에 따르기로 적극적으로] 동의하다
87	accede	[æksí:d]	87	자[상대가 요구하는 제안·요청 등에 양보하여] 동의하다
88	**think**	[θiŋk]	88	자卧[분명한 결론·아이디어를 얻기 위해] 생각하다
89	reason	[rí:zən]	89	자[논리적 사고를 거쳐] 추론하다, 판단하다
90	reflect	[riflékt]	90	자卧[마음에 떠오르는 것을 오랫동안] 숙고하다
91	consider	[kənsídər]	91	자卧[어떤 것을 결정하기 전에 잘] 검토하다; 숙고하다
92	speculate	[spékjəlèit]	92	자卧[이리저리 잘] 생각해보다; 심사숙고하다
93	deliberate	[dilíbərit]	93	자잘 생각하다, 숙고하다
94	**carry out**	[kǽri àut]	94	卧[어려움이 있어도 계획을] 실행하여 이룩하다
95	execute	[éksikjù:t]	95	卧[명령·법률·계약·약속 등을] 실행하다(문어체)
96	perform	[pərfɔ́:rm]	96	卧[노력·주의·기술 등을 요하는 일을] 실행하다
97	practice	[prǽktis]	97	卧[종교·신념·자기가 말한 것 등을] 실행하다
98	**demand**	[dimǽnd]	98	卧[고자세·명령조로 필요한 것을 강력히] 요구하다
99	claim	[kleim]	99	卧[자기의 당연한 소유권이 있는 것의 인도를] 요구하다
100	require	[rikwáiər]	100	卧[어떤 사정·법률·규정 등에 의거해서] 요구하다

절대필수 동사 유의어 심층탐구 2

1	**cry**	[krai]	1	재[무슨 소리든 기쁨·놀람·고통 등으로] 소리치다
2	exclaim	[ikskléim]	2	재[기쁨·놀람 등으로 흥분해서] 갑자기 소리치다
3	shout	[ʃaut]	3	재[뜻을 알아들을 수 있는 말로 힘껏] 소리치다
4	scream	[skri:m]	4	재[놀람·공포·고통 등으로 크게] 째지는 소리를 내다
5	**endure**	[endjúər]	5	재[외부의 영향, 압력 등에 저항하여] 존속하다
6	continue	[kəntínju:]	6	재[어떤 일이 그치지 않고] 쭉 지속 중이다
7	persist	[pə:rsíst]	7	재[예상 밖으로 끈질기게] 오래 지속하다
8	last	[læst]	8	재[특정 기간이나 보통 이상으로] 오래 지속하다
9	**teach**	[ti:tʃ]	9	타[지식·기술 등을] 가르치다, 교육하다
10	educate	[édʒukèit]	10	타[정규교육으로] 가르치다, 교육하다
11	instruct	[instrʌ́kt]	11	타[어떤 특정 사항을 조직적으로] 가르치다
12	**refuse**	[rifjú:z]	12	타[요구·부탁 등을] 분명히 거절하다
13	reject	[ridʒékt]	13	타[강한 말투로 단호히] 거부하다
14	decline	[dikláin]	14	타[예의 바르게] 거절하다, 사양하다
15	**decide**	[disáid]	15	타[결정을 미뤄온 것을 숙고해서] 결정하다
16	determine	[ditə́:rmin]	16	타[결정한 것을 꼭 실행할 세부사항을] 정하다
17	resolve	[rizálv]	17	타[꼭 실행하려고] 결심하다, 결정하다
18	**despise**	[dispáiz]	18	타[싫어하여 불쾌한 감정을 가지고] 경멸하다
19	scorn	[skɔ:rn]	19	타[노여움을 가지고 조소하는 투로] 경멸하다
20	disdain	[disdéin]	20	타[상대를 천하게 여겨 우월감으로] 경멸하다
21	**choose**(=elect)	[tʃu:z]	21	타[자기가 좋아하는 물건을 생각해] 고르다
22	elect	[ilékt]	22	타[투표 등의 방법으로 사람을] 선출하다
23	select	[silékt]	23	타[다수 중 비교·대조를 거쳐] 신중히 고르다
24	pick	[pik]	24	타'select'와 동의어; 또는 [감으로 찍어] 고르다
25	prefer	[prifə́:r]	25	타[둘 중 더 원하는 것을] 택하다

26	**repair**	[ripéər]	26	타[복잡하고 특별한 기술이 필요한 것을] 고치다
27	mend	[mend]	27	타[누구나 고칠 수 있는 간단한 것을] 고치다
28	fix	[fiks]	28	타'repair, mend'의 뜻을 동시에 가진 동사
29	amend	[əménd]	29	타[사람의 행실, 의안 등을] 고치다; 개정하다
30	**differentiate**	[dìfərénʃièit]	30	타**[동일한 종류의 것들의 차이를] 엄밀히 구별하다**
31	discriminate	[diskrímənèit]	31	타[비슷한 것들 간의 미세한 차이를] 구분하다
32	distinguish	[distíŋgwiʃ]	32	타[어떤 것의 특징·특색을 보고 다른 것과] 구별하다
33	discern	[disə́:rn]	33	타[어떤 것의 차이를 인식하여] 구별하다
34	**forbid**	[fərbíd]	34	타**[개인적으로] 금하다, 금지하다**
35	prohibit	[prouhíbit]	35	타[법률·규제 등을 통해 공적으로] 금하다
36	ban	[bæn]	36	타[법률 또는 사회적 압력을 통해] 금하다
37	inhibit	[inhíbit]	37	타[특별한 상황의 필요에 의해] 금하다
38	keep	[ki:p]	38	타[사람·상황·환경 등이] 금하다, 금지하다
39	hinder	[híndər]	39	타[사람·상황·환경 등이] 금하다, 금지하다
40	restrain	[ristréin]	40	타[사람·상황·환경 등이] 금하다, 금지하다
41	prevent	[privént]	41	타[사람·상황·환경 등이] 금하다, 금지하다
42	stop	[stap]	42	타[사람·상황·환경 등이] 금하다, 금지하다
43	discourage	[diskə́:ridʒ]	43	타[사람·상황·환경 등이] 금하다, 금지하다
44	disable	[diséibəl]	44	타[사람·상황·환경 등이] 금하다, 금지하다
45	dissuade	[diswéid]	45	타[사람·상황·환경 등이] 금하다, 금지하다
46	**throw**	[θrou]	46	타**[손으로 집어] 던지다**
47	cast	[kæst]	47	타[가벼운 것을] 던지다
48	pitch / hurl	[pitʃ] / [həːrl]	48	타[목표를 겨냥해서 힘주어] 던지다
49	toss	[tɔ:s]	49	타[아래쪽에서 위로, 또는 옆으로 가볍게] 던지다
50	fling	[fliŋ]	50	타[열 받아서 세게] 내던지다

51	**surprise**	[sərpráiz]	51	타[예기치 못한 일로] 깜짝 놀라게 하다
52	astonish	[əstániʃ]	52	타[불가능해 보이는 일을 성취해서] 놀라게 하다
53	amaze	[əméiz]	53	타[당황하고 혼란을 일으킬 만큼] 놀라게 하다
54	startle	[stá:rtl]	54	타[놀람·공포 등으로] 깜짝 놀라게 하다
55	astound	[əstáund]	55	타[전무후무한 일로] 깜짝 놀라 기겁하게 하다
56	frighten	[fráitn]	56	타[두렵게 을러대서] 깜짝 놀라게 하다
57	**blame**	[bleim]	57	타**꾸짖다, 나무라다, 비난하다**
58	reprehend	[rèprihénd]	58	타꾸짖다, 나무라다, 비난하다
59	censure	[sénʃər]	59	타비난하다; 잘못을 책하다
60	criticize	[krítisàiz]	60	타비평하다, 혹평하다, 비난하다
61	denounce	[dináuns]	61	타[공공연히] 비난하다, 탄핵하다, 매도하다
62	reproach	[ripróutʃ]	62	타상대가 모욕감을 느낄 만큼 질책하다
63	rebuke	[ribjú:k]	63	타[엄하고 권위적인 태도로] 꾸짖다
64	condemn	[kəndém]	64	타꾸짖다, 비난하다; ~에게 형을 선고하다
65	reprimand	[réprəmænd]	65	타[어떤 뚜렷한 과실을 근거로] 꾸짖다
66	**bewilder**	[biwíldər]	66	타**당황케 하다**
67	embarrass	[imbárəs]	67	타[상대방을 거북케 해서] 침착성을 잃게 하다
68	puzzle	[pázl]	68	타[문제·사태 등이 복잡해서] 해결을 어렵게 하다
69	perplex	[pərpléks]	69	타[puzzle에 더해서] 불안한 상태로 만들다
70	confound	[kənfáund]	70	타[문제·사태 등이 복잡해서] 해결을 어렵게 하다
71	confuse	[kənfjú:z]	71	타[헷갈려서 혼동되게 하여] 당황케 하다
72	dismay	[disméi]	72	타[어렵거나 해결이 힘든 문제로] 낙담케 하다
73	**undress**	[ʌndrés]	73	타**옷을 벗기다**
74	unclothe	[ʌnklóuð]	74	타옷을 벗기다
75	strip	[strip]	75	타옷을 벗기다; [겉껍질을] 벗기다

76	**bark**	[bɑːrk]	76	㉺[나무의] 껍질을 벗기다
77	pare	[pɛər]	77	㉺[과일 등의] 껍질을 벗기다; [손톱을] 자르다
78	peel	[piːl]	78	㉺[과일·계란 등의] 껍질을 손으로 벗기다
79	remove	[rimúːv]	79	㉺[옷·표면의 이물질 등을] 벗기다
80	**hit**	[hit]	80	㉺[목표를 겨냥해서] 한번 치다, 때리다
81	strike	[straik]	81	㉺강하게 한번 치다, 때리다(문어체)
82	beat	[biːt]	82	㉺[손·막대 등으로] 반복해서 때리다, 두드리다
83	slap	[slæp]	83	㉺[손바닥·넓적한 것으로] 한번 찰싹 때리다
84	**change**	[tʃeindʒ]	84	㉺[먼저 것과 뚜렷이 다르게] 바꾸다
85	alter	[ɔ́ːltər]	85	㉺[본질은 그대로 두고 외관·일부만] 바꾸다
86	transform	[trænsfɔ́ːrm]	86	㉺[형태·외형을] 바꾸다, 변화시키다
87	convert	[kənvɔ́ːrt]	87	㉺[새로운 용도나 기능에 맞춰] 완전히 바꾸다
88	adapt	[ədǽpt]	88	㉺[용도에 적절하게 만들기 위해] 바꾸다
89	modify	[mɑ́dəfài]	89	㉺[필요에 맞춰 일부만 수정하여] 바꾸다, 변경하다
90	**accept**	[æksépt]	90	㉺[어떤 제안이나 보내온 물건을] 기꺼이 받다
91	receive(=get)	[risíːv]	91	㉺[보내온 것·주어진 것을 의지와 상관없이] 받다
92	**abandon**	[əbǽndən]	92	㉺[어쩔 수 없어서 사람·사물을] 완전히 버리다
93	desert	[dizɔ́ːrt]	93	㉺[처자를] 버리다; [신념 등을] 버리다
94	forsake	[fərséik]	94	㉺[친밀한 사람과의 관계를 스스로] 끊다, 내버리다
95	discard	[diskɑ́ːrd]	95	㉺[쓸모없는 물건·습관 등을] 버리다, 폐기처분하다
96	**separate**	[sépərèit]	96	㉺분리하다; [붙어있던 것을 따로] 떼어놓다
97	divide	[diváid]	97	㉺[자르거나 쪼개서 전체를 잘] 분할하다
98	**study**	[stʌ́di]	98	㉺공부하다; [지식을 얻기 위해] 노력을 들이다
99	learn	[ləːrn]	99	㉺[배우거나 노력해서 지식·기술을] 습득하다
100	work	[wəːrk]	100	㉿[시간과 노력을 들여 시험 등 목표를 위해] 공부하다

1	**achieve**	[ətʃíːv]	1	타	**[어려움·장애를 극복하고 중요한 일을] 성취하다**
2	accomplish	[əkámpliʃ]	2	타	[계획이나 목적을 성공적으로] 완수하다
3	attain	[ətéin]	3	타	성취하다, 달성하다
4	fulfill	[fulfíl]	4	타	[책임·약속·목적·계획 등을] 완전히 이루다
5	**get**	[get]	5	타	**[노력의 유무에 상관없이] 손에 넣다**
6	gain	[gein]	6	타	[경쟁·노력을 통해 물질적인 것을] 손에 넣다
7	acquire	[əkwáiər]	7	타	[끊임없는 노력으로 차차] 획득하다
8	obtain	[əbtéin]	8	타	[희망을 가지고 노력을 통해] 손에 넣다
9	**notify**	[nóutəfài]	9	타	**[주의나 행동이 요구되는 사항을] 알리다**
10	announce	[ənáuns]	10	타	[어떤 사실을 널리] 알리다, 통지하다
11	inform	[infɔ́ːrm]	11	타	[어떤 상황에 대처하도록 정보를] 알리다
12	apprise	[əpráiz]	12	타	[상대에게 특별히 중요한 사항을] 알리다
13	acquaint	[əkwéint]	13	타	[경험·정보를 주어 몰랐던 것을] 알려주다
14	**notice**	[nóutis]	14	타	**시각·청각 등의 감각으로 알아채다**
15	perceive	[pərsíːv]	15	타	[시각·통찰력 등으로] 알아채다, 인지하다
16	discern	[disɔ́ːrn]	16	타	[애쓴 끝에 대상을 겨우] 분별하다, 알아채다
17	**anticipate**	[æntísəpèit]	17	타	**어떤 일의 발생을 예측해서 대응책을 생각하다**
18	expect	[ikspékt]	18	타	[상당한 근거를 가지고 어떤 일의 발생을] 기다리다
19	**prophesy**	[práfəsài]	19	자타	**예언하다**
20	foretell	[fɔːrtél]	20	자타	예언하다; 예고하다
21	predict	[pridíkt]	21	자타	예언하다; 예보하다
22	**forgive**	[fərgív]	22	자타	**[원한 복수심을 버리고 사람·죄를] 용서하다**
23	excuse	[ikskjúːz]	23	자타	[예절·관례 등의 실수를] 너그러이 봐주다
24	pardon	[páːrdn]	24	타	[중대한 죄나 과실을] 용서하다; 사면하다
25	condone	[kəndóun]	25	타	[죄·과실, 특히 간통을] 용서하다

26	**understand**	[ʌ̀ndərstǽnd]	26	타[내용을] 이해하다, 깨닫다; ~의 말을 알아듣다
27	comprehend	[kὰmprihénd]	27	타[완전히] 이해하다, 깨닫다, 파악하다
28	apprehend	[æ̀prihénd]	28	타[~의 뜻을] 파악하다; 이해하다; 우려하다
29	appreciate	[əprí:ʃièit]	29	타[~의 가치를] 살펴 알다; 감지하다, 알아차리다
30	grasp	[græsp]	30	타납득하다, 이해하다, 파악하다
31	**acknowledge**	[æknάlidʒ]	31	타[밝히고 싶지 않으나 드러날 듯해서] 인정하다
32	admit	[ædmít]	32	타[압력을 받거나 설득을 당해 마지못해] 인정하다
33	recognize	[rékəgnàiz]	33	타[공식적으로] 인정하다
34	**seize**	[si:z]	34	타[어떤 것을 갑자기 우격다짐으로] 잡다
35	grip	[grip]	35	타꽉 쥐다, 꼭 붙잡다
36	grab	[græb]	36	타[상대방의 권리 따위 무시하고 난폭하게] 붙잡다
37	snatch	[snætʃ]	37	타와락 붙잡다, 낚아채다, 강탈하다
38	clutch	[klʌtʃ]	38	타[공포·불안 등으로] 꽉 붙잡다, 단단히 쥐다
39	hold	[hould]	39	타[손으로] 꼭 잡다, 붙잡다
40	clasp	[klæsp]	40	타[손 따위를] 꼭 잡다, 악수하다
41	grasp	[græsp]	41	타붙잡다, 움켜쥐다(=grip); 파악하다
42	**arrest**	[ərést]	42	타붙잡다, 체포하다; 구속하다
43	capture	[kǽptʃər]	43	타붙잡다, 생포하다; 포획하다
44	seize	[si:z]	44	타와락 붙잡다, 꽉 움켜쥐다; 포착하다
45	apprehend	[æ̀prihénd]	45	타붙잡다, 체포하다
46	collar	[kάlər]	46	타붙잡다, 체포하다
47	**connect**	[kənékt]	47	타잇다, 연결시키다
48	combine	[kəmbáin]	48	타결합시키다, 연합시키다
49	join	[dʒɔin]	49	타결합하다, 연결시키다
50	link	[liŋk]	50	타잇다, 연접하다

51	**give**	[giv]	51	턔주다
52	bestow	[bistóu]	52	턔주다, 수여하다, 증여하다
53	grant	[grænt]	53	턔주다, 수여하다; 교부하다
54	confer	[kənfə́:r]	54	턔주다, 수여하다; 증여하다
55	award	[əwɔ́:rd]	55	턔상을 주다, 수여하다; 지급하다
56	accord	[əkɔ́:rd]	56	턔주다, 수여하다
57	donate	[dóuneit]	57	턔주다, [자선사업 등에] 기부(기증)하다
58	**maintain**	[meintéin]	58	턔**[어떤 상태나 관계 등을 계속] 지속시키다**
59	sustain	[səstéin]	59	턔[사람의 생명·활력, 시설·설비 등을] 유지하다
60	uphold	[ʌphóuld]	60	턔[전통·관습·법질서·명성 등을] 유지하다
61	**concentrate**	[kánsəntrèit]	61	쟈턔**[흩어진 것들을 한곳에] 집중하다, 집중시키다**
62	focus	[fóukəs]	62	쟈턔[여럿 중 하나에] 집중하다, 집중시키다
63	**liberate**	[líbərèit]	63	턔**해방하다; 방면(해방·석방)하다**
64	release	[rilí:s]	64	턔[붙들고 있던 것을] 놓다; 방면(해방)하다
65	free	[fri:]	65	턔[~로부터] 자유롭게 하다; 해방하다
66	discharge	[distʃá:rdʒ]	66	턔[속박·책임·의무로부터] 석방(해방·면제)하다
67	emancipate	[imǽnsəpèit]	67	턔[노예 등을] 해방하다; [~에서] 자유롭게 되다
68	**gather**	[gǽðər]	68	턔**[여러 곳에 흩어져 있는 것을] 한 데 모으다**
69	collect	[kəlékt]	69	턔[일정한 목적을 가지고 동일한 것을] 수집(징수)하다
70	raise	[reiz]	70	턔[사람·단체 등이 자금을] 모으다
71	**mimic**	[mímik]	71	턔**[장난삼아 말씨·몸짓 등을] 흉내 내다**
72	imitate	[ímitèit]	72	턔[원래의 것을 견본으로] 모방하다
73	mock	[mɑk]	73	턔[상대를 놀려주려고 말씨·몸짓 등을] 흉내 내다
74	copy	[kápi]	74	턔[원본과 최대한 동일하게] 베끼다, 모사하다
75	ape	[eip]	75	턔[자기 것보다 우수한 것을] 따라 하다

76	**govern**	[gʌ́vərn]	76	囤민주적으로 통치하다, 다스리다
77	reign	[rein]	77	囤국민 위에 군림하다(통치 여부와 상관없음)
78	rule	[ruːl]	78	囤독재적으로 권력을 휘둘러 다스리다
79	dominate	[dámənèit]	79	囤권세를 부리고 위압하여 다스리다
80	**retire**	[ritáiər]	80	困물러나다, 퇴각하다; 은퇴하다
81	retreat	[riːtríːt]	81	困퇴각하다; 후퇴하다; 손을 떼다
82	recede	[risíːd]	82	困물러나다, 퇴각하다; 철회하다
83	withdraw	[wiðdrɔ́ː]	83	困물러나다, 철수(철수)하다; [돈을] 인출하다
84	resign	[rizáin]	84	困물러나다; 사임하다
85	**defeat**	[difíːt]	85	囤[상대·적을 일시적으로] 패배시키다, 제압하다
86	beat	[biːt]	86	囤[상대·적을 최종적으로] 이기다, 격파하다
87	overwhelm	[òuvərhwélm]	87	囤[상대·적을] 압도하다, 제압하다; 궤멸시키다
88	win	[win]	88	囤[시합·경쟁·싸움에서] 이기다
89	triumph	[tráiəmf]	89	困승리를 거두다, 이기다, 이겨내다
90	surmount	[sərmáunt]	90	囤[곤란·장애 등을] 이겨내다; 극복하다
91	overcome	[òuvərkʌ́m]	91	囤[곤란·장애 등을] 이겨내다; 극복하다
92	conquer	[kάŋkər]	92	囤정복하다; [역경·유혹·버릇 따위를] 극복하다
93	subdue	[səbdjúː]	93	囤[적·나라 등을] 정복하다; [반란 등을] 진압하다
94	overthrow	[òuvərθróu]	94	囤[정부 등을] 뒤집어엎다, 타도하다, 무너뜨리다
95	vanquish	[vǽŋkwiʃ]	95	囤[상대를 단번에] 쳐부수다; [감정을] 극복하다
96	**agree**	[əgríː]	96	困[진술·의견 등이 불화나 마찰 없이] 일치하다
97	concur	[kənkɔ́ːr]	97	困진술이 같다, 일치하다, 동의하다
98	correspond	[kɔ̀ːrəspánd]	98	困[두 가지가] 서로 일치하다
99	tally	[tǽli]	99	困[두 가지가] 서로 일치하다
100	accord	[əkɔ́ːrd]	100	困[언행 등이] 일치하다, 조화하다

회화용 중요 동사 1

1	locate	[lóukeit]	1	타 ~의 위치를 정하다 자 [어떤 장소에] 거주하다
2	manage	[mǽnidʒ]	2	타 [다루기 힘든 것을] 어떻게든 다루다, 관리하다
3	manufacture	[mæ̀njəfǽktʃər]	3	타 [손으로 무언가를] 만들다; [대량으로] 제조하다
4	organize	[ɔ́:rgənàiz]	4	타 조직하다, 준비하다; 체계화하다 자 조직화하다
5	support	[səpɔ́:rt]	5	타 지지하다, 지탱하다, 후원하다; 부양하다
6	prepare	[pripέər]	6	타 [미리] 준비하다; 준비시키다
7	provide	[prəváid]	7	타 [필요품을] 주다, 공급하다; 규정하다 자 대비하다
8	suppose	[səpóuz]	8	자 타 가정하다; 추측하다; 상상하다
9	apologize	[əpálədʒàiz]	9	자 [정식으로] 사과하다
10	approve	[əprú:v]	10	타 좋다고 인정하다; 승인하다; 입증하다 자 찬성하다
11	attribute	[ətríbju:t]	11	타 ~의 탓(덕)으로 돌리다, ~을 …의 것으로 추정하다
12	derive	[diráiv]	12	타 유래하다; 파생하다; 도출하다, 추론하다
13	detect	[ditékt]	13	타 [알아보기 힘든 것을] 간파하다, 발견하다, 탐지하다
14	determine	[ditə́:rmin]	14	타 [경계선을 과감히 뛰어넘기로] 결단하다; 결심시키다
15	devise	[diváiz]	15	타 [고안해서] 만들어내다
16	discuss	[diskʌ́s]	16	타 [건설적으로] 토론하다, 의논하다
17	enhance	[enhǽns]	17	타 [좋은 상태에 있는 것을] 향상시키다 자 높아지다
18	establish	[istǽbliʃ]	18	타 설립하다, 수립하다; 확립하다, 확증하다
19	innovate	[ínouvèit]	19	자 쇄신하다; 개혁하다 타 [새로운 것을] 받아들이다, 도입하다
20	notify	[nóutəfài]	20	타 [사무적으로 정확히] 알리다, 통지하다, 통고하다
21	retain	[ritéin]	21	타 보류하다; 보유하다; 유지하다, 존속시키다
22	require	[rikwáiər]	22	타 [규정에 따라 무언가를] 요구하다, 명하다
23	face	[feis]	23	타 ~을 향하다; ~에 용감히 맞서다; 직면(직시)하다
24	replace	[ripléis]	24	타 제자리에 놓다, 되돌리다, 돌려주다; 교체하다
25	notice	[nóutis]	25	타 ~을 알아채다, ~을 인지하다; 통고하다, 언급하다

26	sacrifice	[sǽkrəfàis]	26	卧희생하다, 제물로 바치다 困산 제물을 바치다
27	finance	[fáinæns]	27	卧~에 자금을 공급하다 困자금을 조달하다
28	advance	[ædvǽns]	28	卧전진시키다, 앞으로 내보내다 困전진하다, 진보하다
29	bounce	[bauns]	29	困[공 따위가] 되튀다 卧[공 따위를] 되튀게 하다
30	denounce	[dináuns]	30	卧비난하다, 탄핵하다; 고발하다, 고소하다
31	announce	[ənáuns]	31	卧발표하다, 알리다 困아나운서로 근무하다
32	pierce	[piərs]	32	卧꿰뚫다, 구멍을 내다, 간파하다 困들어가다, 간파하다
33	force	[fɔ:rs]	33	卧억지로 ~시키다, [우격으로] 강탈하다
34	seduce	[sidjú:s]	34	卧부추기다, 유혹하다, 꾀다, 매혹시키다
35	induce	[indjú:s]	35	卧꾀다, 권유하다, 설득해서 ~시키다
36	produce	[prədjú:s]	36	卧결과물을 내다, 제작(생산)하다; 낳다; 제출하다
37	introduce	[ìntrədjú:s]	37	卧소개하다; 도입하다; 시장에 내놓다; 전래시키다
38	fade	[feid]	38	困시들다; [빛·색깔 등이] 흐릿(희미·아련)해지다
39	evade	[ivéid]	39	困卧[적·공격 등을 교묘히] 피하다, 비키다; 빠져나가다
40	invade	[invéid]	40	卧~에 침입(침략)하다, 침범(침공)하다; 몰려들다
41	concede	[kənsí:d]	41	卧인정하다, 양보하다; 용인하다, [타인의 승리를] 인정하다
42	decide	[disáid]	42	困卧결정하다, 결심하다; 판결하다
43	slide	[slaid]	43	困미끄러지다, 미끄럼 타다 卧미끄러지게 하다; 쓱 넣다
44	guide	[gaid]	44	卧안내하다; 지도하다, 다스리다 困길잡이를 하다
45	divide	[diváid]	45	卧나누다, 쪼개다, 분할하다 困나뉘다, 쪼개지다, 분배하다
46	explode	[iksplóud]	46	卧폭발시키다; 논파하다 困폭발하다; 분격하다; 급증하다
47	include	[inklú:d]	47	卧포함하다; 포함시키다
48	intrude	[intrú:d]	48	卧밀어붙이다 困卧밀고 들어가다; 끼어들다, 방해하다
49	agree	[əgrí:]	49	困동의하다, 찬성하다, 합치하다 卧[that절]을 인정하다
50	guarantee	[gæ̀rəntí:]	50	卧보증하다, 보장하다; 확언하다, 장담하다

51	encourage	[enkɔ́:ridʒ]	51	㉺용기를 돋우다, 권하다, 격려하다; 장려하다
52	discourage	[diskɔ́:ridʒ]	52	㉺용기를 잃게 하다, 낙담시키다, 단념시키다; 방해하다
53	pledge	[pledʒ]	53	㉜㉺서약하다, 맹세하다; ㉺서약시키다; 전당잡히다
54	dodge	[dɑdʒ]	54	㉜홱 피하다, 날쌔게 비키다; 잡기 힘들다; 교묘히 속이다
55	oblige	[əbláidʒ]	55	㉺의무를 지우다; 하도록 강요하다 ㉜기쁘게 하다
56	indulge	[indʌ́ldʒ]	56	㉺[욕망 등을] 만족시키다; 즐겁게 하다 ㉜탐닉하다
57	exchange	[ikstʃéindʒ]	57	㉜㉺교환하다, 교역하다; 환전하다
58	challenge	[tʃǽlindʒ]	58	㉜㉺도전하다 ㉺요구하다; 수하하다; 이의를 제기하다
59	emerge	[imɔ́:rdʒ]	59	㉜나오다, 나타나다, 드러나다; 벗어나다
60	urge	[ə:rdʒ]	60	㉺재촉하다, 강력히 추진하다, 강요하다, 강권하다
61	bathe	[beið]	61	㉜목욕하다, 일광욕하다 ㉺목욕시키다; 씻다, 적시다
62	bake	[beik]	62	㉺굽다, 구워 말리다 ㉜구워지다, [햇볕에] 타다
63	undertake	[ʌ̀ndərtéik]	63	㉺떠맡다 ~을 책임지다, 맡아서 돌보다
64	stake	[steik]	64	㉺[생명·돈 따위를] 걸다; 위험에 내맡기다; 제공하다
65	wake	[weik]	65	㉜잠깨다, 깨어있다; [정신적으로] 눈뜨다, 깨닫다
66	like	[laik]	66	㉺좋아하다, 마음에 들다, ~하고 싶다(+to~)
67	choke	[tʃouk]	67	㉺질식시키다, 막다, 메우다; 억제하다, 억누르다
68	provoke	[prəvóuk]	68	㉺[감정을] 일으키게 하다; 화나게 하다; 자극하여 ~시키다
69	enable	[enéibəl]	69	㉺할 수 있게 하다, 가능케 하다
70	tremble	[trémbəl]	70	㉜떨다, 전율하다 ㉺떨게 하다; 떨리는 목소리로 말하다
71	resemble	[rizémbəl]	71	㉺~와 닮다
72	stumble	[stʌ́mbəl]	72	㉜[실족하여] 넘어지다; 비틀거리다
73	handle	[hǽndl]	73	㉺다루다, 처리하다, 취급하다
74	bundle	[bʌ́ndl]	74	㉺다발지어 묶다, 마구 던져 넣다 ㉜급히 물러가다
75	struggle	[strʌ́gəl]	75	㉜버둥거리다, 분투하다; 노력하다 ㉺노력해서 ~하게 하다

76	reconcile	[rékənsàil]	76	巨 화해시키다, [논쟁을] 조정하다; 감수하다
77	file	[fail]	77	巨 철하다, 철해서 보관하다; 정리하다 困 줄지어 행진하다
78	pile	[pail]	78	巨 겹쳐 쌓다, 쌓아올리다, 모으다 困 쌓이다
79	tackle	[tækəl]	79	巨 [일·문제 등에] 달라붙다, 맞싸우다, 맞붙어 논쟁하다
80	wrestle	[résəl]	80	困 씨름하다, 맞붙어 싸우다; [고통·유혹 등과] 싸우다
81	hustle	[hʌ́səl]	81	巨 거칠게 밀치다; 밀고 나가다
82	settle	[sétl]	82	巨 설치하다; 결정하다; 정착시키다 困 앉다; 정착하다
83	puzzle	[pʌ́zl]	83	巨 당혹케 하다, 머리 아프게 만들다; 생각해 내다
84	blame	[bleim]	84	巨 ~을 비난하다; ~의 탓(책임)으로 돌리다
85	frame	[freim]	85	巨 뼈대를 짜다; 고안하다, [못된 계략 등을] 꾸미다
86	become	[bikʌ́m]	86	困 ~이 되다; 어울리다, ~답다
87	overcome	[òuvərkʌ́m]	87	巨 ~을 이겨내다, 극복하다; 압도하다 困 이기다, 정복하다
88	resume	[rizúːm]	88	困 巨 ~을 다시 차지하다, 되찾다, 다시 시작하다
89	consume	[kənsúːm]	89	巨 다 써버리다; 소비하다
90	combine	[kəmbáin]	90	巨 결합시키다; 겸비하다 困 결합하다; 겸비하다; 연합하다
91	imagine	[imædʒin]	91	巨 상상하다, 생각하다, 가정하다
92	shine	[ʃain]	92	巨 빛나게 하다, 비추다, 광내다 困 빛나다; 돋보이다
93	examine	[igzæmin]	93	巨 시험하다, 신문하다; 조사하다
94	postpone	[poustpóun]	94	巨 연기하다, 미루다
95	escape	[iskéip]	95	困 달아나다, 탈출하다; 새다 巨 ~을 모면하다, 벗어나다
96	scrape	[skreip]	96	巨 문지르다, 문질러 반반하게 하다 困 스치다
97	wipe	[waip]	97	巨 닦아내다, 닦아 없애다, 지우다, 일소하다
98	lie[lai] - lied - lied		98	巨 거짓말을 하다, ~을 속이다
99	lie[lai] - lay - lain		99	困 눕다, 묻혀있다, 펼쳐져 있다
100	lay[lei] - laid - laid		100	巨 누이다, 깔다; [알을] 낳다

1	cope	[koup]		1	㉜ ㉓ 잘 대처(처리)하다; 만나다 ㉓ 극복하다
2	hope	[houp]		2	㉓ [좋은 쪽으로] 바라다, 기대하다
3	share	[ʃɛər]		3	㉓ 분배하다, 공유하다, 공동부담하다
4	declare	[dikléər]		4	㉓ 선언하다, 공표하다; [세관에] 신고하다
5	compare	[kəmpéər]		5	㉓ 비교하다, 견주다, 비유하다 ㉜ 비교되다, 필적하다
6	spare	[spɛər]		6	㉓ 아끼다, 따로 떼어두다; 삼가다
7	stare	[stɛər]		7	㉜ ㉓ 빤히 보다, 뚫어지게 노려보다
8	interfere	[ìntərfíər]		8	㉜ 간섭하다, 훼방 놓다, 방해하다; 이해가 충돌하다
9	hire	[haiər]		9	㉓ 고용하다; [세를 내고] 빌려오다; [세를 받고] 빌려주다
10	admire	[ædmáiər]		10	㉓ ~에 감탄하다, ~을 찬탄하다, 칭찬하다
11	retire	[ritáiər]		11	㉜ 은퇴하다; 물러가다; 자리에 들다; 퇴각하다
12	inquire	[inkwáiər]		12	㉓ 묻다, 문의하다; 조회하다(격식체)
13	bore	[bɔ:r]		13	㉓ 구멍을 뚫다; 지루하게 하다
14	score	[skɔ:r]		14	㉓ [표를 해서] 기록하다; 채점하다; 득점하다
15	adore	[ədɔ́:r]		15	㉓ 숭배하다, 흠모하다; 매우 좋아하다
16	explore	[ikspló:r]		16	㉜ ㉓ 탐험(탐구)하다; 조사하다
17	ignore	[ignɔ́:r]		17	㉓ 무시하다, 묵살하다, 모른 체하다; 기각(각하)하다
18	endure	[endjúər]		18	㉓ 견디다, 인내하다; 경험하다 ㉜ 지속하다, 참다
19	figure	[fígjər]		19	㉜ ㉓ 계산하다 ㉓ 판단하다; 상징하다; 상상하다
20	injure	[índʒər]		20	㉓ 상처를 입히다, 다치게 하다, 상처주다, 손상시키다
21	lure	[luər]		21	㉓ 유혹하다, 유인해 들이다(내다)
22	measure	[méʒər]		22	㉜ ㉓ 재다, 측정(측량)하다 ㉓ 평가하다; ~을 나타내다
23	assure	[əʃúər]		23	㉓ [사람에게] 보증하다, 보장하다; 납득시키다
24	capture	[kǽptʃər]		24	㉓ 붙잡다, 생포하다; 손에 넣다, 포획하다
25	ease	[i:z]		25	㉜ [고통 등이] 가벼워지다 ㉓ 안심시키다, 편케 하다

26	cease	[si:s]	26	国그만두다, 중지하다, 멈추다 困그만두다, 그치다
27	release	[rilí:s]	27	国풀어놓다, 방출하다, 석방하다, 발매하다
28	please	[pli:z]	28	国기쁘게 하다, 만족시키다 困 国마음에 들다
29	increase	[inkrí:s]	29	困늘다, 증가하다 国늘리다, 증가시키다
30	tease	[ti:z]	30	国집적거리다, 괴롭히다, 보채다
31	chase	[tʃeis]	31	国~의 뒤를 쫓다, 추적하다; 추격하다; 쫓아버리다
32	erase	[iréis]	32	国~을 지우다, 삭제하다, 말소하다; 잊어버리다
33	praise	[preiz]	33	国칭찬하다; [신을] 찬양하다, 찬미하다
34	exercise	[éksərsàiz]	34	国운동하다; 발휘하다; 행사하다 困체조하다; 연습하다
35	promise	[prámis]	35	困 国약속하다, 약정하다; 가망이 있다
36	compromise	[kámprəmàiz]	36	困 国타협하다, 화해하다, 절충하다
37	despise	[dispáiz]	37	国[싫어하여 불쾌한 감정으로] 경멸하다, 멸시하다
38	arise	[əráiz]	38	困일어나다, 발생하다; 솟아오르다
39	surprise	[sərpráiz]	39	国[깜짝] 놀라게 하다; 불시에 덮치다
40	advertise	[ǽdvərtàiz]	40	国~을 광고하다, 선전하다 困광고를 내다; 자기선전을 하다
41	bruise	[bru:z]	41	困멍들다 国~을 멍들게 하다; [감정을] 상하게 하다
42	advise	[ædváiz]	42	国~에게 충고하다, 권하다
43	enclose	[enklóuz]	43	国~을 둘러싸다, 울타리 치다; 봉해 넣다
44	pose	[pouz]	44	困자세를 취하다 国자세를 취하게 하다
45	impose	[impóuz]	45	国부과하다; 강요하다; 떠맡기다 困~을 기화로 삼다
46	expose	[ikspóuz]	46	国드러내다, 노출시키다, 폭로하다
47	collapse	[kəlǽps]	47	困붕괴하다, 무너지다, 내려앉다 国붕괴시키다
48	reverse	[rivə́:rs]	48	国뒤집다, 바꿔놓다, 뒤엎다, 파기하다
49	use	[ju:z]	49	国쓰다, 사용(이용)하다, 대우하다
50	abuse	[əbjú:z]	50	国남용(오용, 악용)하다; 학대하다

51	accuse	[əkjúːz]	51	囲고발(고소)하다(=sue); 비난하다
52	excuse	[ikskjúːz]	52	囲용서하다, 변명하다; 면제하다
53	confuse	[kənfjúːz]	53	囲혼동하다, 헛갈리다; 혼란시키다, 당황케 하다
54	debate	[dibéit]	54	困토론(논쟁)하다 囲토의하다 困 囲숙고하다
55	dedicate	[dédikèit]	55	囲바치다, 전념하다; 헌정하다, 봉헌하다
56	communicate	[kəmjúːnəkèit]	56	囲전달하다, 감염시키다 困통신하다, 통해있다
57	create	[kriːéit]	57	囲창조하다, 창시하다, 창작하다, 창안하다
58	investigate	[invéstəgèit]	58	困 囲조사(연구·심사)하다 囲수사하다
59	hate	[heit]	59	囲미워하다, 증오하다; 몹시 싫어하다
60	associate	[əsóuʃièit]	60	囲연합시키다, 결합하다 困 囲교제하다, 사귀다
61	humiliate	[hjuːmílièit]	61	囲욕보이다, 창피를 주다, 굴욕을 주다
62	initiate	[iníʃièit]	62	囲시작하다, 개시하다, 창시하다; 가입시키다
63	negotiate	[nigóuʃièit]	63	困 囲협상(협의)하다, 교섭하여 결정하다
64	isolate	[áisəlèit]	64	囲고립시키다, 격리하다, 분리하다
65	translate	[trænsleit]	65	囲번역하다, [쉬운 말로] 바꿔 말하다, 옮기다
66	speculate	[spékjəlèit]	66	困심사숙고하다, 추측하다; 투기를 하다
67	calculate	[kælkjəlèit]	67	困 囲계산하다; 예측하다 囲맞추다; 의도하다
68	regulate	[régjəlèit]	68	囲규정하다; 통제(단속)하다, 정리하다
69	stimulate	[stímjəlèit]	69	囲자극하다, 북돋우다, 흥분시키다 困자극되다
70	manipulate	[mənípjəlèit]	70	囲조종하다, 조작하다; 속이다; 솜씨 있게 다루다
71	coordinate	[kouɔ́ːrdənit]	71	困대등하게 하다; 조정하다; 조화시키다
72	eliminate	[ilímənèit]	72	囲제거하다, 배제하다; 몰아내다; 배출하다
73	dominate	[dámənèit]	73	困 囲지배(통치)하다, ~보다 우위를 점하다
74	anticipate	[æntísəpèit]	74	困 囲예기(예상)하다, 앞당기다, ~에 앞서다
75	participate	[pɑːrtísəpèit]	75	困 囲[~에] 참여하다, 참가하다

76	rate	[reit]	76	탣평가하다, 간주하다 재평가되다, 간주되다
77	separate	[sépərèit]	77	탣잘라서 떼어 놓다; 별거시키다 재탣분리하다
78	celebrate	[séləbrèit]	78	탣식을 올려 경축하다; 기리다 재의식을 행하다
79	exaggerate	[igzǽdʒərèit]	79	재탣과장하다, 침소봉대하다; 과대시하다
80	tolerate	[tάlərèit]	80	탣너그럽게 보아주다, 묵인하다; 참다, 견디다
81	generate	[dʒénərèit]	81	탣산출하다, [전기·열 등을] 발생시키다, 일으키다
82	operate	[άpərèit]	82	재작동하다, 움직이다; 수술하다 탣조작하다, 운영하다
83	decorate	[dékərèit]	83	탣꾸미다, 장식하다; 방에 칠·도배 등을 하다
84	illustrate	[íləstrèit]	84	탣[그림 등으로] 설명하다, 삽화를 넣다 재탣예증하다
85	frustrate	[frʌ́streit]	85	탣쳐부수다, 좌절시키다, 실망시키다 재실망하다
86	imitate	[ímitèit]	86	탣모방하다, 흉내 내다, 위조하다; 본받다, 닮다
87	irritate	[írətèit]	87	탣초조하게 하다, 짜증나게 하다; 자극하다
88	hesitate	[hézətèit]	88	재주저하다, 망설이다, 우물쭈물하다
89	graduate	[grǽdʒuèit]	89	재졸업하다, 자격을 따다 탣졸업시키다, 배출하다
90	cultivate	[kʌ́ltəvèit]	90	탣[땅을] 갈다, 경작하다, 재배하다; [심신을] 수련하다
91	motivate	[móutəvèit]	91	탣[~에게] 동기를 주다, 자극하다, 유발하다
92	complete	[kəmplíːt]	92	탣완성하다, 완결하다, 전부 갖추다; 다 채우다
93	compete	[kəmpíːt]	93	재겨루다, 경쟁하다; 서로 맞서다, 필적하다
94	unite	[juːnáit]	94	재탣결합하다, 합병하다 탣하나로 묶다, 겸비하다
95	invite	[inváit]	95	탣초청하다, 초대하다; 권유하다; 이끌다; 청하다
96	note	[nout]	96	탣적어두다, 써놓다; ~에 주의(주목)하다; 가리키다
97	quote	[kwout]	97	재탣인용하다, 따다 쓰다; 예시하다; 어림잡다
98	vote	[vout]	98	재투표하다, 제안하다 탣투표해서 선출(결정)하다
99	devote	[divóut]	99	탣[노력·돈·시간 따위를] 바치다, 헌신하다
100	waste	[weist]	100	탣낭비하다, 황폐케 하다 재약화되다, 낭비되다

1	contribute	[kəntríbju:t]	1	㉖ ㉗기부(기증)하다, 기고하다 ㉗기여하다, 공헌하다
2	distribute	[distríbju:t]	2	㉖ ㉗분배(배포)하다 ㉗분류하다; 퍼뜨리다, 유통시키다
3	attribute	[ətríbju:t]	3	㉗~를 …의 탓이나 업적으로 하다; ~의 출처를 …로 보다
4	substitute	[sʌ́bstitjù:t]	4	㉗대신 쓰다, 대용하다 ㉖~을 대신하다, 대리하다
5	institute	[ínstətjù:t]	5	㉗제정하다, 설립하다; [소송을] 제기하다; 임명하다
6	constitute	[kánstətjù:t]	6	㉗구성하다, 조직하다; 선정하다; 설립하다
7	rescue	[réskju:]	7	㉗구조하다, 구출하다; 보호하다
8	argue	[á:rgju:]	8	㉖ ㉗논하다, 주장하다 ㉗논의(논쟁·설득)하다; 입증하다
9	continue	[kəntínju:]	9	㉗계속하다, 지속하다, 속행하다 ㉖계속되다, 속행되다
10	sue	[su:]	10	㉖ ㉗고소하다, 소송을 제기하다; 간청하다
11	pursue	[pərsú:]	11	㉖ ㉗뒤쫓다, 추적하다 ㉗추구하다; 끊임없이 괴롭히다
12	behave	[bihéiv]	12	㉖행동을 취하다, 예절 바르게 행동하다
13	shave	[ʃeiv]	13	㉖ ㉗[수염을] 깎다, 면도하다; 스치다 ㉗대패질하다
14	achieve	[ətʃí:v]	14	㉖ ㉗[일·목적을] 이루다, 달성(성취)하다 ㉗획득하다
15	believe	[bilí:v]	15	㉗~을 사실로 받아들이다, ~라고 믿다 ㉖~의 존재·인격을 믿다
16	relieve	[rilí:v]	16	㉗고통 등을 경감하다, 덜다, 해임하다 ㉖ ㉗구원하다
17	deceive	[disí:v]	17	㉖ ㉗속이다, 기만하다, 사기 치다, 현혹시키다
18	conceive	[kənsí:v]	18	㉗마음에 품다, 느끼다; 착상(상상)하다; 임신하다
19	forgive	[fərgív]	19	㉖ ㉗용서하다 ㉗탕감하다
20	drive	[draiv]	20	㉗차를 운전하다, 몰다; [동물을] 몰다, 쫓다
21	deprive	[dipráiv]	21	㉗~에게서 빼앗다, 박탈하다; ~에게 주지 않다
22	arrive	[əráiv]	22	㉖도착하다, 당도하다, 도달하다
23	survive	[sərváiv]	23	㉖ ㉗~의 후까지 생존하다(살아남다) ㉗면하다
24	solve	[salv]	24	㉗풀다, 해결하다, ~에 결말을 짓다; 용해하다
25	dissolve	[dizálv]	25	㉗녹이다, 용해(해체)시키다; 풀다 ㉖녹다, 분리하다

26	shove	[ʃʌv]	26	자 타 떠밀다, 밀고 나아가다, 밀어제치다 타 처넣다
27	love	[lʌv]	27	타 사랑하다; 사모하다; 매우 좋아하다
28	remove	[rimú:v]	28	타 ~을 옮기다, 이전(이동)시키다; 제거하다, 치우다
29	improve	[imprú:v]	29	타 [부족한 점을] 개량하다, 개선하다; [여가를] 선용하다
30	starve	[stɑ:rv]	30	자 굶주리다, 배고프다; 굶어 죽다 타 굶겨 죽이다
31	observe	[əbzɔ́:rv]	31	타 [법률·시간 따위를] 지키다; 관찰하다; 눈치채다
32	preserve	[prizɔ́:rv]	32	타 보전(보존)하다, 유지하다; 보호하다; 저장식품으로 하다
33	owe	[ou]	33	타 빚(신세)지고 있다, 지불할 의무가 있다; ~의 덕택이다
34	dye	[dai]	34	타 물들이다; 염색(착색)하다
35	sneeze	[sni:z]	35	자 재채기 하다; 경멸하다, 코웃음 치다
36	freeze	[fri:z]	36	자 얼다, 동결(빙결)하다; 얼어 죽다; 얼어붙다 타 얼게 하다
37	squeeze	[skwi:z]	37	타 죄다, 짜다, 압착하다; 꽉 쥐다, 꼭 껴안다; 쑤셔 넣다
38	criticize	[krítisàiz]	38	타 비평하다, 비판(평론)하다; 비난하다
39	realize	[rí:əlàiz]	39	타 깨닫다; [소망·계획 따위를] 실현하다, 현실화하다
40	specialize	[spéʃəlàiz]	40	자 전문화하다, 전공하다 타 특수화하다, 국한하다
41	symbolize	[símbəlàiz]	41	자 타 상징하다 타 ~의 상징(기호)이다; ~을 나타내다
42	emphasize	[émfəsàiz]	42	타 강조하다; 역설하다; ~에 강세를 두다
43	analyze	[ǽnəlàiz]	43	타 분석하다, 분해하다
44	defeat	[difí:t]	44	타 쳐부수다, 좌절시키다, 꺾다
45	cheat	[tʃi:t]	45	타 기만하다, 속이다; 사취하다 자 부정한 짓을 하다
46	repeat	[ripí:t]	46	타 되풀이하다, 반복하다; 되풀이해 말하다, 복창하다
47	treat	[tri:t]	47	타 [사람·짐승을] 다루다, 대우하다, 대접하다; 처리하다
48	retreat	[ri:trí:t]	48	자 물러가다, 후퇴하다, 퇴각하다 타 재처리하다
49	sweat	[swet]	49	자 땀을 흘리다; 땀 흘리며 일하다 타 땀나게 혹사시키다
50	chat	[tʃæt]	50	자 잡담하다, 담화하다, 이야기하다

51	float	[flout]	51	㉂뜨다, 떠오르다; 퍼지다 ㉤띄우다; 퍼뜨리다
52	doubt	[daut]	52	㉂㉤의심하다, 의혹을 품다; 미심쩍게 여기다
53	act	[ækt]	53	㉤~을 하다, 행하다 ㉂행동하다; 활동하다; 실행하다
54	object	[əbdʒékt]	54	㉂반대하다, 항의하다; 싫어하다 ㉤반대하여 ~라고 말하다
55	elect	[ilékt]	55	㉤[투표 따위로] 선거하다, 뽑다, 선임하다; 택하다
56	reflect	[riflékt]	56	㉤반사하다, 되튀기다; 반영하다, 나타내다; 생각하다
57	neglect	[niglékt]	57	㉤[의무·일 따위를] 게을리 하다; 무시하다, 소홀히 하다
58	collect	[kəlékt]	58	㉂㉤모으다, 수집하다㉤수금(징수)하다; [생각을] 집중하다
59	connect	[kənékt]	59	㉤잇다, 연결하다, 연락(결부)시키다 ㉂이어지다, 연결되다
60	respect	[rispékt]	60	㉤존중하다, 존경하다; 참작하다
61	suspect	[səspékt]	61	㉤~일 거라고 의심하다; ~의 낌새를 느끼다 ㉂의심을 품다
62	direct	[dirékt]	62	㉂㉤지휘(지도)하다 ㉤향하게 하다, 길을 가리켜주다
63	correct	[kərékt]	63	㉂㉤바로잡다, 고치다, 정정하다; 첨삭하다; 교정하다
64	protect	[prətékt]	64	㉂㉤보호하다 ㉤수호하다, 비호하다, 막다, 지키다
65	contradict	[kàntrədíkt]	65	㉤[진술·보도 등을] 부정(부인)하다, 반박하다 ㉂모순되다
66	addict	[ədíkt]	66	㉤(be ~ to… 꼴로) […에] 빠지다, 몰두(탐닉)하다
67	predict	[pridíkt]	67	㉂㉤예언하다, 예보하다
68	conflict	[kənflíkt]	68	㉂투쟁하다, 싸우다; 충돌하다, 모순되다
69	restrict	[ristríkt]	69	㉤제한하다, 한정하다; 금지하다, 제지하다
70	construct	[kənstrʌ́kt]	70	㉤세우다, 건설하다
71	bet	[bet]	71	㉂㉤[돈 따위를] 걸다; 내기를 하다 ㉤단언하다
72	greet	[griːt]	72	㉤~에게 인사하다; 맞이하다, 환영(영접)하다
73	forget	[fərgét]	73	㉂㉤잊다, 망각하다 ㉤생각이 안 나다; 깜빡 잊다
74	regret	[rigrét]	74	㉂㉤뉘우치다, 후회하다 ㉤유감으로 생각하다; 아쉬워하다
75	interpret	[intə́ːrprit]	75	㉤~의 뜻을 해석하다, 통역하다; 이해하다; 해몽하다

76	lift	[lift]	76	㉤올리다, 들어(안아·치켜)올리다; 향상시키다
77	drift	[drift]	77	㉤표류시키다; 떠돌게 하다; 퇴적시키다 ㉰표류하다, 떠돌다
78	wait	[weit]	78	㉰기다리다; 준비되어 있다; 시중들다
79	benefit	[bénəfit]	79	㉤~의 이익이 되다; ~에게 이롭다 ㉰이익을 얻다
80	split	[split]	80	㉤쪼개다, 찢다, 분할하다 ㉰[세로로] 쪼개지다, 갈라지다
81	limit	[límit]	81	㉤제한하다, 한정하다
82	commit	[kəmít]	82	㉤[죄를] 범하다; 위임하다, 위탁하다; ~에 맡기다
83	omit	[oumít]	83	㉤빼먹다, 빠뜨리다, 생략하다; ~하는 걸 잊다
84	transmit	[trænsmít]	84	㉤[화물 등을] 보내다, 발송하다; 송신(방송)하다; 전하다
85	inherit	[inhérit]	85	㉤[재산·권리·체질 따위를] 상속하다, 물려받다; 유전하다
86	visit	[vízit]	86	㉤[사교·용건·관광 등을 위해] 방문하다; ~에 머물다
87	deposit	[dipázit]	87	㉤예금하다, 맡겨 놓다; [자동판매기에 돈을] 넣다
88	quit	[kwit]	88	㉤그치다, 그만두다, 중지하다; 포기하다; ~에서 떠나다
89	suit	[su:t]	89	㉰㉤어울리다, 적합하다 ㉤적합하게 하다, 일치시키다
90	halt	[hɔ:lt]	90	㉰멈춰서다, 정지하다 ㉤멈추게 하다, 정지시키다
91	melt	[melt]	91	㉰녹다, 용해하다; 서서히 사라지다 ㉤녹이다, 흩뜨리다
92	insult	[insʌ́lt]	92	㉤모욕하다, ~에게 무례한 짓을 하다; 해치다
93	consult	[kənsʌ́lt]	93	㉤~의 의견을 듣다, ~의 진찰을 받다 ㉰의논하다, 협의하다
94	enchant	[entʃǽnt]	94	㉤매혹하다, 황홀케 하다, ~에 마법을 걸다
95	grant	[grænt]	95	㉤주다, 수여하다, 부여하다; 승낙하다, 인정하다
96	want	[wɑnt]	96	㉤~을 원하다, 갖고 싶다; ~하고 싶다; ~이 부족하다
97	comment	[kάment]	97	㉰비평(논평)하다, 의견을 말하다 ㉤~라고 논평하다
98	resent	[rizént]	98	㉤~에 골내다, ~에 분개하다; 원망하다
99	present	[prizént]	99	㉤선물하다, 증정하다, 바치다; ~에게 주다
100	represent	[rèprizént]	100	㉤묘사하다, 그리다; 말로 표현하다; 대표하다, 상징하다

원형		과거	과거분사	3인칭·단수·현재	현재분사/동명사
1	arise	짜일어나다	arose	arisen	arises	arising
2	awake	타잠을 깨우다	awoke	awaken	awakes	awaking
3	be	짜이다, 있다	was/were	been	is	being
4	bear	타참다, 견디다	bore	born/borne	bares	bearing
5	beat	타치다, 두드리다	beat	beaten	beats	beating
6	become	짜~이 되다	became	become	becomes	becoming
7	begin	짜시작되다	began	begun	begins	beginning
8	behold	타~을 보다	beheld	beheld	beholds	beholding
9	bend	타~을 굽히다	bent	bent	bends	bending
10	bet	타~을 걸다	bet	bet	bets	betting
11	bid	타~에게 시키다	bid	bid	bids	bidding
12	bind	타~을 묶다	bound	bound	binds	binding
13	bite	타~을 깨물다	bit	bit/bitten	bits	biting
14	bleed	짜피를 흘리다	bled	bled	bleeds	bleeding
15	blow	짜[바람이] 불다	blew	blown	blows	blowing
16	break	타~을 깨뜨리다	broke	broken	breaks	breaking
17	breed	타~을 기르다	bred	bred	breeds	breeding
18	bring	타~을 가져오다	brought	brought	brings	bringing
19	broadcast	짜타방송하다	broadcast[ed]	broadcast[ed]	broadcasts	broadcasting
20	build	타건축하다	built	built	builds	building
21	burn	짜타다 타태우다	burned/burnt	burned/burnt	burns	burning
22	burst	짜폭발하다	burst	burst	bursts	bursting
23	bust	타폭발시키다	bust	bust	busts	busting
24	buy	타~을 사다	bought	bought	buys	buying
25	cast	타~을 던지다	cast	cast	casts	casting

	원형		과거	과거분사	3인칭·단수·현재	현재분사/동명사
26	catch	㉠~을 붙잡다	caught	caught	catches	catching
27	choose	㉠~을 고르다	chose	chosen	chooses	choosing
28	clap	㉠박수치다	clapped/clapt	clapped/clapt	claps	clapping
29	cling	㉾착 달라붙다	clung	clung	clings	clinging
30	clothe	㉠옷을 입히다	clothed/clad	clothed/clad	clothes	clothing
31	come	㉾오다	came	come	comes	coming
32	cost	㉠~의 비용이 들다	cost	cost	costs	costing
33	creep	㉾기다	crept	crept	creeps	creeping
34	cut	㉠자르다, 베다	cut	cut	cuts	cutting
35	dare	㉰감히~하다	dared/durst	dared/durst	dares	daring
36	deal	㉾다루다	dealt	dealt	deals	dealing
37	dig	㉠파다	dug	dug	digs	digging
38	dive	㉾잠수하다	dived/dove	dived	dives	diving
39	do	㉠~을 하다	did	done	does	doing
40	draw	㉠~을 당기다	drew	drawn	draws	drawing
41	dream	㉾꿈꾸다	dream**ed/-t**	dream**ed/-t**	dreams	dreaming
42	drink	㉠마시다	drank	drunk	drinks	drinking
43	drive	㉠운전하다	drove	driven	drives	driving
44	dwell	㉾거주하다	dwelt	dwelt	dwells	dwelling
45	eat	㉠먹다	ate	eaten	eats	eating
46	fall	㉾떨어지다	fell	fallen	falls	falling
47	feed	㉠먹이를 주다	fed	fed	feeds	feeding
48	feel	㉠만져보다	felt	felt	feels	feeling
49	fight	㉾싸우다	fought	fought	fights	fighting
50	find	㉠발견하다	found	found	finds	finding

필수 불규칙동사 200-I

	원형		과거	과거분사	3인칭·단수·현재	현재분사/동명사
51	fit	타~에 맞다	fitted/fit	fitted/fit	fits	fitting
52	flee	자도망치다	fled	fled	flees	fleeing
53	fling	타내던지다	flung	flung	flings	flinging
54	fly	자날다	flew	flown	flies	flying
55	forbid	타금하다	forbade/-bad	forbidden	forbids	forbidding
56	foresee	타예견하다	foresaw	foreseen	foresees	foreseeing
57	foretell	타예언하다	foretold	foretold	foretells	foretelling
58	forget	타잊다	forgot	forgotten	forgets	forgetting
59	forgive	타용서하다	forgave	forgiven	forgives	forgiving
60	forsake	타내버리다	forsook	forsaken	forsakes	forsaking
61	freeze	자얼다	froze	frozen	freezes	freezing
62	frostbite	타동해를 입히다	frostbit	frostbitten	frostbites	frostbitting
63	get	타입수하다	got	got/gotten	gets	getting
64	give	타주다	gave	given	gives	giving
65	go	자가다	went	gone	goes	going
66	grind	타갈다	ground	ground	grinds	grinding
67	grow	자자라다	grew	grown	grows	growing
68	handwrite	타손으로 쓰다	handwrote	handwritten	handwrites	handwriting
69	hang	타목을 매다/걸다	hanged/hung	hanged/hung	hangs	hanging
70	have	타소유하다	had	had	has	having
71	hear	타듣다	heard	heard	hears	hearing
72	hide	타숨기다	hid	hid	hides	hiding
73	hit	타치다	hit	hit	hits	hitting
74	hold	타붙잡다	held	held	holds	holding
75	hurt	타다치게 하다	hurt	hurt	hurts	hurting

	원형		과거	과거분사	3인칭·단수·현재	현재분사/동명사
76	inlay	㉒새겨 넣다	inlaid	inlaid	inlays	inlaying
77	input	㉒입력하다	inputted/input	inputted/input	inputs	inputting
78	keep	㉒유지하다	kept	kept	keeps	keeping
79	kneel[ni:l]	㉘무릎 꿇다	knelt/kneeled	knelt/kneeled	kneels	kneeling
80	knit[nit]	㉒짜다, 뜨다	knitted/knit	knitted/knit	knits	knitting
81	know[nou]	㉒알다	knew	known	knows	knowing
82	lay	㉒누이다	laid	laid	lays	laying
83	lead	㉒인도하다	led	led	leads	leading
84	lean	㉘기대다	leaned/leant	leaned/leant	leans	leaning
85	leap	㉘뛰어오르다	leaped/leapt	leaped/leapt	leaps	leaping
86	learn	㉒배우다	learned/learnt	learned/learnt	learns	learning
87	leave	㉒남겨두다	left	left	leaves	leaving
88	lend	㉒빌려주다	lent	lent	lends	lending
89	let	㉒허락하다	let	let	lets	letting
90	lie	㉘눕다	lay	lain	lies	lying
91	light	㉒~에 불을 켜다	lit	lit	lights	lighting
92	lose	㉒잃다	lost	lost	loses	losing
93	make	㉒만들다	made	made	makes	making
94	mean	㉒의미하다	meant	meant	means	meaning
95	meet	㉒만나다	met	met	meets	meeting
96	melt	㉘녹다	melted	melted/molten	melts	melting
97	mistake	㉒잘못 알다	mistook	mistaken	mistakes	mistaking
98	misunderstand	㉒오해하다	misunderstood	misunderstood	misunderstands	misunderstanding
99	mow	㉒풀을 베다	mowed	mown	mows	mowing
100	overdraw	㉒과장하다	overdrew	overdrawn	overdraws	overdrawing

	원형		과거	과거분사	3인칭·단수·현재	현재분사/동명사
1	overhear	타엿듣다	overheard	overheard	overhears	overhearing
2	overtake	타따라잡다	overtook	overtaken	overtakes	overtaking
3	pay	타갚다	paid	paid	pays	paying
4	preset	타미리 설치하다	preset	preset	presets	presetting
5	prove	타증명하다	proved	proved/proven	proves	proving
6	put	타놓다, 두다	put	put	puts	putting
7	quit	타그만두다	quit	quit	quits	quitting
8	read[riːd]	타읽다	read[red]	read[red]	reads	reading
9	rid	타제거하다	ridded/rid	ridded/rid	rids	ridding
10	ride	자타고 가다	rode	ridden	rides	riding
11	ring	타울리다	rang	rung	rings	ringing
12	rise	자일어나다	rose	risen	rises	rising
13	rive	타잡아뜯다	rived	rived/riven	rives	riving
14	run	자달리다	ran	run	runs	running
15	saw	타톱으로 자르다	sawed	sawed/sawn	saws	sawing
16	say	타~을 말하다	said	said	says	saying
17	see	타~을 보다	saw	seen	sees	seeing
18	seek	타추구하다	sought	sought	seeks	seeking
19	sell	타팔다	sold	sold	sells	selling
20	send	타보내다	sent	sent	sends	sending
21	set	타갖춰 놓다	set	set	sets	setting
22	sew	타꿰매다	sewed	sewed/sewn	sews	sewing
23	shake	타흔들다	shook	shaken	shakes	shaking
24	shave	타면도하다	shaved	shaved/shaven	shaves	shaving
25	shear	타베어내다	sheared/shore	sheared/shorn	shears	shearing

	원형		과거	과거분사	3인칭·단수·현재	현재분사/동명사
26	shed	㉤흘리다	shed	shed	sheds	shedding
27	shine	㉤비추다	shone	shone	shines	shining
28	shoe	㉤편자를 박다	shod	shod	shoes	shoeing
29	shoot	㉤발사하다	shot	shot	shoots	shooting
30	show	㉤보여주다	showed	shown	shows	showing
31	shrink	�자줄어들다	shrank	shrunk	shrinks	shrinking
32	shut	㉤닫다	shut	shut	shuts	shutting
33	sing	�자노래하다	sang	sung	sings	singing
34	sink	�자가라앉다	sank	sunk	sinks	sinking
35	sit	�자앉다	sat	sat	sits	sitting
36	slay	㉤죽이다	slew	slain	slays	slaying
37	sleep	�자잠자다	slept	slept	sleeps	sleeping
38	slide	�자미끄러지다	slid	slid	slides	sliding
39	sling	㉤던지다	slung	slung	slings	slinging
40	slink	�자가만히 걷다	slunk	slunk	slinks	slinking
41	slit	�자쭉 째지다	slit	slit	slits	slitting
42	smell	㉤냄새맡다	smelled/smelt	smelled/smelt	smells	smelling
43	sneak	�자몰래 이동하다	sneaked/snuck	sneaked/snuck	sneaks	sneaking
44	soothsay	�자예고하다	soothsaid	soothsaid	soothsays	soothsaying
45	sow	㉤씨를 뿌리다	sowed	sown	sows	sowing
46	speak	�자말하다	spoke	spoken	speaks	speaking
47	speed	㉤빨리 보내다	speeded/sped	speeded/sped	speeds	speeding
48	spell	㉤철자하다	spelled/spelt	spelled/spelt	spells	spelling
49	spend	㉤소비하다	spent	spent	spends	spending
50	spill	㉤엎지르다	spilled/spilt	spilled/spilt	spills	spilling

	원형		과거	과거분사	3인칭·단수·현재	현재분사/동명사
51	spin	㉖실을 내다	span/spun	spun	spins	spinning
52	spit	㉖뱉다	spit/spat	spit/spat	spits	spitting
53	split	㉖쪼개다	split	split	splits	splitting
54	spoil	㉖망쳐놓다	spoiled/spoilt	spoiled/spoilt	spoils	spoiling
55	spread	㉖펼치다	spread	spread	spreads	spreading
56	spring	㉕뛰어오르다	sprang	sprung	springs	springing
57	stand	㉕서 있다	stood	stood	stands	standing
58	steal	㉖훔치다	stole	stolen	steals	stealing
59	stick	㉖찌르다	stuck	stuck	sticks	sticking
60	sting	㉖쏘다, 찌르다	stung	stung	stings	stinging
61	stink	㉕악취가 나다	stank	stunk	stinks	stinking
62	stride	㉕성큼성큼 걷다	strode	stridden	strides	striding
63	strike	㉖치다	struck	struck/stricken	strikes	striking
64	string	㉖묶다	strung	strung	strings	stringing
65	strip	㉖벗겨내다	stripped/stript	stripped/stript	strips	stripping
66	strive	㉕노력하다	strove	striven	strives	striving
67	sublet	㉖재도급 주다	sublet	sublet	sublets	subletting
68	sunburn	㉖햇볕에 태우다	sunburn**ed/-t**	sunburn**ed/-t**	sunburns	sunburning
69	swear	㉕맹세하다	swore	sworn	swears	swearing
70	sweat	㉕땀흘리다	sweated/sweat	sweated/sweat	sweats	sweating
71	sweep	㉖청소하다	swept	swept	sweeps	sweeping
72	swell	㉕부풀다	swelled	swollen	swells	swelling
73	swim	㉕헤엄치다	swam	swum	swims	swimming
74	swing	㉕흔들거리다	swung	swung	swings	swinging
75	take	㉖손에 잡다	took	taken	takes	taking

	원형		과거	과거분사	3인칭·단수·현재	현재분사/동명사
76	teach	타 가르치다	taught	taught	teaches	teaching
77	tear[tɛər]	타 찢다	tore	torn	tears	tearing
78	tell	타 말해주다	told	told	tells	telling
79	think	타 생각하다	thought	thought	thinks	thinking
80	thrive	자 번창하다	throve	thriven	thrives	thriving
81	throw	타 던지다	threw	thrown	throws	throwing
82	thrust	타 밀어내다	thrust	thrust	thrusts	thrusting
83	tread	타 밟다, 가다	trod	trodden	treads	treading
84	undergo	타 겪다	underwent	undergone	undergoes	undergoing
85	understand	타 이해하다	understood	understood	understands	understanding
86	undertake	타 ~을 떠맡다	undertook	undertaken	undertakes	undertaking
87	upset	타 뒤집어엎다	upset	upset	upsets	upsetting
88	wake	자 잠깨다	woke	woken	wakes	waking
89	wear	타 입고 있다	wore	worn	wears	wearing
90	weave	타 짜다, 뜨다	wove	woven	weaves	weaving
91	wed	타 ~와 결혼하다	wedded/wed	wedded/wed	weds	wedding
92	weep	자 울다	wept	wept	weeps	weeping
93	wet	타 적시다	wetted/wet	wetted/wet	wets	wetting
94	win	타 획득하다	won	won	wins	winning
95	wind	타 감다	wound	wound	winds	winding
96	withdraw	타 거두다	withdrew	withdrawn	withdraws	withdrawing
97	withhold	타 보류하다	withheld	withheld	withholds	withholding
98	withstand	타 ~에 저항하다	withstood	withstood	withstands	withstanding
99	wring	타 비틀다, 짜다	wrung	wrung	wrings	wrings
100	write	타 쓰다	wrote	written	writes	writing

Chapter 03

절대 필수 형용사
700

1 단	1 sweet	[swiːt]	**Tips**
2 짠	2 salty	[sɔ́ːlti]	
3 신	3 sour	[sáuər]	● 1~33
4 쓴	4 bitter	[bítər]	맛과 음식에 관한 형용사 표현
5 떫은	5 astringent	[əstríndʒənt]	
6 싱거운	6 bland, slipslop	[blænd], [slípslὰp]	● vanilla flavored 바닐라 맛이(향이) 나는
7 매운	7 hot, spicy	[hɑt], [spáisi]	
8 얼큰한	8 spicy	[spáisi]	
9 담백한, 부드러운	9 mild, flat	[maild], [flæt]	
10 느끼한, 기름진	10 greasy	[gríːsi]	
11 고소한, 견과 맛의	11 nutty	[nʌ́ti]	
12 쫄깃한	12 chewy, gooey	[tʃúːi]; [gúːi]	
13 비린내 나는	13 fishy	[fíʃi]	
14 노린내 나는	14 stinking	[stíŋkiŋ]	
15 ~맛이(향이) 나는	15 ~flavored	[fléivərd]	
16 향긋한, 풍미 있는	16 savory	[séivəri]	
17 입에 맞는, 적당한	17 palatable	[pǽlətəbəl]	
18 입에 맞지 않는	18 unpalatable	[ʌnpǽlətəbəl]	
19 매우 맛있는	19 delicious	[dilíʃəs]	
20 맛있는	20 good, tasty	[gud], [téisti]	
21 맛없는	21 unsavory, insipid	[ʌnséivəri], [insípid]	
22 맛이 끔찍한	22 terrible	[térəbəl]	
23 영양가 있는	23 nutritious	[njuːtríʃəs]	
24 날것의	24 raw	[rɔː]	
25 요리된, 익은	25 cooked	[kukt]	

26	천연 그대로의	26	crude	[kru:d]	**Tips**
27	신선한	27	fresh	[freʃ]	
28	썩은	28	rotten	[rátn]	
29	배부른	29	full, stuffed	[ful], [stʌft]	
30	배고픈; 굶주린	30	hungry; starved	[háŋgri]; [stɑ:rvd]	
31	메슥거리는	31	nauseous	[nɔ́:ʃəs]	
32	술 취한	32	drunk	[drʌŋk]	
33	술 취하지 않은	33	sober	[sóubər]	
34	따뜻한	34	warm; mild	[wɔ:rm]; [maild]	● 34~50 날씨에 관한 형용사 표현
35	시원한, 서늘한	35	cool	[ku:l]	
36	더운	36	hot	[hɑt]	
37	타는 듯이 더운	37	scorching	[skɔ́:rtʃiŋ]	
38	추운, 차가운	38	cold	[kould]	
39	꽁꽁 얼게 추운	39	freezing	[frí:ziŋ]	
40	화창한; 맑은	40	fine; clear	[fain]; [kliər]	
41	구름 낀	41	cloudy	[kláudi]	
42	바람 부는	42	windy	[wíndi]	
43	양지바른	43	sunny	[sʌ́ni]	
44	안개 낀	44	foggy	[fɔ́:gi]	
45	비 오는	45	rainy	[réini]	
46	눈 오는	46	snowy	[snóui]	
47	서리가 내리는	47	frosty	[frɔ́:sti]	
48	폭풍우 치는	48	stormy	[stɔ́:rmi]	
49	밝은	49	bright	[brait]	
50	어두운	50	dark	[dɑ́:rk]	

절대필수 기초 형용사 100

51 평평한	51 flat	[flæt]	**Tips**
52 둥근	52 round	[raund]	
53 동쪽의	53 eastern	[í:stərn]	● 51~69
54 서쪽의	54 western	[wéstərn]	방위 및 거리, 장소의 표현 에 관한 형용사
55 남쪽의	55 southern	[sʌ́ðərn]	
56 북쪽의	56 northern	[nɔ́:rðərn]	
57 가까운	57 near, close	[niər], [klous]	
58 근처의	58 nearby	[níərbai]	
59 먼	59 far, distant	[fɑ:r], [dístənt]	
60 인접한	60 adjoining	[ədʒɔ́iniŋ]	
61 떨어진	61 remote	[rimóut]	
62 내부의	62 internal	[intə́:rnl]	
63 외부의	63 external	[ikstə́:rnəl]	
64 위쪽의	64 upper	[ʌ́pər]	
65 아래쪽의	65 lower	[lóuər]	
66 도시의	66 urban	[ə́:rbən]	
67 시골의	67 rural	[rúərəl]	
68 도시풍의; 세련된	68 urbane	[ə:rbéin]	
69 시골풍의; 소박한	69 rustic	[rʌ́stik]	
70 손과 육체를 쓰는	70 manual	[mǽnjuəl]	● 70~100 기타의 기초필수 형용사
71 정신적인	71 mental	[méntl]	
72 꼭 필요한, 필수적인	72 indispensable	[ìndispénsəbəl]	
73 없어도 되는	73 dispensable	[dispénsəbəl]	
74 보수적인	74 conservative	[kənsə́:rvətiv]	
75 급진적인	75 radical	[rǽdikəl]	

			Tips
76 급성의, 격심한	76 acute	[əkjúːt]	
77 만성의, 고질적인	77 chronic	[kránik]	
78 문어체의	78 literary	[lítərèri]	
79 구어체의	79 colloquial	[kəlóukwiəl]	
80 검소한	80 frugal	[frúːgəl]	
81 씀씀이가 헤픈	81 extravagant	[ikstrǽvəgənt]	
82 비옥한	82 fertile	[fɔ́ːrtl]	
83 불모의	83 barren	[bǽrən]	
84 구체적인	84 concrete	[kánkriːt]	
85 추상적인	85 abstract	[æbstrǽkt]	
86 비정상적인	86 abnormal	[æbnɔ́ːrməl]	
87 사나운	87 fierce	[fiərs]	
88 온순한	88 meek	[miːk]	
89 재미있는	89 interesting, fun	[íntəristiŋ], [fʌn]	
90 재미없는	90 boring	[bɔ́ːriŋ]	
91 넓은	91 wide; broad	[waid]; [brɔːd]	
92 좁은	92 narrow	[nǽrou]	
93 굵은, 두꺼운	93 thick	[θik]	
94 가는, 얇은	94 thin	[θin]	
95 좋은	95 good	[gud]	
96 나쁜	96 bad	[bæd]	
97 새로운	97 new	[nju]	
98 오래된	98 old	[ould]	
99 젊은	99 young	[jʌŋ]	
100 늙은	100 old; aged	[ould]; [eidʒd]	

● 다음 주어진 우리말 단어 뜻을 보고 영단어를 말해 보세요.

1	단	26	천연 그대로의	51	평평한	76	급성의, 격심한
2	짠	27	신선한	52	둥근	77	만성의, 고질적인
3	신	28	썩은	53	동쪽의	78	문어체의
4	쓴	29	배부른	54	서쪽의	79	구어체의
5	떫은	30	배고픈; 굶주린	55	남쪽의	80	검소한
6	싱거운	31	메슥거리는	56	북쪽의	81	씀씀이가 헤픈
7	매운	32	술 취한	57	가까운	82	비옥한
8	얼큰한	33	술 취하지 않은	58	근처의	83	불모의
9	담백한, 부드러운	34	따뜻한	59	먼	84	구체적인
10	느끼한, 기름진	35	시원한, 서늘한	60	인접한	85	추상적인
11	고소한, 견과 맛의	36	더운	61	떨어진	86	비정상적인
12	쫄깃한	37	타는 듯이 더운	62	내부의	87	사나운
13	비린내 나는	38	추운, 차가운	63	외부의	88	온순한
14	노린내 나는	39	꽁꽁 얼게 추운	64	위쪽의	89	재미있는
15	~향이 나는	40	화창한; 맑은	65	아래쪽의	90	재미없는
16	향긋한, 풍미 있는	41	구름 낀	66	도시의	91	넓은
17	입에 맞는, 적당한	42	바람 부는	67	시골의	92	좁은
18	입에 맞지 않는	43	양지바른	68	도시풍의; 세련된	93	굵은, 두꺼운
19	매우 맛있는	44	안개 낀	69	시골풍의; 소박한	94	가는, 얇은
20	맛있는	45	비 오는	70	손과 육체를 쓰는	95	좋은
21	맛없는	46	눈 오는	71	정신적인	96	나쁜
22	맛이 끔찍한	47	서리가 내리는	72	꼭 필요한, 필수적인	97	새로운
23	영양가 있는	48	폭풍우 치는	73	없어도 되는	98	오래된
24	날것의	49	밝은	74	보수적인	99	젊은
25	요리된, 익은	50	어두운	75	급진적인	100	늙은

● 다음 주어진 영단어를 보고 우리말 뜻을 말해 보세요.

1 sweet	26 crude	51 flat	76 acute
2 salty	27 fresh	52 round	77 chronic
3 sour	28 rotten	53 eastern	78 literary
4 bitter	29 full, stuffed	54 western	79 colloquial
5 astringent	30 hungry; starved	55 southern	80 frugal
6 bland; slipslop	31 nauseous	56 northern	81 extravagant
7 hot; spicy	32 drunk	57 near, close	82 fertile
8 spicy	33 sober	58 nearby	83 barren
9 mild; flat	34 warm; mild	59 far, distant	84 concrete
10 greasy	35 cool	60 adjoining	85 abstract
11 nutty	36 hot	61 remote	86 abnormal
12 chewy; gooey	37 scorching	62 internal	87 fierce
13 fishy	38 cold	63 external	88 meek
14 stinking	39 freezing	64 upper	89 interesting, fun
15 ~flavored	40 fine; clear	65 lower	90 boring
16 savory	41 cloudy	66 urban	91 wide; broad
17 palatable	42 windy	67 rural	92 narrow
18 unpalatable	43 sunny	68 urbane	93 thick
19 delicious	44 foggy	69 rustic	94 thin
20 good, tasty	45 rainy	70 manual	95 good
21 unsavory; insipid	46 snowy	71 mental	96 bad
22 terrible	47 frosty	72 indispensable	97 new
23 nutritious	48 stormy	73 dispensable	98 old
24 raw	49 bright	74 conservative	99 young
25 cooked	50 dark	75 radical	100 old; aged

사람의 감정 · 성격과 관련된 형용사

1	겁주는, 위협하는	1 scaring	[skéəriŋ]
2	무서워 겁먹은	2 scared	[skeərd]
3	두려워하는	3 afraid	[əfréid]
4	무서운	4 frightening	[fráitniŋ]
5	깜짝 놀란	5 frightened	[fráitnd]
6	겁나게 하는	6 terrifying	[térəfàiŋ]
7	무서워 겁먹은	7 terrified	[térəfàid]
8	소름끼치는	8 horrifying	[hɔ́:rəfàiŋ]
9	겁에 질린	9 horrified	[hɔ́:rəfàid]
10	놀랄 만한	10 surprising	[sərpráiziŋ]
11	[좋은 일로] 놀란	11 surprised	[sərpráizd]
12	깜짝 놀랄 만한	12 amazing	[əméiziŋ]
13	깜짝 놀란	13 amazed	[əméizd]
14	깜짝 놀랄 만한	14 astonishing	[əstániʃiŋ]
15	크게 놀란	15 astonished	[əstániʃt]
16	충격적인, 무서운	16 shocking	[ʃákiŋ]
17	충격을 받은	17 shocked	[ʃakt]
18	속상한	18 upset	[ʌpsét]
19	성가신, 귀찮은	19 annoying	[ənɔ́iŋ]
20	짜증난, 약 오른	20 annoyed	[ənɔ́id]
21	짜증나게 구는	21 vexing	[véksiŋ]
22	속 타는, 짜증난	22 vexed	[vekst]
23	짜증나게 구는	23 irritating	[írətèitiŋ]
24	짜증난	24 irritated	[írətèitid]
25	화난, 성난	25 angry	[æŋgri]

Tips

● 끝이 '–ing'로 끝나는 형용사와 '–ed'로 끝나는 형용사 (주로 서술적용법으로 사용한다.) 각각 '현재분사'와 '과거분사'를 형용사로 쓰는 경우인데, '현재분사'인 '–ing 꼴'은 '피수식어인 명사가 원래부터 본질적으로 항상 그런 성질을 가지고 있다는 것'을 나타내며, '과거분사'인 '–ed 꼴'은 '피수식어인 사람의 감정 상태가 일시적으로 그렇게 된 경우'를 나타낸다. 이때 먼저 '–ing'의 사건이 있었기에 '–ed'의 사건이 발생한 것이다.

● afraid
불안, 걱정, 불명한 것에 대한 두려움
I'm afraid of the dark.
(나는 어둠이 무섭다.)

● alarmed
갑자기 나타난 위험, 또는 예상되는 위험 따위를 알고 느끼는 급작스러운 불안

● frightened
신체적인 위기를 느껴 겁냄. 일시적이지만 강렬한 공포
The child was frightened by the fierce dog.
(그 아이는 사나운 개에 겁이 덜컥 났다.)

● terrified
기겁을 할 정도의 무서움. 놀람

			Tips
26 화가 많이 난	26 mad	[mæd]	
27 몹시 화가 난	27 furious	[fjúəriəs]	
28 성가신, 귀찮은, 애타는	28 worrying	[wɔ́ːriŋ]	
29 걱정되는	29 worried	[wɔ́ːrid]	
30 걱정되는	30 concerned	[kənsɔ́ːrnd]	
31 난처하게 하는, 성가신	31 embarrassing	[imbǽrəsiŋ]	
32 당혹스러운, 창피한	32 embarrassed	[imbǽrəst]	
33 부끄러워하는	33 shy	[ʃai]	
34 창피한, 수치스러운	34 ashamed	[əʃéimd]	
35 망신을 당한	35 disgraced	[disgréist]	
36 걱정스러운	36 anxious	[ǽŋkʃəs]	
37 긴장되는	37 nervous	[nɔ́ːrvəs]	
38 스트레스를 주는	38 stressing	[strésiŋ]	
39 스트레스를 받는	39 stressed	[strest]	
40 감동시키는	40 moving	[múːviŋ]	
41 감동받은	41 moved	[muːvd]	
42 감동시키는	42 touching	[tʌ́tʃiŋ]	
43 감동받은	43 touched	[tʌtʃt]	
44 샘나는, 부러운	44 jealous	[dʒéləs]	
45 부러워하는	45 envious	[énviəs]	
46 지치게 하는, 지루한	46 tiring	[táiəriŋ]	
47 피곤한, 지친	47 tired	[taiərd]	
48 심신을 지치게 하는	48 exhausting	[igzɔ́ːstiŋ]	
49 기진맥진한	49 exhausted	[igzɔ́ːstid]	
50 절망적인, 필사적인	50 desperate	[déspərit]	

51	심각한	51	serious	[síəriəs]	**Tips**
52	혼란시키는	52	confusing	[kənfjú:ziŋ]	
53	헷갈리는, 당황한	53	confused	[kənfjú:zd]	
54	흥분시키는	54	exciting	[iksáitiŋ]	
55	신나는, 흥분한	55	excited	[iksáitid]	
56	지루한	56	boring	[bɔ́:riŋ]	
57	지루함을 느끼는	57	bored	[bɔ́:rd]	
58	궁금한, 호기심 있는	58	curious	[kjúəriəs]	
59	구역질나는, 지겨운	59	disgusting	[disgʌ́stiŋ]	
60	넌더리가 나는	60	disgusted	[disgʌ́stid]	
61	친절한, 상냥한	61	friendly	[fréndli]	● 61~100 사람의 근본적인 성격이나 특징을 나타내는 형용사
62	관대한	62	generous	[dʒénərəs]	
63	믿음직한; 확실한	63	reliable	[riláiəbəl]	
64	상상력이 풍부한	64	imaginative	[imǽdʒənətiv]	
65	잘 참는; 끈기 있는	65	patient	[péiʃənt]	
66	지적인, 총명한	66	intelligent	[intélədʒənt]	
67	야심 있는	67	ambitious	[æmbíʃəs]	
68	동정적인, 인정 있는	68	sympathetic	[sìmpəθétik]	
69	동정심이 많은	69	compassionate	[kəmpǽʃənit]	
70	놀기 좋아하는	70	playful	[pléifəl]	
71	확신하는; 긍정적인	71	positive	[pázətiv]	
72	진취적인	72	progressive	[prəgrésiv]	
73	겸손한	73	humble,modest	[hʌ́mbəl],[mádist]	
74	다재다능한	74	versatile	[vɔ́:rsətl]	
75	정직한	75	honest	[ánist]	

			Tips
76 시간을 엄수하는	76 punctual	[pʌ́ŋktʃuəl]	
77 재치 있는	77 witty	[wíti]	
78 열정적인; 성미 급한	78 passionate	[pǽʃənit]	
79 개방적인, 외향적인	79 outgoing	[áutgòuiŋ]	
80 개방적인, 대범한	80 liberal	[líbərəl]	
81 사교적인	81 sociable	[sóuʃəbəl]	
82 활동적인	82 energetic	[ènərdʒétik]	
83 적극적인	83 active	[ǽktiv]	
84 외향적인	84 extroverted	[ékstrouvə̀:rtid]	
85 태평한; 원만한	85 easy-going	[í:zigóuiŋ]	
86 솔직한	86 frank	[frǽŋk]	
87 거리낌 없는; 솔직한	87 outspoken	[áutspóukən]	
88 행실이 좋은	88 well-behaved	[wélbihéivd]	
89 낙천적인	89 optimistic	[ὰptəmístik]	
90 유머감각이 있는	90 humorous	[hjú:mərəs]	
91 자신감 있는	91 self-confident	[sélfkánfidənt]	
92 재미있는, 유쾌한	92 fun	[fʌn]	
93 익살맞은	93 funny	[fʌ́ni]	
94 즐거운, 명랑한	94 cheerful	[tʃíərfəl]	
95 사랑스러운	95 lovely	[lʌ́vli]	
96 점잖은, 예의 바른	96 gentle	[dʒéntl]	
97 공손한, 예의 바른	97 polite	[pəláit]	
98 동정심 많은	98 considerate	[kənsídərit]	
99 사려 깊은	99 thoughtful	[θɔ́:tfəl]	
100 분별 있는, 현명한	100 sensible	[sénsəbəl]	

● 다음 주어진 우리말 단어 뜻을 보고 영단어를 말해 보세요.

1 겁주는, 위협하는	26 화가 많이 난	51 심각한	76 시간을 엄수하는
2 무서워 겁먹은	27 몹시 화가 난	52 혼란시키는	77 재치 있는
3 두려워하는	28 성가신, 귀찮은, 애타는	53 헷갈리는, 당황한	78 열정적인; 성미 급한
4 무서운	29 걱정되는	54 흥분시키는	79 개방적인, 외향적인
5 깜짝 놀란	30 걱정되는	55 신나는, 흥분한	80 개방적인, 대범한
6 겁나게 하는	31 난처하게 하는, 성가신	56 지루한	81 사교적인
7 무서워 겁먹은	32 당혹스러운, 창피한	57 지루함을 느끼는	82 활동적인
8 소름끼치는	33 부끄러워하는	58 궁금한, 호기심 있는	83 적극적인
9 겁에 질린	34 창피한, 수치스러운	59 구역질나는, 지겨운	84 외향적인
10 놀랄 만한	35 망신을 당한	60 넌더리가 나는	85 태평한; 원만한
11 [좋은 일로] 놀란	36 걱정스러운	61 친절한, 상냥한	86 솔직한
12 깜짝 놀랄 만한	37 긴장되는	62 관대한	87 거리낌 없는; 솔직한
13 깜짝 놀란	38 스트레스를 주는	63 믿음직한; 확실한	88 행실이 좋은
14 깜짝 놀랄 만한	39 스트레스를 받는	64 상상력이 풍부한	89 낙천적인
15 크게 놀란	40 감동시키는	65 잘 참는; 끈기 있는	90 유머감각이 있는
16 충격적인, 무서운	41 감동받은	66 지적인, 총명한	91 자신감 있는
17 충격을 받은	42 감동시키는	67 야심 있는	92 재미있는, 유쾌한
18 속상한	43 감동받은	68 동정적인, 인정 있는	93 익살맞은
19 성가신, 귀찮은	44 샘나는, 부러운	69 동정심이 많은	94 즐거운, 명랑한
20 짜증난, 약 오른	45 부러워하는	70 놀기 좋아하는	95 사랑스러운
21 짜증나게 구는	46 지치게 하는, 지루한	71 확신하는; 긍정적인	96 점잖은, 예의바른
22 속 타는, 짜증난	47 피곤한, 지친	72 진취적인	97 공손한, 예의바른
23 짜증나게 구는	48 심신을 지치게 하는	73 겸손한	98 동정심 많은
24 짜증난	49 기진맥진한	74 다재다능한	99 사려 깊은
25 화난, 성난	50 절망적인, 필사적인	75 정직한	100 분별 있는, 현명한

● 다음 주어진 영단어를 보고 우리말 뜻을 말해 보세요.

1 scaring	26 mad	51 serious	76 punctual
2 scared	27 furious	52 confusing	77 witty
3 afraid	28 worrying	53 confused	78 passionate
4 frightening	29 worried	54 exciting	79 outgoing
5 frightened	30 concerned	55 excited	80 liberal
6 terrifying	31 embarrassing	56 boring	81 sociable
7 terrified	32 embarrassed	57 bored	82 energetic
8 horrifying	33 shy	58 curious	83 active
9 horrified	34 ashamed	59 disgusting	84 extroverted
10 surprising	35 disgraced	60 disgusted	85 easy-going
11 surprised	36 anxious	61 friendly	86 frank
12 amazing	37 nervous	62 generous	87 outspoken
13 amazed	38 stressing	63 reliable	88 well-behaved
14 astonishing	39 stressed	64 imaginative	89 optimistic
15 astonished	40 moving	65 patient	90 humorous
16 shocking	41 moved	66 intelligent	91 self-confident
17 shocked	42 touching	67 ambitious	92 fun
18 upset	43 touched	68 sympathetic	93 funny
19 annoying	44 jealous	69 compassionate	94 cheerful
20 annoyed	45 envious	70 playful	95 lovely
21 vexing	46 tiring	71 positive	96 gentle
22 vexed	47 tired	72 progressive	97 polite
23 irritating	48 exhausting	73 humble/modest	98 considerate
24 irritated	49 exhausted	74 versatile	99 thoughtful
25 angry	50 desperate	75 honest	100 sensible

1	근면한	1	diligent	[dílədʒənt]	Tips
2	부지런한	2	hardworking	[háːrdwə̀ːrkiŋ]	
3	근면한, 부지런한	3	industrious	[indʌ́striəs]	● 1~42
4	순진한	4	innocent	[ínəsnt]	사람이 타고난 근본적인
5	부끄럼타는	5	shy	[ʃai]	성격이나 평소의 성격적
6	예민한, 과민한	6	sensitive	[sénsətiv]	인 특징을 나타내는 형용
7	긴장하는	7	tense	[tens]	사
8	수동적인	8	passive	[pǽsiv]	
9	비관적인	9	pessimistic	[pèsəmístik]	
10	이기적인	10	selfish	[sélfiʃ]	
11	인색한, 치사한	11	mean	[miːn]	
12	탐욕스러운	12	greedy	[gríːdi]	
13	비판적인	13	critical	[krítikəl]	
14	거만한	14	arrogant	[ǽrəgənt]	
15	고집 센, 완고한	15	stubborn	[stʌ́bərn]	
16	버릇없는, 무례한	16	rude	[ruːd]	
17	잔인한	17	cruel	[krúːəl]	
18	공격적인	18	aggressive	[əgrésiv]	
19	어린애 같은, 유치한	19	childish	[tʃáildiʃ]	
20	변덕스러운	20	moody	[múːdi]	
21	까다로운	21	fussy	[fʌ́si]	
22	까다로운	22	picky	[píki]	
23	잘 잊어버리는	23	forgetful	[fərgétfəl]	
24	조급한, 참을성 없는	24	impatient	[impéiʃənt]	
25	허영심 많은	25	vain	[vein]	

26 심술궂은	26 bad-tempered	[bǽd tèmpərd]	**Tips**
27 수다스러운	27 talkative	[tɔ́:kətiv]	
28 자만심이 강한	28 big-headed	[bíg hèdid]	
29 자만심이 강한	29 conceited	[kənsí:tid]	
30 완고한, 고집 센	30 obstinate	[ábstənit]	
31 괴상한, 괴짜인	31 eccentric	[ikséntrik]	
32 엄격한, 엄한	32 strict	[strikt]	
33 소극적인, 부정적인	33 negative	[négətiv]	
34 무정한, 냉혹한	34 unfeeling	[ʌnfí:liŋ]	
35 인색한	35 stingy	[stíndʒi]	
36 무식한, 문맹의	36 illiterate	[ilítərit]	
37 미숙한, 유치한	37 immature	[ìmətjúər]	
38 충동적인	38 impulsive	[impʌ́lsiv]	
39 파렴치한, 뻔뻔한	39 shameless	[ʃéimlis]	
40 보수적인	40 conservative	[kənsɔ́:rvətiv]	
41 비겁한	41 cowardly	[káuərdli]	
42 광신적 애국주의의	42 chauvinistic	[ʃòuvinístik]	
43 안심이 되는	43 relieved	[rilí:vd]	● 43~66 사람의 일시적인 감정이나 심리상태를 나타내는 형용사
44 희망에 차 있는	44 hopeful	[hóupfəl]	
45 고마워하는	45 grateful	[gréitfəl]	
46 고무된	46 encouraged	[enkɔ́:ridʒd]	
47 만족스러운	47 pleased,content	[pli:zd],[kəntént]	
48 미안해하는	48 apologetic	[əpàlədʒétik]	
49 흥분한	49 excited	[iksáitid]	
50 상쾌한	50 cheerful	[tʃíərfəl]	

51	당황하는	51	bewildered	[biwíldərd]
52	침울한, 우울한	52	depressed	[diprést]
53	성난, 기분 상한	53	offended	[əféndid]
54	낙심한, 실망한	54	disappointed	[dìsəpɔ́intid]
55	격노한, 맹렬한	55	furious, rageful	[fjúəriəs],[reidʒfəl]
56	낙담한, 낙심한	56	discouraged	[diskə́:ridʒd]
57	슬픔에 잠긴	57	sorrowful	[sároufəl]
58	뉘우치는, 후회하는	58	regretful	[rigrétfəl]
59	불쌍한, 비참한	59	miserable	[mízərəbəl]
60	좌절감을 느끼는	60	frustrated	[frʌ́streitid]
61	향수병에 걸린	61	homesick	[hóumsìk]
62	향수를 불러일으키는	62	nostalgic	[nɔstǽldʒik]
63	오싹한, 짜릿한	63	thrilled	[θrild]
64	불안해하는, 겁먹은	64	alarmed	[əlá:rmd]
65	의심에 찬, 의심스러운	65	doubtful	[dáutfəl]
66	조바심이 난	66	impatient	[impéiʃənt]
67	뻣뻣한, 경직된	67	stiff	[stif]
68	임신한	68	pregnant	[prégnənt]
69	아픈, 괴로운	69	painful	[péinfəl]
70	지친; 녹초가 된	70	weary	[wíəri]
71	졸리는, 졸음이 오는	71	drowsy	[dráuzi]
72	어찔한, 무기력한	72	faint	[feint]
73	의식 불명의	73	unconscious	[ʌnkánʃəs]
74	기절한	74	stunned	[stʌnd]
75	술 취하지 않은	75	sober	[sóubər]

Tips
- 61~100
  사람의 근본적인 성격이나 특징을 나타내는 형용사

76	즐거운, 재미있는	76	amusing	[əmjúːziŋ]
77	흥미진진한	77	exciting	[iksáitiŋ]
78	교훈적인	78	instructive	[instrʌ́ktiv]
79	슬픈	79	sorrowful	[sároufəl]
80	평화로운	80	peaceful	[píːsfəl]
81	비판적인	81	critical	[krítikəl]
82	냉소적인, 비꼬는	82	cynical	[sínikəl]
83	빈정거리는	83	sarcastic	[sɑːrkǽstik]
84	반어의, 비꼬는	84	ironical	[airánikəl]
85	풍자적인, 비꼬는	85	satirical	[sətírikəl]
86	우울한, 음산한	86	gloomy	[glúːmi]
87	모욕적인, 무례한	87	insulting	[insʌ́ltiŋ]
88	사실적인	88	realistic	[rìːəlístik]
89	공상적인; 굉장한	89	fantastic	[fæntǽstik]
90	낭만적인	90	romantic	[roumǽntik]
91	신파조의	91	melodramatic	[mèloudrəmǽtik]
92	감상적인	92	sentimental	[sèntəméntl]
93	이성적인	93	rational	[rǽʃənl]
94	판에 박힌, 일상의	94	routine	[ruːtíːn]
95	단조로운	95	monotonous	[mənátənəs]
96	호의적인	96	favorable	[féivərəbəl]
97	축제 분위기의	97	festive	[féstiv]
98	스스로는 아무 것도 못하는	98	helpless	[hélplis]
99	회의적인, 믿지 않는	99	skeptical	[sképtikəl]
100	비극의, 비극적인	100	tragic	[trǽdʒik]

Tips
- 76~100
말이나 문장의 분위기를
나타내는 형용사

● 다음 주어진 우리말 단어 뜻을 보고 영단어를 말해 보세요.

1 근면한	26 심술궂은	51 당황하는	76 즐거운, 재미있는
2 부지런한	27 수다스러운	52 침울한, 우울한	77 흥미진진한
3 근면한, 부지런한	28 자만심이 강한	53 성난, 기분상한	78 교훈적인
4 순진한	29 자만심이 강한	54 낙심한, 실망한	79 슬픈
5 부끄럼타는	30 완고한, 고집 센	55 격노한, 맹렬한	80 평화로운
6 예민한, 과민한	31 괴상한, 괴짜인	56 낙담한, 낙심한	81 비판적인
7 긴장하는	32 엄격한, 엄한	57 슬픔에 잠긴	82 냉소적인, 비꼬는
8 수동적인	33 소극적인, 부정적인	58 뉘우치는, 후회하는	83 빈정거리는
9 비관적인	34 무정한, 냉혹한	59 불쌍한, 비참한	84 반어의, 비꼬는
10 이기적인	35 인색한	60 좌절감을 느끼는	85 풍자적인, 비꼬는
11 인색한, 치사한	36 무식한, 문맹의	61 향수병에 걸린	86 우울한, 음산한
12 탐욕스러운	37 미숙한, 유치한	62 향수를 불러일으키는	87 모욕적인, 무례한
13 비판적인	38 충동적인	63 오싹한, 짜릿한	88 사실적인
14 거만한	39 파렴치한, 뻔뻔한	64 불안해하는, 겁먹은	89 공상적인; 굉장한
15 고집 센, 완고한	40 보수적인	65 의심에 찬, 의심스러운	90 낭만적인
16 버릇없는, 무례한	41 비겁한	66 조바심이 난	91 신파조의
17 잔인한	42 광신적 애국주의의	67 뻣뻣한, 경직된	92 감상적인
18 공격적인	43 안심이 되는	68 임신한	93 이성적인
19 어린애 같은, 유치한	44 희망에 차 있는	69 아픈, 괴로운	94 판에 박힌, 일상의
20 변덕스러운	45 고마워하는	70 지친; 녹초가 된	95 단조로운
21 까다로운	46 고무된	71 졸리는, 졸음이 오는	96 호의적인
22 까다로운	47 만족스러운	72 어찔한, 무기력한	97 축제 분위기의
23 잘 잊어버리는	48 미안해하는	73 의식 불명의	98 무력한
24 조급한, 참을성 없는	49 흥분한	74 기절한	99 회의적인, 믿지 않는
25 허영심 많은	50 상쾌한	75 술 취하지 않은	100 비극의, 비극적인

● 다음 주어진 영단어를 보고 우리말 뜻을 말해 보세요.

1	diligent	26	bad-tempered	51	bewildered	76	amusing
2	hardworking	27	talkative	52	depressed	77	exciting
3	industrious	28	big-headed	53	offended	78	instructive
4	innocent	29	conceited	54	disappointed	79	sorrowful
5	shy	30	obstinate	55	furious, rageful	80	peaceful
6	sensitive	31	eccentric	56	discouraged	81	critical
7	tense	32	strict	57	sorrowful	82	cynical
8	passive	33	negative	58	regretful	83	sarcastic
9	pessimistic	34	unfeeling	59	miserable	84	ironical
10	selfish	35	stingy	60	frustrated	85	satirical
11	mean	36	illiterate	61	homesick	86	gloomy
12	greedy	37	immature	62	nostalgic	87	insulting
13	critical	38	impulsive	63	thrilled	88	realistic
14	arrogant	39	shameless	64	alarmed	89	fantastic
15	stubborn	40	conservative	65	doubtful	90	romantic
16	rude	41	cowardly	66	impatient	91	melodramatic
17	cruel	42	chauvinistic	67	stiff	92	sentimental
18	aggressive	43	relieved	68	pregnant	93	rational
19	childish	44	hopeful	69	painful	94	routine
20	moody	45	grateful	70	weary	95	monotonous
21	fussy	46	encouraged	71	drowsy	96	favorable
22	picky	47	pleased/content	72	faint	97	festive
23	forgetful	48	apologetic	73	unconscious	98	helpless
24	impatient	49	excited	74	stunned	99	skeptical
25	vain	50	cheerful	75	sober	100	tragic

사람의 외모 · 의복 · 영화와 관련된 형용사

1 곧은	1 straight	[streit]	**Tips**
2 곱슬거리는	2 curly	[kə́:rli]	● 1~18
3 구불거리는	3 wavy	[wéivi]	헤어스타일의 표현에 관한 형용사
4 짧은	4 short	[ʃɔ:rt]	
5 긴	5 long	[lɔ:ŋ]	
6 단발의	6 bobbed	[bɑbd]	
7 까까머리의	7 shaven	[ʃéivən]	
8 대머리의	8 bald	[bɔ:ld]	
9 금발의	9 blond	[blɑnd]	
10 검은색의	10 black	[blæk]	
11 진갈색의	11 brunette	[bru:nét]	
12 회색의, 반백의	12 gray(미), grey(영)	[grei]	
13 흰	13 white	[wait]	
14 [머리숱이] 많은	14 thick	[θik]	
15 [머리숱이] 적은	15 thin	[θin]	
16 부스스한	16 messy	[mési]	
17 건성의, 푸석푸석한	17 dry	[drai]	
18 기름진, 떡진	18 greasy, oily	[grí:si], [ɔ́ili]	
19 키가 큰	19 tall	[tɔ:l]	● 19~53
20 몸집이 큰	20 big	[big]	사람의 신체 · 외모에 관한 형용사 표현
21 덩치가 매우 큰	21 bulky	[bʌ́lki]	
22 덩치가 매우 큰	22 enormous	[inɔ́:rməs]	
23 덩치가 매우 큰	23 huge	[hju:dʒ]	
24 근육질의	24 muscular	[mʌ́skjələr]	
25 체격이 좋은	25 well-built	[wélbílt]	

			Tips
26 체격이 다부진	26 stocky	[stáki]	
27 키가 작은	27 short	[ʃɔ:rt]	
28 몸집이 작은	28 small	[smɔ:l]	
29 [여자가] 자그마한	29 petite	[pətí:t]	
30 호리호리한	30 slim	[slim]	
31 날씬한	31 slender	[sléndər]	
32 깡마른, 군살 없는	32 lean	[li:n]	
33 마른, 야윈	33 thin	[θin]	
34 바싹 여윈	34 skinny	[skíni]	
35 토실토실한	35 chubby	[tʃʌ́bi]	
36 포동포동한	36 plump	[plʌmp]	
37 퉁퉁한	37 stout	[staut]	
38 과체중의	38 overweight	[óuvərwèit]	
39 뚱뚱한(경멸적 의미)	39 fat	[fæt]	
40 살찐, 뚱뚱한	40 obese	[oubí:s]	
41 평범한 외모의	41 plain looking	[plein lúkiŋ]	
42 보통 외모의	42 ordinary looking	[ɔ́:rdənèri lúkiŋ]	
43 매력적인	43 charming	[tʃá:rmiŋ]	
44 매력적인	44 attractive	[ətrǽktiv]	
45 귀여운, 예쁜	45 cute	[kju:t]	
46 예쁜, 귀여운	46 pretty	[príti]	
47 아름다운, 고운	47 beautiful	[bjú:təfəl]	
48 멋진, 화려한	48 gorgeous	[gɔ́:rdʒəs]	
49 잘 생긴(주로 남자)	49 handsome	[hǽnsəm]	
50 잘 생긴(남녀공용)	50 good-looking	[gúdlúkiŋ]	

51	매력 없는	51	unattractive	[ʌnətrǽktiv]
52	못생긴, 매력 없는	52	homely	[hóumli]
53	못생긴	53	ugly	[ʌ́gli]
54	어른의, 성인만의	54	adult	[ədʌ́lt]
55	성장한; 성인용의	55	grown-up	[gróunʌ̀p]
56	어른스러운	56	mature	[mətʃúər]
57	중년의	57	middle-aged	[mídléidʒd]
58	나이 지긋한	58	elderly	[éldərli]
59	유행하는	59	fashionable	[fǽʃənəbəl]
60	평범한, 수수한	60	plain	[plein]
61	화려한, 장식적인	61	fancy	[fǽnsi]
62	색이 튀는	62	loud	[laud]
63	새로 산, 신품의	63	brand new	[brǽnd njú:]
64	편한	64	comfortable	[kʌ́mfərtəbəl]
65	불편한	65	uncomfortable	[ʌnkʌ́mfərtəbəl]
66	잘 맞는	66	fit	[fit]
67	꼭 끼는	67	tight	[tait]
68	헐렁한	68	loose, baggy	[lu:s], [bǽgi]
69	넉넉한	69	roomy	[rú(:)mi]
70	민무늬의	70	plain	[plein]
71	물방울무늬의	71	dotted	[dátid]
72	줄무늬의	72	striped	[straipt]
73	바둑판무늬의	73	checked	[tʃekt]
74	격자무늬의	74	plaid	[plæd]
75	꽃무늬의	75	flowered	[fláuərd]

Tips

● 59~80
의류 및 의복의 표현에 관한 형용사

76 주름이 있는	76 pleated	[plíːtid]	Tips
77 주름진, 구겨진	77 wrinkled	[ríŋkəld]	● pleated skirt: 주름치마
78 [그림 등이] 인쇄된	78 printed	[príntid]	
79 수놓인	79 embroidered	[embrɔ́idərd]	
80 페이즐리 무늬의	80 paisley	[péizli]	
81 웃기는	81 funny	[fʌ́ni]	● 81~100
82 화려한, 장관의	82 spectacular	[spektǽkjələr]	영화·책 등의 내용에 관한 형용사 표현
83 매력적인	83 charming	[tʃáːrmiŋ]	
84 놀라운, 훌륭한	84 marvelous	[máːrvələs]	
85 황홀케 하는	85 fascinating	[fǽsənèitiŋ]	
86 재미있는, 즐거운	86 entertaining	[èntərtéiniŋ]	
87 눈에 띄는, 현저한	87 outstanding	[àutstǽndiŋ]	
88 환상적인	88 fantastic	[fæntǽstik]	
89 굉장히 멋진	89 awesome	[ɔ́ːsəm]	
90 그럭저럭 쓸 만한	90 not bad	[nát bǽd]	
91 터무니없는	91 ridiculous	[ridíkjələs]	
92 폭력적인	92 violent	[váiələnt]	
93 색정적인	93 erotic	[irátik]	
94 비현실적인	94 unrealistic	[ʌ̀nriːəlístik]	
95 실망시키는	95 disappointing	[dìsəpɔ́intiŋ]	
96 좌절감을 주는	96 frustrating	[frʌ́streitiŋ]	
97 끔찍한, 엉망인	97 terrible	[térəbəl]	
98 아주 형편없는	98 lousy	[láuzi]	
99 정보를 주는	99 informative	[infɔ́ːrmətiv]	
100 교육적인	100 educational	[èdʒukéiʃənəl]	

● 다음 주어진 우리말 단어 뜻을 보고 영단어를 말해 보세요.

1 곧은	26 체격이 다부진	51 매력 없는	76 주름이 있는
2 곱슬거리는	27 키가 작은	52 못생긴, 매력 없는	77 주름진, 구겨진
3 구불거리는	28 몸집이 작은	53 못생긴	78 [그림 등이] 인쇄된
4 짧은	29 [여자가] 자그마한	54 어른의, 성인만의	79 수놓인
5 긴	30 호리호리한	55 성장한; 성인용의	80 페이즐리 무늬의
6 단발의	31 날씬한	56 어른스러운	81 웃기는
7 까까머리의	32 깡마른, 군살 없는	57 중년의	82 화려한, 장관의
8 대머리의	33 마른, 야윈	58 나이 지긋한	83 매력적인
9 금발의	34 바싹 여윈	59 유행하는	84 놀라운, 훌륭한
10 검은색의	35 토실토실한	60 평범한, 수수한	85 황홀케 하는
11 진갈색의	36 포동포동한	61 화려한, 장식적인	86 재미있는, 즐거운
12 회색의, 반백의	37 퉁퉁한	62 색이 튀는	87 눈에 띄는, 현저한
13 흰	38 과체중의	63 새로 산, 신품의	88 환상적인
14 [머리숱이] 많은	39 뚱뚱한(경멸적 의미)	64 편한	89 굉장히 멋진
15 [머리숱이] 적은	40 살찐, 뚱뚱한	65 불편한	90 그럭저럭 쓸 만 한
16 부스스한	41 평범한 외모의	66 잘 맞는	91 터무니없는
17 건성의, 푸석푸석한	42 보통 외모의	67 꼭 끼는	92 폭력적인
18 기름진, 떡진	43 매력적인	68 헐렁한	93 색정적인
19 키가 큰	44 매력적인	69 넉넉한	94 비현실적인
20 몸집이 큰	45 귀여운, 예쁜	70 민무늬의	95 실망시키는
21 덩치가 매우 큰	46 예쁜, 귀여운	71 물방울무늬의	96 좌절감을 주는
22 덩치가 매우 큰	47 아름다운, 고운	72 줄무늬의	97 끔찍한, 엉망인
23 덩치가 매우 큰	48 멋진, 화려한	73 바둑판무늬의	98 아주 형편없는
24 근육질의	49 잘 생긴(주로 남자)	74 격자무늬의	99 정보를 주는
25 체격이 좋은	50 잘 생긴(남녀공용)	75 꽃무늬의	100 교육적인

● 다음 주어진 영단어를 보고 우리말 뜻을 말해 보세요.

1 straight	26 stocky	51 unattractive	76 pleated
2 curly	27 short	52 homely	77 wrinkled
3 wavy	28 small	53 ugly	78 printed
4 short	29 petite	54 adult	79 embroidered
5 long	30 slim	55 grown-up	80 paisley
6 bobbed	31 slender	56 mature	81 funny
7 shaven	32 lean	57 middle-aged	82 spectacular
8 bald	33 thin	58 elderly	83 charming
9 blond	34 skinny	59 fashionable	84 marvelous
10 black	35 chubby	60 plain	85 fascinating
11 brunette	36 plump	61 fancy	86 entertaining
12 gray(미), grey(영)	37 stout	62 loud	87 outstanding
13 white	38 overweight	63 brand new	88 fantastic
14 thick	39 fat	64 comfortable	89 awesome
15 thin	40 obese	65 uncomfortable	90 not bad
16 messy	41 plain looking	66 fit	91 ridiculous
17 dry	42 ordinary looking	67 tight	92 violent
18 greasy, oily	43 charming	68 loose, baggy	93 erotic
19 tall	44 attractive	69 roomy	94 unrealistic
20 big	45 cute	70 plain	95 disappointing
21 bulky	46 pretty	71 dotted	96 frustrating
22 enormous	47 beautiful	72 striped	97 terrible
23 huge	48 gorgeous	73 checked	98 lousy
24 muscular	49 handsome	74 plaid	99 informative
25 well-built	50 good-looking	75 flowered	100 educational

1	**big**	[big]	1	[물리적으로는 물론 감정적인 느낌으로] **큰; 중요한**
2	great	[greit]	2	[감정적 느낌으로 놀랍게] 큰; 위대한, 탁월한
3	large	[lɑːrdʒ]	3	[단순히 물리적인 사이즈가 평균보다] 큰; 넓은
4	**high**	[hái]	4	**[공중에서 보기에 꼭대기가] 높은**
5	tall	[tɔːl]	5	[지면에서 보기에 폭이 좁고 위로 길어] 키 큰
6	**wide**	[waid]	6	**[일반적으로 폭이 평균치보다 비교적] 넓은**
7	broad	[brɔːd]	7	[폭이 매우] 넓은
8	**small**	[smɔːl]	8	**[평균치보다 물리적·객관적으로] 작은; 좁은**
9	little	[lítl]	9	[화자의 주관적 느낌상] 작은; 어린
10	minute	[mainjúːt]	10	[자세히 안 보면 눈에 잘 안 띌 만큼] 아주 작은
11	tiny	[táini]	11	[자세히 안 보면 눈에 잘 안 띌 만큼] 아주 작은
12	weeny	[wíːni]	12	아주 조그만(구어체 아동어)
13	microscopic	[màikrəskápik]	13	[현미경으로만 볼 수 있게] 극히 작은, 미시적인
14	**small**	[smɔːl]	14	**[면적이] 좁은**
15	narrow	[nǽrou]	15	[폭이] 좁은
16	**clear**	[kliər]	16	**[눈에 띄는 이물질이 없어 물리적으로] 깨끗하고 맑은**
17	clean	[kliːn]	17	[불순물도 없고 오염되지 않아] 깨끗한; 위생적인
18	**dirty**	[dɔ́ːrti]	18	**[먼지·쓰레기·진흙 등으로 표면이 오염되어] 더러운**
19	messy	[mési]	19	[정리되어 있지 않아서] 어질러진, 지저분한
20	**precious**	[préʃəs]	20	**[본질적으로 대단한 가치가 있어서] 소중한**
21	dear	[diər]	21	[가족·친구·특정사물에 애정·애착을 가지고] 소중히 여기는
22	valuable	[vǽljuːəbəl]	22	[금전적 가치, 유용성, 편의의 관점에서] 가치 있는
23	**true**	[truː]	23	**[실제로 존재하는 것과] 일치하는**
24	real	[ríːəl]	24	[가짜나 상상의 산물이 아닌] 진짜의, 실재하는
25	actual	[ǽktʃuəl]	25	[상상·이론이 아닌] 실제로 존재하는; 현실의

26	**fat**	[fæt]	26	[가장 일반적 의미의] 살찐 ('돼지 같은'의 어감)
27	stout	[staut]	27	['fat' 대신 완곡하게 쓰는] 살찐, 뚱뚱한; 튼튼한
28	plump	[plʌmp]	28	토실토실한, 포동포동한; 보기 좋게 살찐
29	chubby	[tʃʌ́bi]	29	아기가 보기 좋게 살쪄있어 귀여운
30	overweight	[óuvərwèit]	30	지나치게 뚱뚱한, 과체중의
31	**thin**	[θin]	31	[병·과로·영양실조 등으로] 삐쩍 마른, 여윈
32	gaunt	[gɔ:nt]	32	[굶거나 심한 과로로 인해 몹시 말라] 뼈가 앙상한
33	slight	[slait]	33	홀쭉한, 가냘픈
34	skinny	[skíni]	34	몹시 마른, 피골이 상접한
35	lean	[li:n]	35	[지방질이 적고 근육질이라서 매력 있게] 날씬한
36	slender	[sléndər]	36	호리호리하고 날씬하며 균형이 잡혀 아름다운
37	slim	[slim]	37	'slender'와 같은 뜻의 구어체
38	**sure**	[ʃuər]	38	[주관적인 판단·느낌·직관에 근거해서] 확신하는
39	certain	[sɔ́:rtən]	39	[분명한 객관적 이유·근거에 입각해서] 확신하는
40	confident	[kánfidənt]	40	['sure'보다 강하게 틀림없다고 적극] 확신하는
41	positive	[pázətiv]	41	[자기 의견이나 결론 등을 지나칠 만큼] 확신하는
42	**correct**	[kərékt]	42	[어떤 기준·사실에 비추어 과오나 결점 없이] 정확한
43	right	[rait]	43	[법률이나 도덕적으로 보아] 정당한, 정확한
44	accurate	[ǽkjərit]	44	[진실·규범에 세세히 일치되게] 정확한, 정밀한
45	exact	[igzǽkt]	45	[진실·기준·규범과 완전히] 일치하는, 정확한
46	precise	[prisáis]	46	[세세한 부분까지 꼼꼼히] 정확한, 딱 들어맞는
47	**special**	[spéʃəl]	47	[같은 종류의 다른 것들과 구별된 특징으로] 특별한
48	especial	[ispéʃəl]	48	'special'과 같은 뜻(문어적 표현)
49	particular	[pərtíkjələr]	49	[같은 종류의 다른 것들과 뚜렷이 구별되어] 독특한
50	specific	[spisífik]	50	[그것만이 가지고 있는] 특유의, 특정한

51	**obvious**	[ábviəs]	51	[누가 보아도 바로 확실히 알 수 있도록] 분명한
52	clear	[kliər]	52	[애매함·착각·혼란의 여지없이] 명백한, 명료한
53	plain	[plein]	53	[복잡한 것이 없고 단순하여] 분명한, 쉬운
54	apparent	[əpǽrənt]	54	[한눈에 알아볼 수 있을 만큼] 뚜렷한, 명백한
55	evident	[évidənt]	55	[상황·사실·증거에 비춰보아] 분명한, 명백한
56	manifest	[mǽnəfèst]	56	[외견상 명백하여 더 이상 따질 것 없이] 명백한
57	distinct	[distíŋkt]	57	[눈에 띄게 구별되어] 명백한, 분명한
58	**obscure**	[əbskjúər]	58	[감춰져 있거나 이해력 부족으로] 애매모호한
59	vague	[veig]	59	[그 자체의 정확성·정밀도가 떨어져] 막연한, 애매한
60	ambiguous	[æmbígjuəs]	60	[둘 이상의 해석이 가능해서 어느 쪽인지] 불명료한
61	equivocal	[ikwívəkəl]	61	[일부러 'ambiguous'하게 하여] 애매모호한
62	**brave**	[breiv]	62	[위험·위협·어려움 등을] 두려워하지 않는, 용감한
63	courageous	[kəréidʒəs]	63	[위험·어려움 등을 직면할 때 맞서는] 담력이 있는
64	bold	[bould]	64	[용감할 뿐 아니라 위험 등에 도전하려는] 담력이 있는
65	valiant	[vǽljənt]	65	용감한(목적 달성을 위해 결연한 의지로 맞서는)
66	gallant	[gǽlənt]	66	[화려하고 명예로운 용감성을 지녀] 용감한
67	**cowardly**	[káuərdli]	67	겁 많은(위험·곤란한 상황에서 뒤로 물러서는)
68	timid	[tímid]	68	겁 많은(평소에도 항상 찌질대고 쭈뼛거리는)
69	**good**	[gud]	69	우수한(가장 일반적인 뜻)
70	excellent	[éksələnt]	70	'good'과 같은 뜻이나 뜻이 더 강함
71	superior	[səpíəriər]	71	[다른 것과 비교해서 상대적으로] 더 우수한
72	predominant	[pridámənənt]	72	[다른 것에 비해 눈에 띄게] 뛰어난, 탁월한
73	**able**	[éibəl]	73	[어떤 일에 보통 이상의 능력이 있어] 유능한
74	capable	[kéipəbəl]	74	[어떤 일을 보통 수준 이상으로 해낼] 역량이 있는
75	competent	[kámpətənt]	75	[특정한 일에 요구되는 능력을 갖춰서] 역량이 있는

76	**clever**	[klévər]	76	영리한(이해나 머리 회전이 빨라 상황 대처가 재빠른)
77	intelligent	[intélədʒənt]	77	지적인(이해·학습·판단 능력이 보통 이상으로 뛰어난)
78	bright	[brait]	78	영리한(두뇌 회전·말·태도 등이 재치 있고 활발한)
79	smart	[smɑːrt]	79	[남보다 뛰어나게 민첩하고] 재치 있는
80	brilliant	[bríljənt]	80	[두뇌가] 날카로운, 고도의 지식을 갖춘
81	**famous**	[féiməs]	81	**[널리 알려져 있어] 유명한**
82	renowned	[rináund]	82	유명한(뛰어난 업적으로 얻은 지속적인 명성이 있는)
83	celebrated	[séləbrèitid]	83	유명한, [매스컴을 통해] 세상에 잘 알려진
84	noted	[nóutid]	84	[어떤 특정한 일로 세상에] 알려진, 유명한
85	notorious	[noutóːriəs]	85	[나쁜 일로] 유명한
86	well-known	[wélnóun]	86	[좋든 나쁘든 여러 사람들에게] 잘 알려져 있는
87	**noticeable**	[nóutisəbəl]	87	**[남의 눈길을 피할 수 없을 만큼] 현저한**
88	remarkable	[rimáːrkəbəl]	88	[주목할 만한 가치가 있는 특징 때문에] 현저한
89	outstanding	[àutstǽndiŋ]	89	[같은 종류의 다른 것보다 월등하게] 현저한
90	striking	[stráikiŋ]	90	[다른 것과 매우 다르고 특이해서] 현저한
91	prominent	[prámənənt]	91	[주변·배후에 있는 것들보다 두드러져] 탁월한
92	conspicuous	[kənspíkjuəs]	92	[누구나 알아볼 만큼 매우 뚜렷해서] 눈에 띄는
93	**fast**	[fæst]	93	**[계속적 동작·운동의 속도가 일정하게] 빠른**
94	quick	[kwik]	94	[한 동작의 시작에서 끝까지 걸리는 시간이] 빠른
95	rapid	[rǽpid]	95	'quick'과 같은 뜻(딱딱한 표현)
96	speedy	[spíːdi]	96	빠른(=quick); 급속한, 신속한
97	prompt	[prɑmpt]	97	[머뭇거리지 않고] 신속한, 기민한; 즉석의
98	**idle**	[áidl]	98	**[할 일이 없거나 본인의 게으름으로] 빈둥거리고 있는**
99	indolent	[índələnt]	99	[날 때부터 비활동적이고 일하기를 싫어해서] 게으른
100	lazy	[léizi]	100	[성격적·습관적으로 지독히] 게으른

1	**careful**	[kéərfəl]	1	신중한(잘못·손해를 피하고 완벽을 기하려 주의하는)
2	cautious	[kɔ́:ʃəs]	2	주의 깊은(발생 가능성 있는 위험에 대해 매우 경계하는)
3	discreet	[diskrí:t]	3	분별 있는, 신중한(강하게 자제하는)
4	wary	[wéəri]	4	[위험·계략 등을 탐지하기 위해] 경계하는, 신중한
5	**serious**	[síəriəs]	5	진지한(정말 중요한 일에 진지하게 관심을 가지는)
6	earnest	[ɔ́:rnist]	6	성실한(어떤 일에 성실하고 열의 있게 임하는)
7	sober	[sóubər]	7	[용모·말·태도 등이 경박하지 않고] 침착한, 진실한
8	solemn	[sáləm]	8	[경외감을 가지게 할 만큼] 엄숙한, 근엄한
9	grave	[greiv]	9	근엄한, 진지한; 근심스러운
10	**empty**	[émpti]	10	텅 빈, 공허한, 비어있는
11	vacant	[véikənt]	11	[사용할 수 있도록] 비어있는↔occupied(사용 중인)
12	**cheap**	[tʃi:p]	12	[질이 낮고] 값싼; 싸구려의
13	inexpensive	[inikspénsiv]	13	[품질에 비해] 값이 싼 (=low-priced)
14	**polite**	[pəláit]	14	[말·태도·행동이 단지 예의상] 공손하고 정중한
15	courteous	[kɔ́:rtiəs]	15	[마음에서 우러난 진심을 담아] 공손하고 정중한
16	civil	[sívəl]	16	[무례함을 보이지 않을 만큼 최소한의] 예의를 지키는
17	**rude**	[ru:d]	17	[남의 기분을 고의로 무시하고] 버릇없는, 무례한
18	discourteous	[diskɔ́:rtiəs]	18	'rude'와 비슷하나 친절함·품위가 없음 암시
19	impolite	[impəláit]	19	[사교상의 예절을 지키지 않아] 버릇없는, 무례한
20	ill-mannered	[í:lmǽnərd]	20	[버릇없이 자라거나 경험 부족으로] 예의를 모르는
21	ungracious	[ʌngréiʃəs]	21	[경험 부족·자기의 기분 때문에] 불친절한
22	**proud**	[praud]	22	[합당한 자존심으로; 남을 얕보고] 거만한
23	arrogant	[ǽrəgənt]	23	[자신의 권력·지위를 믿고 필요 이상으로] 거드럭거리는
24	haughty	[hɔ́:ti]	24	[가문·지위·계급 등을 믿고 남들을] 깔보는, 오만한
25	insolent	[ínsələnt]	25	[아랫사람이 윗사람에게] 무례한, 거만한

26	**frank**	[fræŋk]	26	솔직한(자신의 생각·느낌을 서슴없이 표명하는)
27	candid	[kǽndid]	27	노골적인(듣는 이가 당황할 만큼 직구의)
28	open	[óupən]	28	솔직한(꾸미거나 숨기거나 체면치레가 없는)
29	outspoken	[áutspóukən]	29	거리낌 없는(가리지 않고 숨김없이 말하는)
30	straightforward	[strèitfɔ́:rwərd]	30	솔직한(돌려 말하지 않고 직구로 말하는)
31	**ingenuous**	[indʒénju:əs]	31	순진한(자신의 감정·의도 등을 감추지 못하는)
32	naive	[nɑːíːv]	32	순진한(천진난만하고 세상 물정을 잘 몰라 속기 쉬운)
33	unsophisticated	[ʌ̀nsəfístəkèitid]	33	순진한(경험·훈련 부족으로 생활의 지혜가 없는)
34	artless	[áːrtləs]	34	[남의 이목을 상관치 않아 꾸밈없고] 소박한
35	**complex**	[kámpleks]	35	[여러 부분·요소·개념이 얽혀 있어서] 복잡한
36	complicated	[kámplikèitid]	36	[매우 복잡하게 얽혀 있어서 이해·해결이] 까다로운
37	intricate	[íntrəkit]	37	[작거나 마구 얽혀있어서 식별하기] 난해한
38	involved	[inválvd]	38	[이리저리 뒤얽혀 있어서 혼란하고] 복잡한
39	**comfortable**	[kámfərtəbəl]	39	편안한(장소·의복 등이 안락하고 기분 좋은)
40	cozy	[kóuzi]	40	[폭풍우·추위 등으로부터 보호되어 있어] 아늑한
41	snug	[snʌg]	41	[꼭 필요한 만큼의 것을 갖추고 있어서] 안락한
42	easy	[íːzi]	42	[육체적·정신적 불편함을 주는 요인이 없어] 편안한
43	restful	[réstfəl]	43	휴식을 주는; 평온한
44	**easy**	[íːzi]	44	쉬운(육체적·정신적 노력을 많이 안 들여 할 수 있는)
45	simple	[símpəl]	45	쉬운(전혀 복잡하지 않아 이해·사용·실행이 쉬운)
46	effortless	[éfərtləs]	46	쉬운(별다른 노력이 필요치 않은)
47	**tedious**	[tíːdiəs]	47	[변화가 없고 단조로우며 장황하고] 지루한
48	tiresome	[táiərsəm]	48	[즐겁게 해주는 활기·재미가 없고 답답하고] 지루한
49	dull	[dʌl]	49	[흥미를 끌 만한 부분이 전혀 없이] 지루한
50	boring	[bɔ́:riŋ]	50	[참을 수 없이 답답하고 짜증 나게] 지겨운

51	**calm**	[kɑːm]	51	[날씨·상황이] 잔잔한, 평온한
52	tranquil	[trǽŋkwil]	52	['calm'보다 한층 안정적이고 영속적으로] 평온한
53	serene	[siríːn]	53	[날씨가] 구름 한 점 없는; [사람이] 침착한
54	placid	[plǽsid]	54	침착한(쉽게 화를 내거나 흥분하지 않는)
55	peaceful	[píːsfəl]	55	평화로운(전쟁·싸움·소란과 대조되는 상태)
56	**still**	[stil]	56	[소리도 움직임도 없이] 조용한
57	calm	[kɑːm]	57	[바다에 파도·바람이 없어] 평온한
58	quiet	[kwáiət]	58	[흥분·소란·동요 없이] 평온하고 조용한
59	noiseless	[nɔ́izləs]	59	소리 없는, 고요한
60	silent	[sáilənt]	60	사람의 목소리가 전혀 없는, 침묵의
61	tranquil	[trǽŋkwil]	61	[마음·바다가] 차분한, 평화로운
62	**rich**	[ritʃ]	62	[필요나 욕망을 충족할 수 있는 이상으로] 부유한
63	wealthy	[wélθi]	63	[영속적이고 안정되게 부를 누릴 만큼 충분히] 부유한
64	well-off	[wélɔ́ːf]	64	[안락한 생활을 누리기에 충분할 만큼] 잘 사는
65	well-to-do	[wéltədúː]	65	'well-off'와 같은 뜻의 예스러운 말
66	**enough**	[inʌ́f]	66	[어떤 목적·욕구를 충족시키기에] 충분한
67	sufficient	[səfíʃənt]	67	'enough'와 같은 뜻이나 격식체
68	adequate	[ǽdikwət]	68	[어떤 필요를 부족하지 않을 만큼] 충족시키는
69	ample	[ǽmpl]	69	[필요를 충당하고도 여분이 남을 만큼] 충분한
70	plenty of	[plénti ʌv]	70	'ample'과 같은 뜻
71	**rare**	[rɛər]	71	드문(수·빈도가 매우 적어서 희귀한, ∴가치가 높은)
72	uncommon	[ʌnkámən]	72	[흔히 일어나는 일이 아니므로] 예외적인, 진귀한
73	unusual	[ʌnjúːʒuəl]	73	'uncommon'과 같은 뜻
74	infrequent	[infríːkwənt]	74	희귀한, 드문(어쩌다가 한 번씩 일어나는)
75	scarce	[skɛərs]	75	'infrequent'와 같은 뜻

76	**beautiful**	[bjúːtəfəl]	76	**'아름다운'을 나타내는 가장 일반적 표현**
77	pretty	[príti]	77	[작고 여성적이고 귀여워서] 예쁜
78	lovely	[lʌ́vli]	78	[마음으로부터 애정을 자아낼 만큼] 사랑스러운
79	fair	[fɛər]	79	[신선하고 밝아서] 티 없이 아름다운
80	good-looking	[gúdlúkiŋ]	80	[사람의 용모가 시원스럽게] 아름다운
81	handsome	[hǽnsəm]	81	[주로 남자가 반듯하고 수려하게] 잘 생긴
82	**glad**	[glæd]	82	**기쁜(기쁨으로 마음에 설레는)**
83	happy	[hǽpi]	83	기쁜, 즐거운(소원성취·행운으로 큰 기쁨을 느끼는)
84	delighted	[diláitid]	84	아주 기뻐하는(기뻐하고 있음을 몸짓·말로 표현함)
85	pleased	[pliːzd]	85	[어떤 것에 만족하여] 기뻐하는, 마음에 든
86	cheerful	[tʃíərfəl]	86	[쾌활·명랑하고 늘 낙관적인 기분을 가져서] 기운찬
87	joyful	[dʒɔ́ifəl]	87	[평소 기질로 인해 의기양양하고] 기쁜
88	joyous	[dʒɔ́iəs]	88	[특정 원인으로 인해 의기양양하고] 기쁜
89	**pleasant**	[pléznt]	89	**[사물이] 기분 좋게 해주는, 유쾌한**
90	pleasing	[plíːziŋ]	90	즐거운, 기분 좋은, 유쾌한
91	agreeable	[əgríːəbəl]	91	[기호나 취향에 딱 들어맞아] 기분 좋은
92	enjoyable	[endʒɔ́iəbəl]	92	유쾌한; 즐길 수 있는
93	gratifying	[grǽtəfàiŋ]	93	즐거운, 만족시키는, 유쾌한
94	**exciting**	[iksáitiŋ]	94	**흥분시키는, 자극적인, 몹시 흥취를 자극하는**
95	interesting	[íntəristiŋ]	95	[흥미·관심을 불러일으키는 성질을 가져] 흥미로운
96	amusing	[əmjúːziŋ]	96	[흥미가 있어서 웃음이 나고] 즐거운, 재미있는
97	entertaining	[èntərtéiniŋ]	97	재미있는, 즐거움을 주는
98	funny	[fʌ́ni]	98	익살맞은, 웃기는; 재미있는
99	laughable	[lǽfəbl]	99	웃기는, 터무니없는; 어쭙잖은
100	comic	[kámik]	100	익살스러운, 웃기는

1	**lucky**	[lʌ́ki]	1	[작지만 우연히 좋은 결과를 얻어] 운 좋은
2	fortunate	[fɔ́:rtʃənit]	2	[꽤 크고 영속적인 일이 예상보다 잘 되어] 운이 좋은
3	happy	[hǽpi]	3	행운의; [행운으로] 기쁜, 행복에 가득 찬
4	providential	[prɑ̀vədénʃəl]	4	천우의(신적인 힘에 의해 좋은 결과를 얻은)
5	**satisfied**	[sǽtisfàid]	5	[요구·희망이 충분히 채워져] 만족한, 흡족한
6	satisfactory	[sæ̀tisfǽktəri]	6	[필요한 만큼 충분히] 만족한; 납득이 가는
7	content	[kəntént]	7	[다소 불만은 있지만 아쉬운 대로] 만족(감수)하는
8	**disappointed**	[dìsəpɔ́intid]	8	[일이 자기의 바람대로 되지 않아] 실망한
9	discouraged	[diskə́:ridʒd]	9	[용기·자신감·의욕 등을 잃고서] 낙심한
10	distressed	[distrést]	10	[정신적·육체적 고통·괴로움으로] 고뇌에 지친
11	**gloomy**	[glú:mi]	11	[날씨·환경·분위기가] 음울한; [사람이] 울적해 하는
12	depressed	[diprést]	12	[좋지 않은 여건이나 결과로] 우울한, 의기소침한
13	melancholy	[mélənkɑ̀li]	13	[습관적·체질적으로] 우울(울적)해 하는
14	blue	[blu:]	14	희망이 없고 슬픈(서술적 용법으로만 쓰임)
15	**close**	[klous]	15	[사이사이에 빈틈이 없이] 조밀한
16	thick	[θik]	16	숱이 많은, 빽빽한; [액체 등이] 진한, 걸쭉한
17	dense	[dens]	17	밀집한, 조밀한; [액체 등이] 진한, 걸쭉한
18	compact	[kəmpǽkt]	18	[좁은 공간에] 빽빽이 들어찬, 밀집한
19	strong	[strɔ:ŋ]	19	[맛·냄새 등이] 강한, 진한; [알코올 도수가] 높은
20	**weak**	[wi:k]	20	[정신적·물리적·육체적·도덕적인 면에서] 약한
21	feeble	[fí:bəl]	21	[경멸이나 동정심을 자아낼 만큼] 연약한
22	frail	[freil]	22	[태생적·근본적으로 약해서] 부서지기 쉬운; 연약한
23	infirm	[infɔ́:rm]	23	[신체적으로] 약한; 쇠약한; 마음이 약한
24	**eager**	[í:gər]	24	[어떤 것을 하고 싶거나 갖고 싶어] 매우 열심인
25	anxious	[ǽŋkʃəs]	25	[얻을 수 없을지도 모른다는 걱정을 하며] 갈망하는

26	**embarrassed**	[imbǽrəst]	26	[실수·창피한 상황 때문에] 무안한, 당혹스러운
27	ashamed	[əʃéimd]	27	[범죄·나쁜 짓 등에 대해서] 부끄럽게 여기는
28	**damp**	[dæmp]	28	[춥고 불쾌하게 느낄 정도로] 축축한, 습한
29	humid	[hjúːmid]	29	무덥고 습기가 많은
30	moist	[mɔist]	30	[알맞게] 촉촉한
31	**stiff**	[stif]	31	[움직일 수 없을 만큼] 경직된, 뻣뻣한
32	solid	[sálid]	32	[속이 꽉 차고 단단하고 견고해서] 튼튼한, 딱딱한
33	tough	[tʌf]	33	단단하고 질긴
34	hard	[hɑːrd]	34	[자르거나 구부리거나 쪼갤 수 없이] 굳세고 단단한
35	firm	[fəːrm]	35	견고한(고무처럼 다른 형태로 변형시키기 어려운)
36	rigid	[rídʒid]	36	굳은, 단단한, 휘어지지 않는
37	inflexible	[infléksəbəl]	37	구부러지지(굽지) 않는; 불굴의; 강직한
38	**severe**	[sivíər]	38	엄한, 가혹한(엄격해서 관용·타협을 허용치 않는)
39	stern	[stəːrn]	39	[말·조처 따위가] 준엄한, 용서 없는
40	strict	[strikt]	40	엄한; 엄밀한(규칙·기준·조건 등에 완전히 일치하는)
41	austere	[ɔːstíər]	41	엄한; [검소하고 자제하며] 금욕적인
42	**fit**	[fit]	42	[어떤 목적·용도에 필요한 것들을 갖추고 있어] 알맞은
43	suitable	[súːtəbəl]	43	[특정한 요구·조건·상황에] 알맞은, 어울리는
44	apt	[æpt]	44	'suitable'과 같은 말
45	proper	[prápər]	45	[본래의 성질·조건 등이 목적·용도에] 합당한, 적당한
46	appropriate	[əpróuprièit]	46	안성맞춤의, 딱 어울리는; 시의적절한
47	**artificial**	[àːrtəfíʃəl]	47	인조의(천연재료가 아닌 인공재료로 만든)
48	man-made	[mǽnméid]	48	인공의(사람의 손으로 만든); 합성의
49	**envious**	[énviəs]	49	부러워하는; 질투심이 강한
50	jealous	[dʒéləs]	50	부러워하는(이 뜻으로는 보통 이 말을 쓴다.)

51	**bad**	[bæd]	51	'나쁜'의 의미로 가장 널리 쓰이는 말
52	evil	[í:vəl]	52	[도덕적으로] 나쁜, 악한, 흉악한(bad보다 더 악한)
53	wicked	[wíkid]	53	악한, 사악한; 심술궂은, 장난기 있는
54	**tasty**	[téisti]	54	맛있는 (=good)
55	delicious	[dilíʃəs]	55	향기나 맛이 매우 좋은(=very tasty)
56	**legal**	[lí:gəl]	56	합법의, 적법한, 정당한
57	lawful	[lɔ́:fəl]	57	합법의, 적법의, 정당한
58	**illegal**	[ilí:gəl]	58	불법의, 위법의
59	illegitimate	[ìlidʒítəmit]	59	불법의, 위법의
60	**total**	[tóutl]	60	전체의(관계되는 모든 것을 합친)
61	gross	[grous]	61	[공제할 부분을 공제하지 않은 상태에서] 총계의
62	entire	[entáiər]	62	[빠진 부분이 없이 다 갖추어진] 전체의, 온전한
63	whole	[houl]	63	[제외되거나 무시된 부분이 전혀 없이] 전부의
64	**chief**	[tʃi:f]	64	[지위·계급·권력·중요성 등에서] 으뜸인, 최고의
65	main	[mein]	65	주된(전체의 구성요소 중 크기·세력 등이 가장 큰)
66	leading	[lí:diŋ]	66	[남을 지도하는 위치에서] 선도하는; 주요한, 주된
67	principal	[prínsəpəl]	67	주요한; 제1의(실력·영향력·역할이 중심적인)
68	major	[méidʒər]	68	주요(중요)한(둘로 나눠 볼 때 중요도가 더 큰)
69	capital	[kǽpitl]	69	[중요도·우수성 등이 동종의 것들 중] 최고인
70	foremost	[fɔ́:rmòust]	70	맨 먼저의, 최초의(선두에 앞서 나아가고 있는)
71	**temporary**	[témpərèri]	71	일시적인, 임시변통의(오래가지 않을 것인)
72	momentary	[móuməntèri]	72	순간의, 잠깐의, 일시적인(불과 한 순간만 지속되는)
73	transient	[trǽnʃənt]	73	일시적인; 순간적인(일시적으로만 지속되는)
74	transitory	[trǽnsətɔ̀:ri]	74	일시적인, 덧없는(그 자체의 성질상 곧 사라지는)
75	provisional	[prəvíʒənəl]	75	일시적인, 임시의(확정되지 않아 언제든 변할 수 있는)

76	**impudent**	[ímpjədənt]	76	[손윗사람에게 언동이] 무례하고 건방진
77	cheeky	[tʃíːki]	77	'impudent'의 구어체 표현
78	shameless	[ʃéimlis]	78	[겸손·양심·체면에 아랑곳 않고] 뻔뻔스러운
79	saucy	[sɔ́ːsi]	79	[손윗사람에게 존경심을 보이지 않고] 건방진
80	barefaced	[béərfèist]	80	[자신의 잘못에 아랑곳 않고] 극도로 철면피한
81	**economy**	[ikánəmi]	81	**경제적인, 덕용의(=bulk), 싼**
82	economical	[ìːkənámikəl]	82	경제적인(비용이 싸게 먹히는)
83	economic	[ìːkənámik]	83	경제의(경제에 관련된), 경제상의, 경제학의
84	**fashionable**	[fǽʃənəbəl]	84	**[의복·모양·물건 등이] 유행하는**
85	prevailing	[privéiliŋ]	85	널리 행해지고 있는, 유행하고 있는
86	prevalent	[prévələnt]	86	[널리] 보급된, 널리 행해지는; 유행하고 있는
87	current	[kɔ́ːrənt]	87	현재 통용하고 있는; 현행의
88	**strange**	[streindʒ]	88	**이상한; 낯선, [눈·귀에 익숙지 않아] 생소한**
89	singular	[síŋgjələr]	89	[많이 이상해서] 기묘한, 야릇한
90	odd	[ad]	90	기묘한, 이상한, 뜻밖의; 색다른
91	peculiar	[pikjúːljər]	91	[다른 것과 구별되어] 독특한, 고유의, 특이한
92	queer	[kwiər]	92	이상한; 색다른, 괴상한; 명남성 동성애자
93	quaint	[kweint]	93	기묘한, 기이한; 색다르고 재미있는
94	abnormal	[æbnɔ́ːrməl]	94	보통과 다른, 정상이 아닌; 변태의, 병적인
95	eccentric	[ikséntrik]	95	보통과 다른, 괴상한, 괴짜인
96	**opposite**	[ápəzit]	96	**[위치·방향·행동·성질 등이] 정반대의, 맞은편의**
97	contrary	[kántreri]	97	반대의(의견·생각·의도 등이 극도로 대립된)
98	reverse	[rivɔ́ːrs]	98	[위치·순서·방향이] 반대의, 거꾸로의
99	**ready to**	[rédi tu]	99	**[적극적으로 자원하는 마음으로] 기꺼이 ~하다**
100	willing to	[wíliŋ tu]	100	[원한다면] 기꺼이 ~하다

Chapter 04

절대 필수 부사
850

1	**여기, 여기로**	1	[over] **here**
2	저기, 저기에; 거기, 거기에	2	[over] there
3	여기저기에	3	here and there
4	어디에	4	where
5	어딘가에(로)	5	somewhere
6	어디에나, 도처에	6	everywhere
7	어디에도(부정문), 어디엔가(의문문)	7	anywhere
8	아무 데도 ~ 없다	8	nowhere
9	[상대적으로] 위쪽에(으로)	9	above
10	[상대적으로] 아래에, 아래로	10	below
11	[떨어져서] 바로 위에	11	over
12	[떨어져서] 바로 밑에	12	under
13	[접촉해서] ~ 위에 전	13	on ~
14	[접촉해서] ~ 바로 밑에 전	14	beneath ~
15	위로, 위쪽으로	15	up
16	아래로, 아래쪽으로	16	down
17	오른쪽으로	17	right
18	왼쪽으로	18	left
19	~의 옆에 전	19	beside ~
20	~의 옆에 전	20	next to ~
21	~의 옆에 전	21	alongside ~
22	~의 옆에 전	22	by ~
23	가까이, 근방에	23	near
24	곁으로; 떨어져서	24	aside
25	사이에	25	between

26	멀리, 먼 곳으로	26	far
27	떨어져서, 멀리, 저쪽으로	27	away
28	멀리 떨어져	28	far away
29	저 멀리, 먼 곳에	29	in the distance
30	전방에(으로)/앞에(으로)	30	ahead / before
31	뒤에	31	behind
32	앞에, 앞으로, 전방으로	32	forward
33	뒤에, 뒤로, 후방으로	33	backward
34	구석에	34	in the corner
35	모퉁이에	35	at the corner
36	안에, 안으로	36	in
37	밖에, 밖으로	37	out
38	내부에, 내부로, 실내에서	38	inside [ínsáid]
39	밖에, 밖으로, 집밖에서	39	outside [áutsáid]
40	[안팎을] 뒤집어서	40	inside out
41	[위아래를] 뒤집어서	41	upside down
42	주위에, 주변에, 사방에	42	around
43	가운데에	43	in the middle
44	곧장, 똑바로; 곧바로	44	straight [streit]
45	2층(위층)에(으로, 에서)	45	upstairs [ʌ́pstéərz]
46	아래층에(으로, 에서)	46	downstairs [dáunstéərz]
47	도심지에서(로)	47	downtown [dáuntáun]
48	교외(근교)에서	48	in the suburbs [sʌ́bə:rbz]
49	해외로(에, 에서)	49	overseas [óuvərsí:z]
50	해외로(에, 에서)	50	abroad [əbrɔ́:d]

51	**지금, 현재; 지금 곧, 바로**	51	**now**
52	지금, 현재	52	at the moment
53	다음에	53	next
54	[지금으로부터] ~ 전에	54	~ ago
55	[지금으로부터] ~ 후에 ㉋	55	in ~
56	[지금으로부터] ~ 안에 ㉋	56	within ~
57	[지금·그때보다] 전에	57	before
58	[지금보다] 뒤에, 나중에	58	later
59	그때 이전에	59	before that time(then)
60	제때에, 마침맞은 시간에	60	just on time
61	시간에 [가까스로] 딱 맞춰서	61	just in time
62	**이윽고, 곧, 이내; 빨리**	62	**soon** [su:n]
63	이내, 곧	63	presently [prézəntli]
64	머지않아, 곧	64	by and by
65	곧, 얼마 안 되어	65	in a little while
66	**[동작을] 빠르게, 급히**	66	**quickly** [kwíkli]
67	[뜸들이지 않고] 신속히, 재빠르게; 즉시	67	promptly [prámptli]
68	[뜸들이지 않고] 곧, 바로, 즉시	68	immediately [imí:diətli]
69	[뜸들이지 않고] 당장에, 즉각, 즉시	69	instantly [ínstəntli]
70	[뜸들이지 않고] 즉시, 당장, 지체 없이	70	at once
71	[뜸들이지 않고] 즉시, 당장, 지체 없이	71	straight away
72	[뜸들이지 않고] 즉시, 당장, 지체 없이	72	right away
73	[뜸들이지 않고] 그 자리에서, 즉석에서	73	offhand [ɔ́:fhǽnd]
74	미리, 사전에, 전부터	74	beforehand [bifɔ́:rhǽnd]
75	미리, 앞당겨, 사전에	75	in advance [in ædvǽns]

76	뒤에, 나중에, 그 후	76	afterward [ǽftərwərd]
77	**동시에**	**77**	**at the same time**
78	동시에	78	simultaneously [sàiməltéiniəsli]
79	이미, 벌써	79	already [ɔ:lrédi]
80	아직(부정문); 이미(의문문)	80	yet
81	아직[도], 여전히; 지금도 계속	81	still
82	일찍이, 일찍부터, 일찌감치	82	early
83	오랜 뒤에	83	long after
84	늦게, 뒤늦게, 더디게	84	late
85	오늘	85	today
86	오늘 아침에	86	this morning
87	정오에	87	at noon
88	오늘 오후에	88	this afternoon
89	오늘 저녁에	89	this evening
90	밤중에	90	at night
91	오늘 밤에	91	tonight
92	요즈음	92	[in] these days
93	현재에는, 오늘날에는	93	nowadays
94	요즈음, 최근	94	lately(보통 부정문·의문문에 완료시제로 씀)
95	최근; 바로 얼마 전	95	recently(완료형·과거형에 모두 쓸 수 있음)
96	이번 주에	96	this week
97	이번 달에	97	this month
98	올해에	98	this year
99	어제	99	yesterday
100	어제 아침에	100	yesterday morning

1	어제 오후에	1	yesterday afternoon
2	어제 저녁에	2	yesterday(last) evening
3	어젯밤에, 지난밤에	3	last night
4	밤새껏, 밤새도록	4	overnight
5	지난주에	5	last week
6	지난달에	6	last month
7	작년에	7	last year
8	내일	8	tomorrow
9	내일 아침에	9	tomorrow morning
10	내일 오후에	10	tomorrow afternoon
11	내일 저녁에	11	tomorrow evening
12	내일 밤에	12	tomorrow night
13	내주에, 다음 주에	13	next week
14	내달에, 다음 달에	14	next month
15	내년에, 다음 해에	15	next year
16	그저께	16	the day before yesterday
17	[지금부터] 3일 전에	17	three days ago
18	모레	18	the day after tomorrow
19	글피에, 3일 후에	19	two days after tomorrow
20	[지금부터] 3일 후에	20	three days later, in three days
21	**[과거·미래의] 그때 이전에**	21	**before then**
22	[과거·미래의] 그때 이전에	22	before that time
23	[과거·미래의] 그 이후에	23	after that
24	뒤에, 나중에, 그 후에	24	afterward[s]
25	나중에, 현재 이후에	25	later on

26	지금부터 쭉	26	from now on
27	[과거·미래의] 그때, 그때에는	27	**then**
28	[과거·미래의] 그때, 그때에는	28	at the time
29	[과거·미래의] 그때, 그때에는	29	at that moment
30	[과거·미래의] 그날	30	that day
31	[과거·미래의] 그날 아침에	31	that morning
32	[과거·미래의] 그날 오후에	32	that afternoon
33	[과거·미래의] 그날 저녁에	33	that evening
34	[과거·미래의] 그날 밤에	34	that night
35	[과거·미래의] 그 당시에	35	in those days
36	[과거·미래의] 그 주에	36	that week
37	[과거·미래의] 그 달에	37	that month
38	[과거·미래의] 그 해에	38	that year
39	[과거·미래의] 그 전날에	39	**the day before**
40	[과거·미래의] 그 전날에	40	the previous day
41	[과거·미래의] 그 전날 아침(오전)에	41	**the morning before**
42	[과거·미래의] 그 전날 아침(오전)에	42	the previous morning
43	[과거·미래의] 그 전날 오후에	43	**the afternoon before**
44	[과거·미래의] 그 전날 오후에	44	the previous afternoon
45	[과거·미래의] 그 전날 저녁에	45	**the evening before**
46	[과거·미래의] 그 전날 저녁에	46	the previous evening
47	[과거·미래의] 그 전날 밤에	47	**the night before**
48	[과거·미래의] 그 전날 밤에	48	the previous night
49	[과거·미래의] 그 전 주에	49	**the week before**
50	[과거·미래의] 그 전 주에	50	the previous week

51	**[과거·미래의] 그 전 달에**	51	**the month before**
52	[과거·미래의] 그 전 달에	52	the previous month
53	**[과거·미래의] 그 전 해에**	53	**the year before**
54	[과거·미래의] 그 전 해에	54	the previous year
55	**[과거·미래의] 그 다음 날에**	55	**the next day**
56	[과거·미래의] 그 다음 날에	56	the following day
57	**[과거·미래의] 그 다음 날 아침(오전)에**	57	**the next morning**
58	[과거·미래의] 그 다음 날 아침(오전)에	58	the following morning
59	**[과거·미래의] 그 다음 날 오후에**	59	**the next afternoon**
60	[과거·미래의] 그 다음 날 오후에	60	the following afternoon
61	**[과거·미래의] 그 다음 날 저녁에**	61	**the next evening**
62	[과거·미래의] 그 다음 날 저녁에	62	the following evening
63	**[과거·미래의] 그 다음 날 밤에**	63	**the next night**
64	[과거·미래의] 그 다음 날 밤에	64	the following night
65	**[과거·미래의] 그 다음 주에**	65	**the next week**
66	[과거·미래의] 그 다음 주에	66	the following week
67	**[과거·미래의] 그 다음 달에**	67	**the next month**
68	[과거·미래의] 그 다음 달에	68	the following month
69	**[과거·미래의] 그 다음 해에**	69	**the next year**
70	[과거·미래의] 그 다음 해에	70	the following year
71	[과거·미래의 어떤 날의] 이틀 전에	71	two days before
72	[과거·미래의 어떤 날의] 사흘 전에	72	three days before
73	[과거·미래의 어떤 날의] 이틀 후에	73	after two days
74	[과거·미래의 어떤 날의] 사흘 후에	74	after three days
75	[과거·미래의] 그때 이전에	75	before then

76	[과거·미래의] 그때 이전에		76	before that time	
77	[과거·미래의] 그때 이후에		77	after that	
78	[과거·미래의] 그때 이후로 쭉		78	from then on	
79	[과거·과거이전의] 그때 이후로 기준시간 까지		79	since [then]	
80	매일, 날마다		80	daily	[déili]
81	매주; 주 1회		81	weekly	[wí:kli]
82	한 달에 한 번; 다달이		82	monthly	[mʌ́nθli]
83	매년, 해마다; 1년에 한 번		83	yearly	[jíərli]
84	매년, 해마다; 1년에 한 번		84	annually	[ǽnjuəli]
85	[미래의] 언젠가		85	someday	[sʌ́mdèi]
86	[과거의] 언젠가		86	one day	[wʌ́n dèi]
87	우선, 다른 무엇보다 먼저		87	first of all	[fə́:rst əv ɔ́:l]
88	지금까지는		88	so far	[sóu fàr]
91	영원히; 끊임없이, 언제나		91	forever	[fərévər]
92	영원히; 끊임없이, 언제나		92	for good	[fɔ:r gúd]
93	영원히; 끊임없이, 언제나		93	eternally	[itə́:rnəli]
94	영원히; 끊임없이, 언제나		94	everlastingly	[èvərlǽstiŋli]
95	영원히; 끊임없이, 언제나		95	permanently	[pə́:rmənəntli]
89	항상, 언제나		89	at all times	[æt ɔ́:l tàimz]
90	변함없이; 항상; 끊임없이		90	constantly	[kɑ́nstəntli]
96	도중에, 어중되게		96	halfway	[hǽfwéi]
97	끝까지		97	to the end(last)	[tu ði énd(læst)]
98	최후에[는], 드디어, 결국은		98	eventually	[ivéntʃuəli]
99	최후로; 마지막에; 마침내, 결국		99	finally	[fáinəli]
100	[길게 보았을 때] 결국에는		100	in the long run	[in ðə lɔ́:ŋ rʌ̀n]

절대 필수 기초부사 3: 방법 부사 1

1	절대적으로; 정말로; 물론이죠	1	**absolutely**	[æbsəlúːtli]
2	분명히, 명백히; 물론이죠	2	definitely	[défənitli]
3	확실히, 꼭; 반드시; 물론이죠	3	certainly	[sə́ːrtənli]
4	확실히, 꼭; 반드시; 물론이죠	4	surely(=sure)	[ʃúərli]
5	틀림없이, 확실히	5	undoubtedly	[ʌndáutidli]
6	의심의 여지없이; 물론	6	beyond doubt	[bijànd dáut]
7	분명히, 명백히, 확실히	7	obviously	[ábviəsli]
8	정확하게, 엄밀히; 틀림없이	8	exactly	[igzǽktli]
9	바로, 정확히; 틀림없이	9	precisely	[prisáisli]
10	**분명히, 명백히; 듣자(보아) 하니**	10	apparently	[əpǽrəntli]
11	분명히, 명백히; 눈에 띄게	11	evidently	[évidəntli]
12	**참으로, 진실로; 올바르게; 확실히**	12	**truly**	[trúːli]
13	참으로, 정말, 실로	13	really	[ríːəli]
14	실은, 실제는, 정말로	14	in reality	[in riːǽləti]
15	사실은; 실제로	15	actually	[ǽktʃuəli]
16	참으로, 사실은	16	in truth	[in truːθ]
17	사실상, 실질적으로	17	virtually	[və́ːrtʃuəli]
18	실제적으로; 사실상	18	practically	[prǽktikəli]
19	굳게, 단단히, 견고하게; 단호하게	19	firmly	[fə́ːrmli]
20	약간, 조금; 살짝	20	slightly	[sláitli]
21	대단히, 매우, 엄청나게	21	enormously	[inɔ́ːrməsli]
22	글자 뜻 그대로; 문자 그대로	22	literally	[lítərəli]
23	전에[는], 본래는; 사전에, 먼저, 미리	23	previously	[príːviəsli]
24	그렇게, 그대로; 매우	24	so	[sou]
25	~에 따르면; ~에 따라서	25	according to~	[əkɔ́ːrdiŋ tu]

26	특히, 각별히, 특별히		26	**especially**	[ispéʃəli]
27	[그중에서도] 특히, 현저히		27	particularly	[pərtíkjələrli]
28	[그중에서도] 특히, 현저히		28	in particular	[in pərtíkjələr]
29	별로, 딱히, 그다지		29	not particularly	[nát pərtíkjələrli]
30	호기심에서; 묘하게도		30	curiously	[kjúəriəsli]
31	~하기 위해서, ~하려고		31	in order to~	[in ɔ́:rdər to]
32	~에 관해서는(라면)		32	as to~	[æz tu]
33	~에 대해 말하자면		33	as for~	[æz fɔ:r]
34	어떤 의미로는		34	in a way	[in əwéi]
35	그러고 보니, 생각해 보니까		35	come to think of it	[kʌ́m tu θiŋk əv it]
36	그것도		36	at that	[æt ðǽt]
37	그것도		37	to boot	[tu bú:t]
38	결코 ~않다		38	never	[névər]
39	~에 지나지 않는다 떼		39	nothing but~	[nʌ́θiŋ bʌt]
40	아무도 ~하지 않는다 떼		40	no one~	[nóu wʌn]
41	**더 이상 ~않다**		41	**no more**	[nóu mɔ́:r]
42	더 이상 ~않다		42	no longer	[nóu lɔ́:ŋər]
43	다른 ~이 없다 떼		43	no other~	[nóu ʌ́ðər]
44	그런 일(것)은 없다 떼		44	no such things	[nóu sʌtʃ θíŋz]
45	방법이 없다명; 말도 안 돼!		45	no way; No way!	[nóu wéi]
46	이유가 없다명		46	no reason	[nóu rí:zən]
47	그다지 ~않다		47	not very	[nɑt véri]
48	아직 ~않다		48	not yet	[nɑt jét]
49	반드시 ~인 것은 아니다		49	not always	[nɑt ɔ́:lweiz]
50	아무도(아무것도) ~않다		50	none	[nʌn]

51	바로, 단지, 다만 ~만	51	**only**	[óunli]
52	정확히, 꼭; 방금; 다만	52	just	[dʒʌst]
53	단지, 그저, 다만	53	merely	[míərli]
54	오직; 그저[단지] ~일 뿐인	54	nothing but	[nʌ́θiŋ bʌt]
55	단지 (s+v)라는 이유만으로	55	**only/just because+**(S+V)	
56	단지 (S+V)라는 이유만으로	56	simply because+(S+V)	
57	단지 (S+V)라는 이유만으로	57	merely because+(S+V)	
58	대개는(주로) (s+v)이기 때문에	58	largely because+(S+V)	
59	대개는(주로) (S+V)이기 때문에	59	mostly because+(S+V)	
60	(S+V)라서 그런지	60	probably because+(S+V)	
61	일반적으로; 보통, 대개	61	**generally**	[dʒénərəli]
62	일반적으로; 보통, 대개	62	in general	[in dʒénərəl]
63	기본적(근본적)으로; 원래	63	basically	[béisikəli]
64	전체적으로 보아, 대체로	64	on the whole	[ɑn ðəhoul]
65	전문적으로; 전문용어로 말하자면	65	technically	[téknikəli]
66	우연히, 뜻밖에	66	**accidentally**	[ǽksədéntəli]
67	우연히, 뜻밖에	67	by accident	[bai ǽksidənt]
68	그 대신에, 그보다도	68	instead	[instéd]
69	목적을 갖고, 고의로, 일부러	69	**purposely**	[pə́:rpəsli]
70	목적을 갖고, 고의로, 일부러	70	on purpose	[ɑn pə́:rpəs]
71	계획적으로, 고의로, 일부러	71	intentionally	[inténʃənəli]
72	직접적으로; 똑바로; 즉시, 곧	72	**directly**	[diréktli]
73	간접적으로; 에둘러서, 부차적으로	73	indirectly	[ìndiréktli]
74	가장, 가장 많이('much'의 최상급)	74	**most**	[moust]
75	가장, 가장 좋게 ('well'의 최상급)	75	best	[best]

76	잘, 훌륭하게, 능숙하게 적절히	76	well	[wel]
77	전혀	77	at all	[æt ɔ́:l]
78	**~에 뒤이어[~을 뒤따라]**	78	**in the wake of ~**	
79	~에 뒤이어[~을 뒤따라]	79	as a result of ~	
80	다시, 또, 다시 한번	80	again	[əgén]
81	다음과 같이	81	as follows	[æz fálouz]
82	**똑같이, 마찬가지로**	82	**likewise**	[láikwàiz]
83	똑같이, 마찬가지로	83	alike	[əláik]
84	똑같이, 동등하게	84	equally	[í:kwəli]
85	똑같이, 동등하게	85	the same	[ðə séim]
86	다르게, 같지 않게; 달리	86	differently	[dífərəntli]
87	홀로, 단독으로; 남의 힘을 빌리지 않고	87	alone	[əlóun]
88	남들과 함께	88	with others	[wið ʌ́ðərz]
89	떨어져서; 따로따로	89	apart	[əpá:rt]
90	함께, 같이, 동반해서	90	together	[təgéðər]
91	소리를 내어	91	aloud	[əláud]
92	속삭여서	92	in a whisper	[in ə wíspər]
93	빨리, 신속히; 꽉, 굳게	93	fast	[fæst]
94	**느릿느릿, 천천히; 느리게**	94	**slow(구어체)**	[slou]
95	느릿느릿, 천천히; 느리게	95	slowly	[slóuli]
96	대단히, 몹시; 나쁘게; 서투르게	96	badly	[bǽdli]
97	열심히, 간절히	97	eagerly	[í:gərli]
98	무관심하게, 냉담히	98	indifferently	[indífərəntli]
99	다행히도	99	fortunately	[fɔ́:rtʃənətli]
100	불행히도, 공교롭게도	100	unfortunately	[ʌnfɔ́:rtʃənitli]

1	그 위에, 게다가, 더욱이	1	**further**	[fɔ́:rðər]
2	게다가; 그 밖에, 따로	2	besides	[bisáidz]
3	더군다나, 그 위에, 더구나	3	furthermore	[fɔ́:rðərmɔ̀:r]
4	그 위에, 더욱이, 또한	4	moreover	[mɔ:róuvər]
5	그런 까닭에, 따라서; 그 결과	5	**therefore**	[ðéərfɔ̀:r]
6	그런 까닭에, 따라서; 그 결과	6	consequently	[kánsikwèntli]
7	아무리 ~하더라도; 그러나	7	however	[hauévər]
8	**그런데, 그건 그렇고**	8	**by the way**	[bái ðəwéi]
9	그런데, 그건 그렇고	9	incidentally	[ìnsədéntli]
10	딴 방법으로; 만약 그렇지 않으면	10	otherwise	[ʌ́ðərwàiz]
11	**어쨌든, 여하튼; 어차피**	11	**anyway**	[éniwèi]
12	어쨌든, 여하튼; 어떻게 하든	12	anyhow	[énihàu]
13	어쨌든, 어떤 일이 있어도	13	in any case	[in éni kéis]
14	**그럼에도 불구하고**	14	**nevertheless**	[nèvərðəlés]
15	그럼에도 불구하고	15	nonetheless	[nʌ̀nðəlés]
16	**짧게, 간단히; 잠시**	16	**briefly**	[brí:fli]
17	짧게 말해서, 요약하자면	17	briefly speaking	[brí:fli spí:kiŋ]
18	짧게 말해서, 요약하자면	18	in short	[in ʃɔ́:rt]
19	대개는, 보통은; 주로	19	mostly	[móustli]
20	완전히, 전적으로	20	altogether	[ɔ̀:ltəgéðər]
21	어느 정도, 약간, 다소	21	somewhat	[sʌ́mhwàt]
22	거의, 대략, 이쪽저쪽	22	more or less	[mɔ́:r ɔ:r lés]
23	~도 역시(긍정문); 너무	23	too	[tu:]
24	~도 또한 아니다(부정문 뒤)	24	either	[í:ðər]
25	둘 중 어느 쪽의 …도 ~아니다	25	neither	[ní:ðər]

26	한 번		26	**once**	[wʌns]
27	두 번		27	twice	[twais]
28	세 번		28	three times	[θri: táimz]
29	여러 번		29	many times	[méni táimz]
30	완전히, 아주; 꽤; 확실히		30	**quite**	[kwait]
31	꽤, 상당히; 공평히; 적절하게		31	fairly	[féərli]
32	꽤, 상당히		32	rather	[rǽðər]
33	비교적; 꽤, 상당히		33	comparatively	[kəmpǽrətivli]
34	비교적		34	relatively	[rélətivli]
35	실로, 참으로; 과연, 정말		35	indeed	[indí:d]
36	거의 ~않다; 좀처럼 ~않다		36	little	[lítl]
37	조금은, 다소는		37	a little	[əlítl]
38	적지 않게, 크게		38	not a little	[nát əlítl]
39	늘, 언제나, 항상(100%)		39	**always** (빈도부사)	[ɔ́:lweiz]
40	보통, 일반적으로(90%)		40	usually	[júːʒuəli]
41	종종, 때때로, 빈번히(80%)		41	frequently	[frí:kwəntli]
42	자주, 종종, 가끔(70%)		42	often	[ɔ́:ftən]
43	때때로, 때로는, 이따금(50%)		43	sometimes	[sʌ́mtàimz]
44	이따금, 가끔, 왕왕(30%)		44	occasionally	[əkéiʒənəli]
45	거의 ~아니다(않다)(10%)		45	hardly	[háːrdli]
46	거의 ~아니다(않다)(10%)		46	scarcely	[skéərsli]
47	드물게, 좀처럼 …않는다(5%)		47	seldom	[séldəm]
48	드물게, 좀처럼 …않는다(5%)		48	rarely	[réərli]
49	한 번도 ~[한 적이] 없다(0%)		49	never	[névər]
50	거의, 거반, 대체로		50	almost	[ɔ́:lmoust]

51	잇따라, 연속적(계속적)으로	51	**continuously**	[kəntínjuəsli]
52	쉬지 않고, 계속해서	52	on and on	[án æn án]
53	**되풀이하여, 몇 번이고**	53	**repeatedly**	[ripí:tidly]
54	되풀이하여, 반복해서	54	over and over again	[óuvər æn óuvər əgén]
55	교대로, 번갈아	55	one after the other	[wán æftər ði ʌ́ðər]
56	그 외에, 그 밖에, 달리	56	else	[els]
57	~조차[도], ~라도; 한층 더	57	even	[í:vən]
58	**갑자기, 불시에, 느닷없이**	58	**suddenly**	[sʌ́dnli]
59	갑자기, 불시에, 느닷없이	59	abruptly	[əbrʌ́ptli]
60	갑자기, 불시에, 느닷없이	60	unexpectedly	[ʌnikspéktidli]
61	적어도, 최소한	61	at least	[æt lí:st]
62	**기껏해야 (많아야)**	62	**at most**	[æt móust]
63	기껏해야 (잘해봐야)	63	at best	[æt bést]
64	어떻게든, 꼭	64	at any cost	[æt éni kɔ́:st]
65	**즉, 다시 말하자면**	65	**in other words**	[in ʌ́ðər wɔ́:rdz]
66	즉, 다시 말하자면	66	namely	[néimli]
67	거의, 대략; 긴밀하게, 밀접하게	67	near**ly**	[níərli]
68	대략, 약; 둘레에, 근처에	68	about	[əbáut]
69	**어쩌면, 아마도**	69	**maybe**	[méibi:]
70	어쩌면, 아마도	70	perhaps	[pərhǽps]
71	어쩌면, 아마도; 어떻게든 좀	71	possibly	[pásəbəli]
72	아마, 필시, 대개는(90% 이상)	72	probably	[prábəbli]
73	충분히, 상당히, 아주; 바로	73	enough	[inʌ́f]
74	차차로, 서서히	74	gradually	[grǽdʒuəli]
75	극적으로, 눈부시게	75	dramatically	[drəmǽtikəli]

76	간신히, 가까스로, 겨우	76	barely	[béərli]
77	이제껏, 지금까지	77	ever	[évər]
78	하필이면	78	of all things	[əv ɔ́ːl θíŋz]
79	아무렴, 좋고말고; 어떻게든	79	by all means	[bai ɔ́ːl míːnz]
80	결코 ~하지 않다; 전혀 아니다	80	by no means	[bai nóu míːnz]
81	귀여워하여; 소중하게	81	dear	[diər]
82	끔찍이, 애정으로	82	dearly	[díərli]
83	깊이, 깊게	83	deep	[díːp]
84	철저하게; 짙게	84	deeply	[díːpli]
85	똑바로; 직접; 직행으로	85	direct	[dirékt]
86	곧, 즉시	86	directly	[diréktli]
87	자유롭게, 무료로	87	free	[friː]
88	자유로이; 마음대로	88	freely	[fríːli]
89	늦게, 더디게	89	late	[leit]
90	요즈음, 최근에	90	lately	[léitli]
91	열심히, 몹시	91	hard	[hɑːrd]
92	거의 ~아니다	92	hardly	[hɑ́ːrdli]
93	높이, 높게	93	high	[hái]
94	크게, 대단히, 매우	94	highly	[háili]
95	꽤, 비교적, 상당히, 매우	95	pretty	[príti]
96	곱게, 귀엽게; 얌전히	96	prettily	[prítili]
97	널리, 광범위하게	97	wide	[waid]
98	널리; 크게	98	widely	[wáidli]
99	바르게, 옳게; 정확히; 바로	99	right	[rait]
100	올바르게; 정직하게; 적절히	100	rightly	[ráitli]

			Tips
1	가난하게; 서투르게	1 poorly [púərli]	● 끝에 접미사 '–ly'가 붙은 부사들(때로는 '–ally'를 붙이기도 함)은 근본적으로 동일한 뜻의 어원을 가진 형용사의 뒤에 부사형 접미사 '–ly'를 붙여서 '부사화'한 말이므로, 형용사의 뜻만 알면 바로 우리말의 부사형의 어미를 붙여 보면 그 뜻을 알 수 있다.
2	가볍게, 부드럽게	2 lightly [láitli]	
3	각별히, 특별히	3 especially [ispéʃəli]	
4	간단히; 수수하게	4 simply [símpli]	
5	갑자기, 불시에	5 suddenly [sʌ́dnli]	
6	강제적으로; 세차게	6 forcibly [fɔ́:rsəbli]	
7	개인적으로	7 individually [ìndəvídʒuəli]	
8	거만하게; 자랑스럽게	8 proudly [práudli]	
9	거의 ~아니다	9 hardly [há:rdli]	ex) active (적극적인)
10	거의 …아니다	10 scarcely [skéərsli]	actively (적극적으로)
11	거의, 대략; 아주	11 nearly [níərli]	
12	거칠게, 대충	12 roughly [rʌ́fli]	
13	걱정하여; 갈망하여	13 anxiously [æŋkʃəsli]	
14	게걸스레; 탐내어	14 greedily [grí:dili]	
15	겨우, 간신히	15 barely [béərli]	
16	격렬하게; 과감하게	16 drastically [dræstikəli]	
17	계속해서, 끊임없이	17 continually [kəntínjuəli]	
18	계획적으로, 고의로	18 intentionally [inténʃənəli]	
19	고요히, 침착하게	19 calmly [ká:mli]	
20	고의로, 일부러	20 purposely [pɔ́:rpəsli]	
21	곧, 즉시	21 immediately [imí:diətli]	
22	곧; 현재	22 presently [prézəntli]	
23	공무상, 공식적으로	23 officially [əfíʃəli]	
24	공손히; 품위 있게	24 politely [pəláitli]	
25	공평히, 올바르게; 꽤	25 fairly [féərli]	

			Tips
26 굳게; 단호하게	26 firm**ly**	[fɔ́:rmli]	
27 그 후에, 나중에	27 subsequent**ly**	[sʌ́bsikwəntli]	
28 극단적으로, 몹시	28 extreme**ly**	[ikstrí:mli]	
29 극적으로, 눈부시게	29 dramatical**ly**	[drəmǽtikəli]	
30 근접해서; 친밀히	30 close**ly**	[klóusli]	
31 기분 좋게, 즐겁게	31 cheerful**ly**	[tʃíərfəli]	
32 기분 좋게; 안락하게	32 comfortab**ly**	[kʌ́mfərtəbəli]	
33 꾸준히, 착실하게	33 steadi**ly**	[stédili]	
34 나쁘게, 부정하게	34 wicked**ly**	[wíkidli]	
35 난폭하게, 격렬하게	35 violent**ly**	[váiələntli]	
36 날카롭게, 세게	36 sharp**ly**	[ʃá:rpli]	
37 논리적으로, 논리상	37 logical**ly**	[ládʒikəli]	
38 높이; 대단히	38 high**ly**	[háili]	
39 느리게, 천천히	39 slow**[ly]**	[slóuli]	● slow / slowly 의미상으로는 서로 차이가 없고 이처럼 두 가지 모양의 단어가 함께 같은 뜻의 부사로 쓰인다.
40 다행히, 운 좋게	40 fortunate**ly**	[fɔ́:rtʃənətli]	
41 단단히; 꽉	41 tight**[ly]**	[táitli]	● tight / tightly 모두 의미상으로는 서로 차이가 없고 이처럼 두 가지 모양의 단어가 함께 같은 뜻의 부사로 쓰인다.
42 단정하게, 말쑥하게	42 neat**ly**	[ní:tli]	
43 단지, 그저	43 mere**ly**	[míərli]	
44 단호히, 결연히	44 resolute**ly**	[rézəlù:tli]	
45 당연히; 적절하게	45 proper**ly**	[prápərli]	
46 당장에, 즉시	46 instant**ly**	[ínstəntli]	
47 대개는, 주로	47 most**ly**	[móustli]	
48 대략, 얼추	48 approximate**ly**	[əpráksəmèitli]	
49 덧붙여 말하면	49 incidental**ly**	[insədéntli]	
50 독특하게, 유일하게	50 unique**ly**	[ju:ní:kli]	

			Tips
51 동등하게; 평등하게	51 equal**ly**	[í:kwəli]	
52 동시에; 일제히	52 simultaneous**ly**	[sàiməltéiniəsli]	
53 둔하게, 멍청하게	53 dul**ly**	[dʌ́li]	
54 따라서, 그래서	54 according**ly**	[əkɔ́:rdiŋli]	
55 따로따로, 단독으로	55 separate**ly**	[sépərèitli]	
56 마침내; 궁극적으로	56 ultimate**ly**	[ʌ́ltəmitli]	
57 막연히, 모호하게	57 vague**ly**	[véigli]	
58 매우, 심히	58 powerful**ly**	[páuərfəli]	
59 명백하게, 분명히	59 obvious**ly**	[ábviəsli]	
60 명백히; 외관상	60 apparent**ly**	[əpǽrəntli]	
61 명확히; 확실히	61 definite**ly**	[défənitli]	
62 몸소; 개인적으로	62 personal**ly**	[pə́:rsənəli]	
63 무겁게; 심하게	63 heavi**ly**	[hévili]	
64 무척; 무섭게	64 awful**ly**	[ɔ́:fəli]	
65 무한히; 극히	65 infinite**ly**	[ínfənitli]	
66 문자 그대로	66 literal**ly**	[lítərəli]	
67 물리적(육체적)으로	67 physical**ly**	[fízikəli]	
68 미친 듯이, 광포하게	68 frantical**ly**	[frǽntikəli]	
69 바르게, 정확히	69 correct**ly**	[kəréktli]	
70 바삐; 조급히	70 hasti**ly**	[héistili]	
71 반복해서, 두고두고	71 repeated**ly**	[ripí:tidli]	
72 밝게, 화사하게	72 bright**ly**	[bráitli]	
73 배타적으로; 독점적으로	73 exclusive**ly**	[iksklú:sivli]	
74 보통, 평소에	74 usual**ly**	[jú:ʒuəli]	
75 보통은, 대개는	75 ordinari**ly**	[ɔ̀:rdənérəli]	

76	보편적으로, 도처에	76	universal**ly**	[jùːnəvə́ːrsəli]
77	본질적으로, 본질상	77	essential**ly**	[isénʃəli]
78	부분적으로, 얼마간	78	part**ly**	[páːrtli]
79	부분적으로; 편파적으로	79	partial**ly**	[páːrʃəli]
80	분명하게, 눈에 띄게	80	evident**ly**	[évidəntli]
81	분명히, 확실히	81	clear**ly**	[klíərli]
82	불가피하게, 부득이	82	inevitab**ly**	[inévitəbəli]
83	불규칙하게; 부정기로	83	irregular**ly**	[irégjələrli]
84	불쑥, 문득	84	casual**ly**	[kǽʒuəli]
85	불쾌하게, 언짢게	85	uncomfortab**ly**	[ʌnkʌ́mfərtəbəli]
86	비교적, 상당히	86	comparative**ly**	[kəmpǽrətivli]
87	빈둥거리며; 할 일없이	87	id**ly**	[áidli]
88	빨리, 급히	88	quick[**ly**]	[kwíkli]
89	사려 깊게; 친절하게	89	thoughtful**ly**	[θɔ́ːtfəli]
90	사실상, 실질적으로	90	virtual**ly**	[vɔ́ːrtʃuəli]
91	사실은, 실제로	91	actual**ly**	[ǽktʃuəli]
92	상당히; 실질적으로	92	substantial**ly**	[səbstǽnʃəli]
93	서로, 공동으로	93	mutual**ly**	[mjúːtʃuəli]
94	성공적으로	94	successful**ly**	[səksésfəli]
95	성실하게; 충심으로	95	sincere**ly**	[sinsíərli]
96	솔직히	96	frank**ly**	[frǽŋkli]
97	순수하게, 맑게	97	pure**ly**	[pjúərli]
98	습관적으로	98	habitual**ly**	[həbítʃuəli]
99	신속히, 즉시	99	prompt**ly**	[prámptli]
100	신중하게, 조심해서	100	cautious**ly**	[kɔ́ːʃəsli]

Tips

● quick / quickly
의미상으로는 서로 차이가
없고 이처럼 두 가지 모양
의 단어가 함께 같은 뜻의
부사로 쓰인다.

● 다음 주어진 우리말 단어 뜻을 보고 영단어를 말해 보세요.

1	가난하게; 서투르게	26	굳게; 단호하게	51	동등하게; 평등하게	76	보편적으로, 도처에
2	가볍게, 부드럽게	27	그 후에, 나중에	52	동시에; 일제히	77	본질적으로, 본질상
3	각별히, 특별히	28	극단적으로, 몹시	53	둔하게, 멍청하게	78	부분적으로, 얼마간
4	간단히; 수수하게	29	극적으로, 눈부시게	54	따라서, 그래서	79	부분적으로; 편파적으로
5	갑자기, 불시에	30	근접해서; 친밀히	55	따로따로, 단독으로	80	분명하게, 눈에 띄게
6	강제적으로; 세차게	31	기분 좋게, 즐겁게	56	마침내; 궁극적으로	81	분명히, 확실히
7	개인적으로	32	기분 좋게; 안락하게	57	막연히, 모호하게	82	불가피하게, 부득이
8	거만하게; 자랑스럽게	33	꾸준히, 착실하게	58	매우, 심히	83	불규칙하게; 부정기로
9	거의 ~아니다	34	나쁘게, 부정하게	59	명백하게, 분명히	84	불쑥, 문득
10	거의 …아니다	35	난폭하게, 격렬하게	60	명백히; 외관상	85	불쾌하게, 언짢게
11	거의, 대략; 아주	36	날카롭게, 세게	61	명확히; 확실히	86	비교적, 상당히
12	거칠게, 대충	37	논리적으로, 논리상	62	몸소; 개인적으로	87	빈둥거리며; 할 일없이
13	걱정하여; 갈망하여	38	높이; 대단히	63	무겁게; 심하게	88	빨리, 급히
14	게걸스레; 탐내어	39	느리게, 천천히	64	무척; 무섭게	89	사려 깊게; 친절하게
15	겨우, 간신히	40	다행히, 운 좋게	65	무한히; 극히	90	사실상, 실질적으로
16	격렬하게; 과감하게	41	단단히; 꽉	66	문자 그대로	91	사실은, 실제로
17	계속해서, 끊임없이	42	단정하게, 말쑥하게	67	물리적(육체적)으로	92	상당히; 실질적으로
18	계획적으로, 고의로	43	단지, 그저	68	미친 듯이, 광포하게	93	서로, 공동으로
19	고요히, 침착하게	44	단호히, 결연히	69	바르게, 정확히	94	성공적으로
20	고의로, 일부러	45	당연히; 적절하게	70	바삐; 조급히	95	성실하게; 충심으로
21	곧, 즉시	46	당장에, 즉시	71	반복해서, 두고두고	96	솔직히
22	곧; 현재	47	대개는, 주로	72	밝게, 화사하게	97	순수하게, 맑게
23	공무상, 공식적으로	48	대략, 얼추	73	배타적으로; 독점적으로	98	습관적으로
24	공손히; 품위 있게	49	덧붙여 말하면	74	보통, 평소에	99	신속히, 즉시
25	공평히, 올바르게; 꽤	50	독특하게, 유일하게	75	보통은, 대개는	100	신중하게, 조심해서

Review Test ❷

● 다음 주어진 영단어를 보고 우리말 뜻을 말해 보세요.

1 poorly	26 firmly	51 equally	76 universally
2 lightly	27 subsequently	52 simultaneously	77 essentially
3 especially	28 extremely	53 dully	78 partly
4 simply	29 dramatically	54 accordingly	79 partially
5 suddenly	30 closely	55 separately	80 evidently
6 forcibly	31 cheerfully	56 ultimately	81 clearly
7 individually	32 comfortably	57 vaguely	82 inevitably
8 proudly	33 steadily	58 powerfully	83 irregularly
9 hardly	34 wickedly	59 obviously	84 casually
10 scarcely	35 violently	60 apparently	85 uncomfortably
11 nearly	36 sharply	61 definitely	86 comparatively
12 roughly	37 logically	62 personally	87 idly
13 anxiously	38 highly	63 heavily	88 quick[ly]
14 greedily	39 slow[ly]	64 awfully	89 thoughtfully
15 barely	40 fortunately	65 infinitely	90 virtually
16 drastically	41 tight[ly]	66 literally	91 actually
17 continually	42 neatly	67 physically	92 substantially
18 intentionally	43 merely	68 frantically	93 mutually
19 calmly	44 resolutely	69 correctly	94 successfully
20 purposely	45 properly	70 hastily	95 sincerely
21 immediately	46 instantly	71 repeatedly	96 frankly
22 presently	47 mostly	72 brightly	97 purely
23 officially	48 approximately	73 exclusively	98 habitually
24 politely	49 incidentally	74 usually	99 promptly
25 fairly	50 uniquely	75 ordinarily	100 cautiously

1	신중히; 고의로	1	deliberate**ly**	[dilíbəritli]
2	실제적으로, 사실상	2	practical**ly**	[prǽktikəli]
3	심하게; 엄격하게	3	severe**ly**	[sivíərli]
4	싸게; 비열하게	4	cheap[**ly**]	[tʃíːpli]
5	아마도, 필시	5	probab**ly**	[prábəbli]
6	아주, 뼛속까지	6	thorough**ly**	[θɔ́ːrouli]
7	아주, 전혀, 완전히	7	utter**ly**	[ʌ́tərli]
8	안전하게, 무사히	8	safe**ly**	[séifli]
9	애정으로; 비싼 값으로	9	dear**ly**	[díərli]
10	애정을 다해	10	affectionate**ly**	[əfékʃənitli]
11	약간, 조금	11	slight**ly**	[sláitli]
12	얇게, 가늘게	12	thin[**ly**]	[θínli]
13	어색하게, 서툴게	13	awkward**ly**	[ɔ́ːkwərdli]
14	어쩌면; 어떻게든	14	possib**ly**	[pásəbəli]
15	엄격히; 순전히	15	strict**ly**	[stríktli]
16	엄밀히; 정확히	16	precise**ly**	[prisáisli]
17	엄숙하게, 장엄하게	17	solemn**ly**	[sáləmli]
18	열광적으로	18	enthusiastical**ly**	[enθùːziǽstikəli]
19	열심히, 진심으로	19	earnest**ly**	[ɔ́ːrnistli]
20	열정적으로, 열렬히	20	passionate**ly**	[pǽʃənitli]
21	영구히, 끊임없이	21	perpetual**ly**	[pərpétʃuəli]
22	영구히, 불변으로	22	permanent**ly**	[pɔ́ːrmənəntli]
23	영원히; 언제나	23	eternal**ly**	[itɔ́ːrnəli]
24	온화하게, 부드럽게	24	mild**ly**	[máildli]
25	완전히, 모조리	25	total**ly**	[tóutəli]

Tips

● cheap / cheaply
의미상으로는 서로 차이가 없고 이처럼 두 가지 모양의 단어가 함께 같은 뜻의 부사로 쓰인다.

● thin / thinly
의미상으로는 서로 차이가 없고 이처럼 두 가지 모양의 단어가 함께 같은 뜻의 부사로 쓰인다.

26 완전히, 완벽하게	26 perfect**ly**	[pə́:rfiktli]	**Tips**
27 완전히, 전적으로	27 whol**ly**	[hóulli]	
28 완전히, 철저히	28 complete**ly**	[kəmplíːtli]	
29 완전히; 전적으로	29 entire**ly**	[entáiərli]	
30 요즈음, 최근에	30 late**ly**	[léitli]	
31 원래, 근본적으로	31 basical**ly**	[béisikəli]	
32 유사하게, 마찬가지로	32 similar**ly**	[símələrli]	
33 유창하게	33 fluent**ly**	[flúːəntli]	
34 이따금 씩, 가끔	34 occasional**ly**	[əkéiʒənəli]	
35 일반적으로, 보통	35 general**ly**	[dʒénərəli]	
36 일찍이, 늦지 않게	36 ear**ly**	[ə́:rli]	
37 자동적으로	37 automatical**ly**	[ɔ̀:təmǽtikəli]	
38 자연히, 자연스럽게	38 natural**ly**	[nǽtʃərəli]	
39 자주, 빈번히	39 frequent**ly**	[fríːkwəntli]	
40 잔인하게; 몹시	40 cruel**ly**	[krúːəli]	
41 장단을 맞춰서	41 rhythmical**ly**	[ríðmikəli]	
42 재빨리, 신속히	42 rapid**ly**	[rǽpidli]	
43 재정적으로	43 financial**ly**	[finǽnʃəli]	
44 적절히, 적당하게	44 adequate**ly**	[ǽdikwətli]	
45 전문용어로 말하면	45 technical**ly**	[téknikəli]	
46 절대적으로, 정말	46 absolute**ly**	[ǽbsəlúːtli]	
47 정당하게; 제시간에	47 du**ly**	[djúːli]	
48 정상적으로; 평소대로	48 normal**ly**	[nɔ́:rməli]	
49 정서적으로	49 emotional**ly**	[imóuʃənəli]	
50 정식으로; 격식을 차려	50 formal**ly**	[fɔ́:rməli]	

접미사가 '-ly'형인 부사 2

			Tips
51 정신적으로; 지적으로	51 mental**ly**	[méntəli]	
52 정직하게, 거짓 없이	52 honest**ly**	[ánistli]	
53 정확하게	53 accurate**ly**	[ǽkjəritli]	
54 정확하게, 틀림없이	54 exact**ly**	[igzǽktli]	
55 조용히, 고요히	55 quiet**ly**	[kwáiətli]	
56 좀처럼 …하지 않는	56 rare**ly**	[réərli]	
57 주로; 대개	57 chief**ly**	[tʃíːfli]	
58 주의 깊게; 검소하게	58 careful**ly**	[kéərfəli]	
59 죽은 듯이; 몹시	59 dead**ly**	[dédli]	
60 즉, 다시 말하자면	60 name**ly**	[néimli]	
61 즉시; 기꺼이	61 readi**ly**	[rédəli]	
62 즐겁게, 유쾌하게	62 pleasant**ly**	[plézntli]	
63 지독하게, 굉장히	63 terrib**ly**	[térəbli]	
64 직접; 즉시, 바로	64 direct**ly**	[diréktli]	
65 진심으로; 실컷	65 hearti**ly**	[háːrtili]	
66 진지하게; 심각하게	66 serious**ly**	[síəriəsli]	
67 짧게, 간단히	67 brief**ly**	[bríːfli]	
68 차차로, 서서히	68 gradual**ly**	[grǽdʒuəli]	
69 참으로, 진실로	69 tru**ly**	[trúːli]	
70 참으로; 확실히	70 real**ly**	[ríːəli]	
71 참을성(끈기) 있게	71 patient**ly**	[péiʃəntli]	
72 처음에는; 원래	72 primari**ly**	[praimérəli]	
73 최근에, 요즈음	73 recent**ly**	[ríːsəntli]	
74 최후로; 결국	74 final**ly**	[fáinəli]	
75 최후에는, 결국은	75 eventual**ly**	[ivéntʃuəli]	

				Tips
76	충분히	76 sufficient**ly**	[səfíʃəntli]	
77	충분히; 꼬박	77 ful**ly**	[fúli]	
78	충실히; 굳게	78 faithful**ly**	[féiθfəli]	
79	치명적으로; 숙명적으로	79 fatal**ly**	[féitli]	
80	친밀하게; 상세하게	80 intimate**ly**	[íntəmitli]	
81	친절하게, 잘	81 nice**ly**	[náisli]	
82	친절히, 점잖게	82 gent**ly**	[dʒéntli]	
83	크게, 대단히; 훨씬	83 great**ly**	[gréitli]	
84	크게, 주로	84 large**ly**	[láːrdʒli]	
85	큰소리로; 화려하게	85 loud**[ly]**	[láudli]	● loud / loudly
86	터무니없이, 막대하게	86 enormous**ly**	[inɔ́ːrməsli]	
87	특히; 낱낱이	87 particular**ly**	[pərtíkjələrli]	
88	평화롭게, 평온하게	88 peaceful**ly**	[píːsfəli]	
89	필사적으로; 몹시	89 desperate**ly**	[déspəritli]	
90	항상; 끊임없이	90 constant**ly**	[kánstəntli]	
91	향기롭게	91 fragrant**ly**	[fréigrəntli]	
92	현저하게, 매우	92 remarkab**ly**	[rimáːrkəbəli]	
93	현저하게; 명료하게	93 notab**ly**	[nóutəbəli]	
94	확실히, 틀림없이	94 sure**ly**	[ʃúərli]	
95	확실히; 단호히	95 decided**ly**	[disáididli]	
96	확실히; 반드시	96 certain**ly**	[sɔ́ːrtənli]	
97	활발히, 활동적으로	97 active**ly**	[ǽktivli]	
98	효과적으로	98 effective**ly**	[iféktivli]	● fine / finely
99	훌륭하게, 잘	99 fine**[ly]**	[fáinli]	모두 의미상으로는 서로 차이가 없고 이처럼 두 가지 모양의 단어가 함께 같은 뜻의 부사로 쓰인다.
100	희미하게; 힘없이	100 faint**ly**	[féintli]	

● 다음 주어진 우리말 단어 뜻을 보고 영단어를 말해 보세요.

1	신중히; 고의로	26	완전히, 완벽하게	51	정신적으로; 지적으로	76	충분히
2	실제적으로, 사실상	27	완전히, 전적으로	52	정직하게, 거짓 없이	77	충분히; 꼬박
3	심하게; 엄격하게	28	완전히, 철저히	53	정확하게	78	충실히; 굳게
4	싸게; 비열하게	29	완전히; 전적으로	54	정확하게, 틀림없이	79	치명적으로; 숙명적으로
5	아마도, 필시	30	요즈음, 최근에	55	조용히, 고요히	80	친밀하게; 상세하게
6	아주, 뼛속까지	31	원래, 근본적으로	56	좀처럼 …하지 않는	81	친절하게, 잘
7	아주, 전혀, 완전히	32	유사하게, 마찬가지로	57	주로; 대개	82	친절히, 점잖게
8	안전하게, 무사히	33	유창하게	58	주의 깊게; 검소하게	83	크게, 대단히; 훨씬
9	애정으로; 비싼 값으로	34	이따금 씩, 가끔	59	죽은 듯이; 몹시	84	크게, 주로
10	애정을 다해	35	일반적으로, 보통	60	즉, 다시 말하자면	85	큰소리로; 화려하게
11	약간, 조금	36	일찍이, 늦지 않게	61	즉시; 기꺼이	86	터무니없이, 막대하게
12	얇게, 가늘게	37	자동적으로	62	즐겁게, 유쾌하게	87	특히; 낱낱이
13	어색하게, 서툴게	38	자연히, 자연스럽게	63	지독하게, 굉장히	88	평화롭게, 평온하게
14	어쩌면; 어떻게든	39	자주, 빈번히	64	직접; 즉시, 바로	89	필사적으로; 몹시
15	엄격히; 순전히	40	잔인하게; 몹시	65	진심으로; 실컷	90	항상; 끊임없이
16	엄밀히; 정확히	41	장단을 맞춰서	66	진지하게; 심각하게	91	향기롭게
17	엄숙하게, 장엄하게	42	재빨리, 신속히	67	짧게, 간단히	92	현저하게, 매우
18	열광적으로	43	재정적으로	68	차차로, 서서히	93	현저하게; 명료하게
19	열심히, 진심으로	44	적절히, 적당하게	69	참으로, 진실로	94	확실히, 틀림없이
20	열정적으로, 열렬히	45	전문용어로 말하면	70	참으로; 확실히	95	확실히; 단호히
21	영구히, 끊임없이	46	절대적으로, 정말	71	참을성(끈기) 있게	96	확실히; 반드시
22	영구히, 불변으로	47	정당하게; 제시간에	72	처음에는; 원래	97	활발히, 활동적으로
23	영원히; 언제나	48	정상적으로; 평소대로	73	최근에, 요즈음	98	효과적으로
24	온화하게, 부드럽게	49	정서적으로	74	최후로; 결국	99	훌륭하게, 잘
25	완전히, 모조리	50	정식으로; 격식을 차려	75	최후에는, 결국은	100	희미하게; 힘없이

● 다음 주어진 영단어를 보고 우리말 뜻을 말해 보세요.

1 deliberately	26 perfectly	51 mentally	76 sufficiently
2 practically	27 wholly	52 honestly	77 fully
3 severely	28 completely	53 accurately	78 faithfully
4 cheap[ly]	29 entirely	54 exactly	79 fatally
5 probably	30 lately	55 quietly	80 intimately
6 thoroughly	31 basically	56 rarely	81 nicely
7 utterly	32 similarly	57 chiefly	82 gently
8 safely	33 fluently	58 carefully	83 greatly
9 dearly	34 occasionally	59 deadly	84 largely
10 affectionately	35 generally	60 namely	85 loud[ly]
11 slightly	36 early	61 readily	86 enormously
12 thin[ly]	37 automatically	62 pleasantly	87 particularly
13 awkwardly	38 naturally	63 terribly	88 peacefully
14 possibly	39 frequently	64 directly	89 desperately
15 strictly	40 cruelly	65 heartily	90 constantly
16 precisely	41 rhythmically	66 seriously	91 fragrantly
17 solemnly	42 rapidly	67 briefly	92 remarkably
18 enthusiastically	43 financially	68 gradually	93 notably
19 earnestly	44 adequately	69 truly	94 surely
20 passionately	45 technically	70 really	95 decidedly
21 perpetually	46 absolutely	71 patiently	96 certainly
22 permanently	47 duly	72 primarily	97 actively
23 eternally	48 normally	73 recently	98 effectively
24 mildly	49 emotionally	74 finally	99 fine[ly]
25 totally	50 formally	75 eventually	100 faintly

1	**above all**	1	무엇보다도; 특히		**Tips**
2	above anything else	2	무엇보다도		
3	first of all	3	우선, 무엇보다도		● 영어에서 쓰이는 문장연결사
4	in the first place	4	우선, 첫째로		는 말이나 문장의 논리나 흐
5	among other things	5	무엇보다도		름을 매끄럽고 명쾌하게 만
6	primarily [praimérəli]	6	첫째로		들어주어서 청자나 독자의
7	for one thing	7	우선 첫째로는		이해를 도와주는 역할을 하
8	to begin with	8	우선, 첫째로		는 매우 중요한 말이다. 따라
9	first and foremost [fɔ́:rmòust]	9	다른 무엇보다도 더		서 잘 익혀두면 영어를 독해
10	first and most importantly	10	첫 번째로 가장 중요한 것은		하거나 청해하는데 크게 도
11	**second**	11	둘째로		움이 됨은 물론 영어를 유창
12	secondly	12	두 번째로, 다음으로		하게 말하거나 글을 유려하
13	third	13	셋째로		게 쓰는 데 있어서도 반드시
14	next	14	그다음, 그 뒤로		매우 요긴하게 쓰일 것이다.
15	later	15	뒤에, 나중에		여기에 제시된 연결사들은
16	[and] then	16	그다음엔		매우 사용빈도가 높은 말들
17	after that	17	그 후		이므로 반드시 잘 익혀두길
18	afterward [ǽftərwərd]	18	나중에, 그 후		바란다.
19	subsequently [sʌ́bsikwəntli]	19	그 후, 뒤에		
20	**meanwhile, meantime**	20	그러는 동안에		● 1~28
21	in the meantime	21	그러는 사이에		모두 말을 이끌어가는 데 있
22	**at the same time**	22	동시에		어서 시간적인 순서를 매
23	simultaneously [sàiməltéiniəsli]	23	동시에		기는 연결사들인데, 그 중
24	synchronously [síŋkrənəsli]	24	동시에		1~10까지는 중요도가 가장
25	concurrently [kənkə́:rəntli]	25	동시에		높거나 가장 먼저 말하고 싶

은 내용을 꺼낼 때 사용하며, 11~19까지는 말의 중간에 두 번째 이후의 내용들을 순차적으로 새로 꺼낼 때 사용한다. 또 20~25까지는 어떤 일과 동시에 발생한 일들을 나타내고자 할 때 사용하며, 26~31까지는 그것이 맨 끝에 일어난 일임을 나타내고자 할 때 사용한다.

				Tips
26	**lastly**	26	최후로; 드디어, 결국	
27	in the end	27	[그럴 줄 몰랐는데] 결국	
28	finally	28	최후로; 드디어, 결국	
29	eventually [ivéntʃuəli]	29	최후로; 드디어, 결국	
30	ultimately [ʌ́ltəmitli]	30	최후로; 드디어, 결국	
31	last and most importantly	31	마지막으로 가장 중요한 것은	
32	**because+**(S+V)	32	**(s+v)이기 때문에**	● 32~47 모두 어떤 일의 원인이나 이유를 나타내는 연결사들이다.
33	since +(S+V)	33	(S+V)이기 때문에	
34	as +(S+V)	34	(S+V)이기 때문에	
35	for +(S+V:대등절)	35	(S+V)이기 때문이다	
36	on the ground that+(S+V)	36	(S+V)이기 때문에	
37	for fear that+(S+V)	37	(S+V) 할까 봐서	
38	now that+(S+V)	38	(S+V)이니까 말인데	
39	that's why+(S+V)	39	그것이 (S+V)한 이유다	
40	that's because+(S+V)	40	그건 (S+V)이기 때문이다	
41	because of~	41	~ 때문에	
42	owing to~	42	~ 때문에	
43	due to~	43	~ 때문에	
44	for this reason	44	이러한 이유로	
45	to this end	45	이것 때문에	
46	on account of~	46	~ 때문에, ~해서	
47	thanks to~	47	~ 덕분에	
48	**for the purpose of~**	48	**~의 목적으로**	● 48~54 모두 목적을 나타내는 연결사들이다.
49	for the sake of~	49	~의 목적으로	● 'after all'은 흔히 '결국'이라고 알고 있지만 [~할 거라고 생각했는데 기대했던 바와 달리] 결국은'이라는 뜻이다. 따라서 그 뒤에 기대했던 내용과 반대되는 내용이 온다. 26~30의 항목들 중 'in the end'가 이와 비슷한 뜻이고 나머지는 모두 당연한 순서를 좇아서 때가 되어 '결국'이라는 뜻이다. 그밖에 'at last'는 "고대하던 것이 지연되다가 '마침내'나타나거나 이루어졌다"는 뜻으로 쓰이는 말이다.
50	in order to+V	50	V 하기 위해서	

51	so as to+V	51	V 하기 위해서	Tips
52	in an effort to+V	52	V 하려는 노력의 일환으로	
53	in order that+(S+V)	53	(S+V) 하기 위해서	
54	so that+(S+may V)	54	(S+V) 하기 위해서	● 55~62
55	**therefore**	55	**그러므로, 고로**	모두 결과를 나타내는 연결
56	thus	56	따라서, 그래서	사들이다.
57	consequently [kánsikwèntli]	57	그 결과, 따라서	
58	hence	58	그러므로	
59	accordingly [əkɔ́:rdiŋli]	59	그러므로, 그래서	
60	as a result	60	그 결과로	
61	as a consequence	61	그 결과로	
62	in consequence of~	62	~의 결과로	
63	**now**	63	**지금**	● 63~83
64	presently [prézəntli]	64	현재, 곧	모두 시간과 관련된 내용을
65	immediately [imí:diətli]	65	곧, 바로, 즉시	나타내는 연결사들이다.
66	instantly [ínstəntli]	66	당장에, 즉각	
67	nowadays [náuədèiz]	67	현재는, 요즘에는	
68	at present	68	목하, 현재로선	
69	at this point (of time)	69	이 시점에서	
70	lately [léitli]	70	요즈음, 최근에	
71	up until now(=so far)	71	이제까지, 지금까지	
72	yet	72	아직	
73	after a while	73	잠시 후에	
74	as time goes by	74	시간이 흐름에 따라	
75	during~	75	~동안에	

76	since+(S+V)	76	(S+V) 한 이래	Tips
77	until+(S+V)	77	(S+V) 할 때까지	
78	while+(S+V+ing)	78	(S+V+ing) 하는 동안에	
79	shortly after+(S+V)	79	(S+V) 한 직후	
80	soon	80	곧	
81	temporarily [témpərèrili]	81	일시적으로	
82	then	82	그때	
83	at last	83	마침내	
84	**as far as ~ is concerned**	84	**~에 관한 한**	● 84~100
85	as for ~	85	~에 관해 말하자면	모두 화자가 말하려는 논제
86	as regards ~	86	~에 관해 말하자면	와 관련된 내용을 나타내는
87	with reference to ~	87	~에 관련해서	연결사들이다. 이 말들 중 특
88	in regard to ~	88	~에 관련해서	별히 84~91까지는 말하
89	in respect of ~	89	~에 관련해서	고나 하는 내용을 강조해서
90	speaking of ~	90	~에 관해 말하자면	적시할 때 쓰는 말들이며,
91	when it comes to ~	91	~에 관한 한	92~100은 그 논제에서 제
92	regardless of ~	92	~에 상관없이	외할 부분을 강조해서 적시
93	irrespective of ~ [ìrispéktiv]	93	~에 상관없이	할 때 쓰는 말들이다.
94	with no regard to ~	94	~에 상관없이	
95	apart from ~	95	~을 제외하고는	
96	aside from ~	96	~을 제외하고는	
97	but ~(전치사)	97	~을 제외하고는	
98	except ~	98	~을 제외하고는	
99	except for ~	99	~을 제외하고는	
100	unless+(S+V)	100	(S+V) 하지 않는다면	

1	**similarly** [símələrli]	1	**비슷하게, 유사하게**	**Tips**
2	likewise [láikwàiz]	2	마찬가지로	
3	in a like manner	3	마찬가지로	**●1~5**
4	in the same way	4	같은 방법으로	모두 화자가 앞에 말한 내용과 비교를 위해 적시하는 내용임을 나타내는 연결사들이다.
5	in comparison with ~	5	~와 비교해보면	
6	**on the other hand**	6	**다른 한편으로는, 반면에**	
7	on the contrary [kántreri]	7	이에 반해서, 그와는 반대로	**●6~12**
8	conversely(격식체)	8	정반대로, 역으로	모두 화자가 이제부터 할 말이 앞에 말한 내용과 반대되거나 대조되는 내용임을 적시하기 위해 쓰는 연결사들이다.
9	instead[instéd]	9	오히려	
10	in contrast/by contrast	10	그에 반해서, 대조적으로	
11	contrastingly [kəntrǽstiŋli]	11	대조적으로	
12	contrary to ~	12	~에 반해서	
13	**however**+(S+V)	13	**그러나** (S+V) 하다	
14	yet +(S+V)	14	그러나 (S+V) 하다	**●13~28**
15	but +(S+V)	15	그러나 (S+V) 하다	모두 화자가 이제까지 한 말과 이제부터 할 말이 내용상 서로 대립됨을 적시하면서 동시에 화자나 필자가 강조하고 싶은 내용을 이제부터 말하기 위해 쓰는 연결사들이다.
16	nevertheless[nèvərðəlés]	16	그럼에도 불구하고	
17	nonetheless[nʌ̀nðəlés]	17	그럼에도 불구하고	
18	in spite of ~	18	~에도 불구하고	
19	despite ~ [dispáit]	19	~에도 불구하고	
20	notwithstanding~ (전치사)	20	~에도 불구하고	
21	although+(S+V)	21	(S+V)이기는 하지만	
22	even though+(S+V)	22	비록 (S+V)일지라도	
23	for all that	23	비록 그렇다 하더라도	
24	after all ~	24	~에도 불구하고	
25	~, still	25	~하지만, 그럼에도 불구하고	

26	~ whereas+(S+V)	26 ~인 반면에 (S+V)하다
27	while +(S+V)	27 (S+V)이기는 하지만
28	unlike~	28 ~와는 달리
29	**definitely** [défənitli]	29 **분명히**
30	certainly	30 분명히
31	evidently [évidəntli]	31 분명히
32	obviously [ábviəsli]	32 분명히
33	specifically [spisífikəli]	33 명확히, 분명히
34	indeed	34 실로, 사실상
35	in particular [pərtíkjələr]	35 특히
36	in especial [ispéʃəl]	36 특히
37	of course	37 물론, 당연히
38	naturally	38 당연히
39	unquestionably	39 의심할 나위 없이, 당연히
40	undoubtedly [ʌndáutidli]	40 의심할 여지없이; 확실히
41	without a doubt	41 의심의 여지없이
42	needless to say	42 말할 필요도 없이
43	not to mention ~	43 ~은 말할 필요도 없이
44	not to speak of ~	44 ~은 말할 필요도 없이
45	to say nothing of ~	45 ~은 말할 필요도 없이
46	**additionally**	46 **게다가, 더구나**
47	besides	47 게다가
48	further	48 게다가
49	furthermore	49 게다가
50	moreover	50 게다가, 더구나

Tips

● 29~45
모두 화자가 이제부터 할 말을 강조하기 위해 쓰는 연결사들이다. 당연히 이제부터 할 말은 중요한 내용들이다.

● 46~63
모두 화자가 이제까지 한 말에 더하여 추가적인 내용을 언급하기 위해 쓰는 연결사들이다. 따라서 이제부터 할 말은 앞의 말들보다 강조된 내용들이다.

51	what's more	51	게다가	Tips
52	also	52	그 위에, 게다가	
53	on top of that	53	그 위에	
54	again	54	또	
55	as well	55	또한, 역시	
56	into the bargain[bá:rgən]	56	또한	
57	another thing is ~	57	또 한 가지는 ~이다	
58	at the same time	58	동시에, 또한	
59	or	59	또는	
60	and [then]	60	그리고	
61	next	61	다음으로	
62	in addition to ~	62	~외에도	
63	A as well as B	63	B뿐만 아니라 A도	
64	**as long as**+(S+V)	64	**(s+v) 하는 한**	●64~78
65	even if+(S+V)	65	(S+V)라 할지라도	모두 화자가 조건과 관련해
66	if+(S+V)	66	만약 (S+V)라면	서 쓰는 연결사들이다.
67	if not	67	그렇지 않다면	
68	in case of ~	68	만일 ~이 발생한다면	
69	in case+(S+V)	69	혹시 (S+V) 할 경우에 대비해서	
70	in the event of~	70	~의 경우에	
71	in the event [that]+(S+V)	71	(S+V)의 경우에	
72	only if+(S+V)	72	(S+V)일 경우에 한해서만	
73	if only+(S+V)	73	(S+V)이기만 하다면 좋을 텐데	
74	provided [that]+(S+V)	74	만약 (S+V)라면	
75	providing [that]+(S+V)	75	만약 (S+V)라면	

					Tips
76	suppose+(S+V)	76	(S+V)라 가정해 보자		
77	whether or not+(S+V)	77	(S+V)이건 아니건		
78	~, otherwise+(S+V)	78	~하지 않으면 (S+V)할 것이다		
79	**for example**	79	**예를 들면**		● 79~83 모두 화자가 예를 들기 위해서 쓰는 연결사들이다.
80	for instance	80	예를 들면		
81	by way of illustration	81	실례로서		
82	to illustrate this argument	82	이 논점을 설명하기 위해서		
83	in another case	83	또 다른 사례에서는		
84	**namely**	84	**즉**		● 84~100 모두 화자가 자기의 말에 대한 부연설명을 하거나 결론을 내릴 때, 또는 자기가 지금까지 한 말들을 요약해서 말하기 위해서 쓰는 연결사들이다.
85	that is	85	즉		
86	that is to say	86	즉		
87	so to speak	87	말하자면		
88	in other words	88	달리 말하자면		
89	after all	89	결국		
90	at last	90	결국		
91	briefly [speaking]	91	간단히 말해서		
92	in a nutshell	92	간단히 말해서		
93	in brief	93	간단히 말해서		
94	in short	94	간단히 말해서		
95	to put it more simply	95	더 간단히 말하면		
96	in summary [sʌ́məri]	96	요약하자면		
97	to summarize [sʌ́məràiz]	97	요약하자면		
98	to sum up	98	요약하자면		
99	to conclude [kənklúːd]	99	결론지어 말하자면		
100	in conclusion [kənklúːʒən]	100	결론적으로		

				Tips
1	**actually**	1	사실은, 사실대로 말하면	
2	to tell the truth	2	사실은, 사실대로 말하면	● 2~13
3	to be frank with you	3	사실은, 사실대로 말하면	흔히 '독립부정사구문'이라고 불리는 연결사 표현들이다. 앞장에서도 이에 해당하는 말들이 몇 개 등장했다. 모두 주어가 일반인이므로 의미상의 주어를 표현하지 않기 때문에 이런 이름이 붙여졌다. 주로 문두부사로 쓰인다. 2, 3, 4번은 모두 1번과 같은 뜻이지만 문어체의 딱딱한 구식표현이므로, 글에서는 자주 볼 수 있으나, 실제 회화에서는 주로 'actually' 만 쓴다.
4	to be plain with you	4	사실은, 사실대로 말하면	
5	surely / to be sure	5	참으로, 확실히	
6	to make matters worse	6	설상가상으로	
7	to do him justice	7	그를 공평하게 평가한다면	
8	to make a long story short	8	간단히 말하자면	
9	to be brief	9	간단히 말해서	
10	not to say ~	10	~라고는 할 수 없지만	
11	to return	11	본론으로 돌아가서	
12	to be exact	12	엄밀히 말하자면, 정확히는	
13	to borrow his words	13	그의 말을 빌리자면	
14	**considering ~**	14	~에 비하면, ~을 고려하면	● 14~25
15	briefly speaking	15	간단히 말해서	흔히 '독립분사구문'이라고 불리는 연결사 표현들이다. '독립부정사구문'과 비슷하게 쓰인다. 다만 이 편이 그 느낌에 있어서 '독립부정사구문'보다 좀 더 부드럽다.
16	to be honest / honestly	16	솔직히 말해서	
17	generally speaking	17	일반적으로 말해서	
18	strictly speaking	18	엄격히 말한다면	
19	granting that+(S+V)	19	(S+V)라 하더라도	
20	providing [that]+(S+V)	20	만약 (S+V)라면	
21	seeing that+(S+V)	21	(S+V)라는 점에서 보면	
22	taking all things into consideration	22	모든 것을 고려해 볼 때	
23	judging from ~	23	~로 판단컨대	
24	talking of ~	24	~으로 말하자면	
25	speaking of ~	25	~으로 말하자면	

#	영어	#	한국어
26	by the way	26	그런데, 그건 그렇고
27	by the by	27	그런데, 그건 그렇고
28	incidently [ínsədəntli]	28	그런데, 그건 그렇고
29	**according to ~**	29	**~에 따르면, ~에 의하면**
30	in agreement with ~	30	~에 따라서
31	**from the viewpoint of ~**	31	**~의 관점에서**
32	in my opinion	32	내 견해로는
33	in the midst of ~	33	~의 와중에
34	**in place of ~**	34	**~대신에**
35	instead of ~	35	~대신에
36	or	36	혹은
37	rather	37	차라리
38	**to resume** [rizú:m]	38	**각설하고, 얘기를 계속하자면**
39	to return to the previous point	39	전에 하던 말로 돌아가서
40	**I mean**+(S+V)	40	**내 말은 (s+v)라는 뜻이야**
41	it means+(S+V)	41	그건 (S+V)라는 뜻이야
42	let me put it this way	42	그걸 이렇게 한번 말해보죠
43	as it were	43	말하자면, 이를테면
44	let's say(구어체)	44	예를 들면, 이를테면
45	specifically [spisífikəli]	45	즉, 구체적으로 말하면
46	**on the whole**	46	**개괄해서 말하자면**
47	essentially [isénʃəli]	47	본질적으로
48	in essence [ésəns]	48	본질적으로
49	in a word	49	한 마디로
50	all in all	50	대체로

Tips

● 26~28
'화제를 바꿀 때' 쓰는 연결사 표현들이다.

● 29~30
'~에 대한 동의'를 나타낼 때 쓰는 연결사 표현들이다.

● 31~33
'관점이나 상황'을 나타낼 때 쓰는 연결사 표현들이다.

● 34~37
'대체'를 나타낼 때 쓰는 연결사 표현들이다.

● 38~39
'본론으로 다시 돌아올 때' 쓰는 연결사 표현들이다.

● 40~45
'자기가 한 말을 좀 더 쉽게 풀어서 또는 부연해서 설명하고자 할 때' 쓰는 연결사 표현들이다.

● 46~50
'자기가 한 말을 요약해서 결론을 내리고자 할 때' 쓰는 연결사 표현들이다.

MEMO

NEXUS makes your next day

www.nexusEDU.kr
t.02-330-5500 f.02-330-5555
NEXUS Edu

이것이 THIS IS 시리즈다!

THIS IS GRAMMAR 시리즈

▷ 중 · 고등 내신에 꼭 등장하는 어법 포인트 분석 및 총정리

강남인강
강의교재

THIS IS READING 시리즈

▷ 다양한 소재의 지문으로 내신 및 수능 완벽 대비

강남인강
강의교재

THIS IS VOCABULARY 시리즈

▷ 주제별로 분류한 교육부 권장 어휘

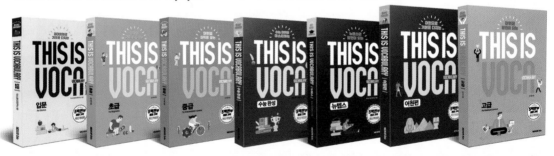

**THIS IS
시리즈**

무료 MP3 및 부가자료 다운로드
www.nexusbook.com
www.nexusEDU.kr

THIS IS GRAMMAR 시리즈
Starter 1~3   영어교육연구소 지음 | 205×265 | 144쪽 | 각 권 12,000원
초·중·고급 1·2   넥서스영어교육연구소 지음 | 205×265 | 250쪽 내외 | 각 권 12,000원

THIS IS READING 시리즈
Starter 1~3   김태연 지음 | 205×265 | 156쪽 | 각 권 12,000원
1·2·3·4   넥서스영어교육연구소 지음 | 205×265 | 192쪽 내외 | 각 권 10,000원

THIS IS VOCABULARY 시리즈
입문   넥서스영어교육연구소 지음 | 152×225 | 224쪽 | 10,000원
초·중·고급·어원편   권기하 지음 | 152×225 | 180×257 | 344쪽~444쪽 | 10,000원~12,000원
수능 완성   넥서스영어교육연구소 지음 | 152×225 | 280쪽 | 12,000원
뉴텝스   넥서스 TEPS연구소 지음 | 152×225 | 452쪽 | 13,800원

수준별 맞춤

Vocabulary 시리즈

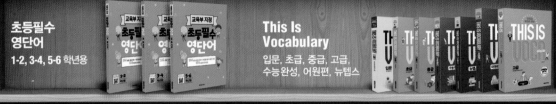

초등필수 영단어
1-2, 3-4, 5-6 학년용

This Is Vocabulary
입문, 초급, 중급, 고급, 수능완성, 어원편, 뉴텝스

The VOCA+BULARY
완전 개정판 1~7

Word Focus
중등 종합 5000,
고등 명사 5000,
고등 종합 9500

Grammar 시리즈

OK Grammar
Level 1~4

초등필수 영문법+쓰기
1, 2

Grammar 공감
Level 1~3

Grammar 101
Level 1~3

도전 만점 중등 내신 서술형 1~4

Grammar Bridge
Level 1~3
개정판

The Grammar with Workbook Starter Level 1~3

그래머 캡처
1~2

This Is Grammar Starter
1~3

This Is Grammar
초급 1·2
중급 1·2
고급 1·2

영어 교재 시리즈

Reading 시리즈

Reading 101 Level 1~3

Reading 공감 Level 1~3

THIS IS READING Starter 1~3

THIS IS READING 1~4 전면 개정판

Smart Reading Basic 1~2

Smart Reading 1~2

구사일생 BOOK 1~2

구문독해 204 BOOK 1~2

특단 어법어휘 모의고사 구문독해 독해유형

Listening / NEW TEPS 시리즈

Listening 공감 Level 1~3

After School Listening Level 1~3

The Listening Level 1~4

만점 적중 수능 듣기 모의고사 20회 / 35회

NEW TEPS 실전 250+ 실전 300+ 실전 400+ 실전 500+

NEXUS makes your next day

www.nexusEDU.kr
t.02-330-5500 f.02-330-5555
NEXUS Edu

새 교과서 반영 공감 시리즈

Grammar 공감 시리즈
▶ 2,000여 개 이상의 충분한 문제 풀이를 통한 문법 감각 향상
▶ 서술형 평가 코너 수록 및 서술형 대비 워크북 제공

Reading 공감 시리즈
▶ 어휘, 문장 쓰기 실력을 향상시킬 수 있는 서술형 대비 워크북 제공
▶ 창의, 나눔, 사회, 문화, 건강, 과학, 심리, 음식, 직업 등의 다양한 주제

Listening 공감 시리즈
▶ 최근 5년간 시·도 교육청 듣기능력평가 출제 경향 완벽 분석 반영
▶ 실전모의고사 20회 + 기출모의고사 2회로 구성된 총 22회 영어듣기 모의고사

● Listening, Reading – 무료 MP3 파일 다운로드 제공

★★★★★
강남인강
강의교재
★★★★★

공감 시리즈

무료 MP3 파일 다운로드 제공
www.nexusbook.com

Grammar 공감 시리즈
Level 1~3 넥서스영어교육연구소 지음 | 205×265 | 260쪽 내외(정답 및 해설 포함) | 각 권 12,000원

Grammar 공감 시리즈(연구용)
Level 1~3 넥서스영어교육연구소 지음 | 205×265 | 200쪽 내외(연구용 CD 포함) | 각 권 12,000원

Reading 공감 시리즈
Level 1~3 넥서스영어교육연구소 지음 | 205×265 | 200쪽 내외(정답 및 해설 포함) | 각 권 10,000원

Listening 공감 시리즈
Level 1~3 넥서스영어교육연구소 지음 | 210×280 | 280쪽 내외(정답 및 해설 포함) | 각 권 12,000원